全 世 界 无 产 者，联 合 起 来！

邓小平文选

第二卷

人民出版社

图书在版编目(CIP)数据

邓小平文选　第二卷/邓小平著．-2版．
-北京:人民出版社,1994.10(2008.12重印)
ISBN 978-7-01-002070-9

Ⅰ.邓…　Ⅱ.邓…　Ⅲ.邓小平-选集
Ⅳ.D2-0

邓 小 平 文 选

DENG XIAOPING WENXUAN

第 二 卷

人民出版社 出版发行
(100706　北京朝阳门内大街166号)

北京新华印刷有限公司印刷　新华书店经销

1983年7月第1版　1994年10月第2版
2008年12月北京第20次印刷
开本:787毫米×1092毫米 1/32　印张:14.25
字数:301千　印数:613,501-622,500册

ISBN 978-7-01-002070-9　定价:18.00元

邮购地址 100706　北京朝阳门内大街166号
人民东方图书销售中心　电话 (010)65250042　65289539

第二版出版说明

《邓小平文选(一九七五——一九八二年)》于一九八三年出版。现经作者同意,出版第二版,改称《邓小平文选》第二卷。

本卷第二版增补了十四篇著作,其中绝大部分是第一次公开发表。原收入本卷的《中国共产党第十二次全国代表大会开幕词》移入《邓小平文选》第三卷。这次增补,对作者在七十年代中至八十年代初已经提出的关于建设有中国特色社会主义理论的某些重要思想,作了比较充分的反映。全书共收入六十篇著作。

第二版对正文中的个别地方根据原记录作了修订,对文字、标点作了少量订正,并且增补了一些新的注释。

中共中央文献编辑委员会

一九九四年七月

出　版　说　明

这本文选，收入了邓小平同志在一九七五年至一九八二年九月这段时间内的重要讲话、谈话，共四十七篇。多数是过去没有公开发表过的。作者以前的著作，这次没有编选。

邓小平同志一九七五年的言论，反映了他在同“四人帮”进行针锋相对的斗争中，狠抓各项工作的整顿，为消除“文化大革命”的动乱，为促进安定团结和国民经济发展所进行的巨大努力。

邓小平同志一九七七年以后的言论，反映了他在推动和指导全党进行拨乱反正、实现伟大历史转变的过程中，在根据马克思列宁主义、毛泽东思想的基本观点和我国国情确定社会主义现代化建设的正确道路和方针政策的过程中，发挥的决策作用和做出的卓越贡献。

这些论著不但具有不可磨灭的历史意义，而且对我国当前和今后的社会主义建设事业有重大的指导意义。

在编辑本书时，作者对各篇的文字作了少量的订正。

中共中央文献编辑委员会

一九八三年三月四日

目　录

军队要整顿*

（一九七五年一月二十五日）

我们这个军队有好传统。从井冈山起，毛泽东同志就为我军建立了非常好的制度，树立了非常好的作风。我们这个军队是党指挥枪，不是枪指挥党。经过长期反对军阀主义的斗争，军队内部很团结，联系群众也很好。可是从一九五九年林彪[1]主管军队工作起，特别是在他主管的后期，军队被搞得相当乱。现在，好多优良传统丢掉了，军队臃肿不堪。军队的人数增加很多，军费开支占国家预算的比重增大，把很多钱花费在人员的穿衣吃饭上面。更主要的是，军队膨胀起来，不精干，打起仗来就不行。我想军队绝大多数同志是不满意这种现状的。所以毛泽东同志提出军队要整顿。军队的总人数要减少，编外干部太多要处理；优良传统要恢复。这就有大量的工作要做。总参谋部、总政治部、总后勤部的责任更大，三个总部本身首先要整顿。

我们要遵照毛泽东同志关于安定团结的指示，整顿军队。这些年来，我们军队出现了一个新的大问题，就是闹派性，有

---

* 这是邓小平同志在中国人民解放军总参谋部机关团以上干部会上的讲话。一九七五年一月五日邓小平同志任中共中央军事委员会副主席兼总参谋长。

的单位派性还很严重。这个问题主要在干部。我们军队的干部绝大多数是好的，但是确有少数人热衷于搞派性。他们在军队内部搞，到地方去也搞。要安定团结，就必须消除派性，增强党性。我们军队在历史上曾经有过许多山头，那是由于长期处在分散的农村游击战争环境而自然形成的。长征到了陕北，在抗日战争时期，毛泽东同志向全党全军提出要克服山头主义倾向。经过延安整风，反对宗派主义，全党达到了新的团结。这是我们打胜抗日战争、打胜解放战争的根本保证。最近这个时期，又钻出了一个派性，这一点我们一定要注意。不消除派性，安定团结不起来，军队战斗力也一定会削弱。每个干部都要把党性放在第一位。原来喜欢搞派性的，要觉悟，要改正，改正了就好。今后军队干部的使用、提升，一条重要的原则，就是不能重用派性严重的人，不能重用坚持派性不肯改正的人。

再一个问题是军队的纪律很差。为什么毛泽东同志提出要唱《三大纪律八项注意》歌，而且专门唱那一条，叫做“一切行动听指挥”呢？就是强调纪律嘛。军队要像军队的样子。现在提出加强纪律性，首先要从我们北京的机关、部队做起。不抓怎么行？所以，军队的整顿，一个是要提高党性，消除派性；一个是要加强纪律性。

还有一些问题也要解决，如落实政策。现在有好多政策没有落实。各个单位要认真研究，把政策落实好，这样才有利于调动积极性，有利于安定团结。

我们总参谋部，顾名思义，就是要给党中央、中央军委当好参谋，给我们军队的统帅毛主席当好参谋。毛泽东同志过去批评总参不参，这个状况要改变。有一系列工作要做。现在是问题成堆。我们总参谋部一定要按照毛泽东同志制定的军事路线、建军原则，好好地清理一下，使我们真正起到参谋的作用。

今天就是同大家见个面。军队究竟怎么搞法，这个问题以后还要议。但是我想，刚才说的军队要整顿，要安定团结，要落实政策，这些原则是不会错的。为了做到这些，我们要增强党性，消除派性，加强纪律性，提高工作效率。希望我们总参谋部所有的干部，本着这样的精神团结起来，把工作做好。

全党讲大局，把国民经济搞上去*

（一九七五年三月五日）

现在有一个大局，全党要多讲。大局是什么？三届人大一次会议和四届人大一次会议的政府工作报告，都讲了发展我国国民经济的两步设想：第一步到一九八〇年，建成一个独立的比较完整的工业体系和国民经济体系；第二步到二十世纪末，也就是说，从现在算起还有二十五年时间，把我国建设成为具有现代农业、现代工业、现代国防和现代科学技术的社会主义强国。全党全国都要为实现这个伟大目标而奋斗。这就是大局。

毛主席讲，要抓革命，促生产，促工作，促战备。听说现在有的同志只敢抓革命，不敢抓生产，说什么"抓革命保险，抓生产危险"。这是大错特错的。目前生产的形势怎么样？农业还比较好一点，但是，粮食产量按全国人口平均每人只有六百零九斤，储备粮也不多，农民的收入就那么一点。工业方面，那就确实值得引起严重注意。现有的生产能力没有发挥出来。去

* 这是邓小平同志在中共省、市、自治区委员会主管工业的书记会议上的讲话。

年一年，工业生产情况是不好的。今年是第四个五年计划的最后一年，生产再搞不好，势必影响第五个五年计划的实行。我们必须预见到这种形势，认真抓这个问题。

怎样才能把国民经济搞上去？分析的结果，当前的薄弱环节是铁路。铁路运输的问题不解决，生产部署统统打乱，整个计划都会落空。所以中央下决心要解决这个问题，今天就要发出《中共中央关于加强铁路工作的决定》。

解决铁路问题的办法，还是要加强集中统一。对铁路工作，中央从来是强调集中统一的，但是近几年这方面实际上大大削弱了。这些年铁路职工和机车、车辆、线路等装备都有增加，可是由于削弱了集中统一领导，铁路运输总是上不去。现在每天只装四万多车。据有的同志讲，按现有的实际能力装五万五千车是没有问题的。所以中央的决定是根据铁路的特性，重申集中统一。当然，地方的责任并没有减轻。铁道部门的工作没有各地的支持是做不好的。因此铁道部门与地方之间应当加强协作，采取一致的步调。

建立必要的规章制度，增强组织性纪律性，这也是中央的决定上讲的。现在铁路事故惊人，去年一年发生行车重大事故和大事故七百五十五件，比事故最少的一九六四年的八十八件增加好多倍。这中间有许多是责任事故，包括机车车辆维修方面的责任事故。这说明没有章程了，也没有纪律了。现在有些规章制度要重申。火车司机不能下车吃饭，要带饭盒在车上吃，这是老章程，是有道理的。现在随便下车吃饭，经常误点。值班不准喝酒，这是历来的规矩，现在也不严格执行了。喝醉了酒扳错道岔，就会造成火车相撞的重大事故。所以必要的规章制度一定要恢复和健全，组织性纪律性一定要加强。这个问题不光是铁道部门存在，其他地方和部门也同样存在。

中央的决定还讲到反对派性。现在闹派性已经严重地妨害我们的大局。要把这个问题摆到全体职工面前，要讲清楚这是大是大非问题。这个问题不解决，光解决具体问题不行。对闹派性的人要再教育，要反对闹派性的头头。大概有这样两种情况：一种是被派性迷了心窍的人，打几年派仗打昏了头，马克思主义不见了，毛泽东思想不见了，共产党也不见了。要对他们进行教育，教育过来，既往不咎，再不转变，严肃处理。另外一种是少数坏人，各行各业、各个省市都有那么一些，他们利用派性混水摸鱼，破坏社会主义秩序，破坏国家经济建设，在混乱中搞投机倒把，升官发财。对这样的人，不处理不行。比如，徐州那个闹事的头头“本事”可大啦，实际上是他在那个地方专政。对这种人不及时处理，等到哪一年呀？我说，只等他一个月，等到三月底。如果再不转变，顽固地同无产阶级对立，那样性质就变了。

铁路系统里闹派性的人同地方上闹派性的人是有联系的，反对派性，要把他们之间的联系切断。他们这些人懂得抓要害，把铁路一堵，事情就闹到北京来了。南昌铁路局的问题，省里就有人支持。一定要把铁路上搞派性活动的里外联系割断。这次确定，铁道部门的人事调动，还是由铁道部统一管理。铁道部有这个权。铁路上的派性问题，地方解决不了的，由铁道部解决。要把闹派性的人从原单位调开。当然是调头头。调动后又钻出个新的头头怎么办？钻出来再调。调两次、三次，总可以解决了吧。我们也不捉人，当然反革命的除外。闹派性的头头不服从调动怎么办？不服从调动不发工资。你的“行业”是闹派性，何必到我们这里来拿工资？总之，解决问题要有一点办法。

对中央的决定是赞成的多还是反对的多？请大家估计一下。有百分之八十的人拥护，中央的决定就能行得通。我想绝大多数人是拥护这个决定的。中国铁路工人是中国工人阶级最先进、最有组织的一部分。集中统一赞成不赞成？组织性纪律性赞成不赞成？必要的规章制度赞成不赞成？闹派性要不要反对？对闹派性的头头要不要调开？把这些问题讲清楚，理所当然地会得到绝大多数铁路职工的拥护。所以，三月份的动员要很深入，包括对职工家属、铁路沿线农民，都要做到家喻户晓。

解决铁路问题的经验，对其他工业部门会有帮助。对于当前存在的问题，要有明确的政策。要从大局出发，解决问题不能拖。拖到哪一年呢？搞社会主义怎么能等呢？

当前钢铁工业必须解决的几个问题*

（一九七五年五月二十九日）

冶金部前几天给毛主席、党中央的报告，中央写了批示，准备转发下去。我看，大家只要按照中央批示的方针、要求去做，把钢铁生产搞上去是完全有希望的。

当前，钢铁工业重点要解决四个问题。

第一，必须建立一个坚强的领导班子。

现在钢铁生产上不去，主要是包钢、武钢、鞍钢、太钢等大钢厂的生产上不去。特别是鞍钢，它的产量要是上不去，一天掉下来两三千吨，别的厂是没有办法补起来的。当然，中小钢厂也有一些差的。钢铁生产搞不好，关键是领导班子问题，是领导班子软、懒、散。冶金部的领导班子就是软的，当然还不能说是懒的、散的。软，就要加强一下。各个工厂企业领导班子的情况不完全相同。有的单位领导班子散，与闹派性有关。现在，在干部中有一个主要问题，就是怕，不敢摸老虎屁股。一个部门、一个企业的领导，不能怕这怕那。要找一些不怕打倒的人进领导班子，条件是中央支持他们，省委支持他们。没有这

* 这是邓小平同志在钢铁工业座谈会上的讲话。

一条，扭转不过来。领导班子就是作战指挥部。搞生产也好，搞科研也好，反派性也好，都是作战。指挥部不强，作战就没有力量。冶金部作战就没有力量嘛。有些公司、钢厂的领导班子作战也没有力量。领导班子问题，是关系到党的路线能不能贯彻执行的问题。如果这个问题解决得不好，不要说带领群众前进，就是开步走都困难。因此，我们首先强调要把领导班子的问题解决好。不光是冶金部，各个公司、厂矿、车间的领导班子，包括职能机构，都要加强。要使领导班子一不软，二不懒，三不散，说了话大家都能听，都能指挥得动，都能领导起来。

第二，必须坚决同派性作斗争。

中央关于加强铁路工作的决定下达以后，对各行各业都有很大的影响和推动。煤炭工业生产上得很快，就是一个明显的例子。他们的经验，就是敢于同派性进行坚决的斗争。太钢也是解决了这个问题，生产才上去的。铁道部门在这方面做得就更突出了。徐州的经验比较典型。这些经验都值得大家很好学习。

对于派性，领导上要有个明确的态度，就是要坚决反对。有的人把党的事业闹得乌天黑地，你还等他觉悟，你能等得及吗？要敢字当头。对坚持闹派性的人，该调的就调，该批的就批，该斗的就斗，不能慢吞吞的，总是等待。对于派性，还要号召群众、发动群众起来共同反对。那种坚持闹派性的人，中央他怕吗？省委他怕吗？市委以及公司、厂矿的领导，对他来说就更不在话下。可是他最怕群众，怕群众起来。所以治那种人的办法，就是发动群众同他斗，寸步不让，而且要有一个声势，不能冷冷清清。我们要相信群众，拿中央文件跟群众直接见面，使中央精神真正做到家喻户晓，婆姨娃娃都知道，把广大群众同派性作斗争的积极性都调动起来。各地经验证明，百分之九十五以上的群众是拥护中央精神的。当然，并不是说没有人反对。今年三月我在全国工业书记会议上的讲话，就有人说是"复辟纲领"。这种人是有的，你不要怕。只要我们有了明确的态度，有了正确的方针，事情就好办了。

现在还在那里闹派性的是少数人。其中，有的是敌人，他们利用派性来闹事；有的是为了争个人名利而打派仗；有的是打了几年派仗，被派性迷住了心窍。根据铁道部门的经验，徐州和其他地区的经验，在同派性作斗争中，所要打击的也就是那么少数几个人。徐州闹得那么厉害，最后被打击的只有三个人。绝大多数人，包括被派性迷了心窍的人，都可以挽救过来。所以，实际搞的结果，打击面极小，教育面极大。我们一定要下决心搞好反派性的斗争。

第三，必须认真落实政策。

从解决铁路问题、徐州问题的经验来看，落实政策是一个很重要的问题。清查"五一六"，徐州市搞了六千多人，这是很吓人的数字。搞了那么多人，不给他们落实政策，能把群众的积极性调动起来吗？

我们讲落实政策，不仅要解决戴上帽子的那些人的问题，而且要解决他们周围受到牵连的人的问题。徐州市搞了六千多人，如果按五口之家来算，再加上他们的亲戚朋友等社会关系，波及的面就有好几万人。必须使他们很快把包袱放下来。

在落实政策时，还要注意这样的情况：有些人虽然没有戴帽子，但是批评或者斗争过他们，伤了感情；有的地区虽然没有清查“五一六”，但是也干了一些类似的事情。这些问题都要妥善解决。

在落实政策时，还要特别注意那些老工人、技术骨干、老劳模，要把这一部分人的积极性调动起来。有些该回领导岗位的要调回来，摆到适当位置上。当然不是说统统都回到原来的岗位。

第四，必须建立必要的规章制度。

上面几件事情认真做好以后，紧接着就要发动群众把必要的规章制度建立、健全起来。这也是加强组织性纪律性的问题。过去一个时期，根本谈不上什么规章制度，出了不少问题。最近武钢就发生了一天跑两次钢水的大事故。有些事故发生了，还分不清是谁的责任。因此，一定要建立和健全必要的规章制度。有的工厂纪律很松弛，职工可以上班，也可以不上班，制度可以执行，也可以不执行。要讲清楚，对这些现象，过去的还可以原谅，现在就不许可再存在了。哪能随便不上班，马马虎虎呢？不上班就不发工资，不干工作就叫他离开嘛！你既然不愿意工作，国家为什么还要照发工资呢？执行规章制度宁可要求严一些，不严就建立不起来。过去有些规章制度比较繁琐，应该改革。我们要总结正反两方面的经验，把必要的规章制度恢复或建立起来。

总之，把钢铁生产搞上去有很多工作要做。我看，抓住以上这四条最重要。

加强党的领导，整顿党的作风*

（一九七五年七月四日）

今天见个面，我讲几句话。

前一个时期，毛泽东同志有三条重要指示：第一，要学习理论，反修防修；第二，要安定团结；第三，要把国民经济搞上去。这三条指示互相联系，是个整体，不能丢掉任何一条。这是我们这一时期工作的纲。毛泽东同志去年就讲过，文化大革命已经八年了，以安定为好。现在加一年，九年了，要团结起来，安定起来。我们有好多事要办。国际方面的斗争，事情很多。国内也有许多事情要做，特别是要把国民经济搞上去。

搞好安定团结，发展社会主义经济，需要加强党的领导，把我们党的优良作风发扬起来，坚持下去。这是一个非常重要的问题。毛泽东同志讲军队要整顿，整个党也有这个问题，特别是在党的领导和党的作风方面。

现在，相当一部分地方党的领导没有建立起来，党的领导削弱了。各级都有这个问题。没有党的领导怎么行？党讲话不大灵怎么行？解决这个问题，关键是建立省委一级的领导，许多事情都拿到中央来解决是不行的。在座的许多同志参加

---

* 这是邓小平同志对中央读书班第四期学员的讲话。

省里的工作，希望你们经过学习，通过自己的工作，把省委的领导建立起来，使省委说话有人听，能够担负起领导责任，做到一不是软，二不是懒，三不是散。省委领导会不会犯错误？那是可能的，甚至肯定会犯。这个同志那个同志都可能犯错误。要求省委每一件事都做得完全对，都那么正确，是不可能的。要允许他们犯错误，改正错误。犯了错误，就要帮助他们。中央批评他们也是为了帮助。要维护省委的领导，帮助省委建立威信，使省委对工农商学兵、东西南北中，各项工作都能够领导起来。省委坚强了，敢于领导，就能帮助地委、县委。这样，我们党就能够实现自己的领导了。最近中央关于加强铁路工作的决定和关于努力完成今年钢铁生产计划的批示，都讲了加强党的领导问题。我们全党都要做这个工作。

讲到党的作风，就是毛泽东同志提出的“三要三不要”〔2〕，这是党的原则，也是党的作风。大家读了好多书，要好好地读延安整风时的文件，七大的报告。毛泽东同志在七大的政治报告里，提出了理论联系实际、密切联系群众、自我批评三大作风。延安整风时，毛泽东同志作了《改造我们的学习》、《整顿党的作风》等报告。那时是整顿三风：一是整顿学风，反对主观主义；二是整顿党风，反对宗派主义；三是整顿文风，反对党八股。这是毛泽东同志总结了党的历史经验提出来的。在这一系列党的原则中，反对宗派主义，也就是反对派性，增强党性，是很重要的一条。“三要三不要”中讲团结，反对分裂，与延安整风时反对宗派主义是一个精神。党员要按照党的章程办事，遵守党的纪律，不能搞宗派主义，树山头、垒山头，或者站到这个山头、那个山头。如果这样，党就分裂了，就没有战斗力了。延安整风就是解决这些问题，在思想一致的基础上，把全党团结起来。没有那次整风，打败日本侵略者，打败蒋介石，是不可能的。现在解决各地区、各部门的问题，都要从反对派性、增强党性入手。过去在革命战争年代，各方面的红军，各个革命根据地的干部，形成各个山头，那是自然形成的。如果说文化大革命初期的两派也是自然形成的话，那末，现在还搞两派，性质就不同了。毛泽东同志讲，要安定团结。让少数人继续在那里闹，能安定团结吗？徐州有那么几个人，就把共产党的市委打入"地下"，这是什么专政？是派性专政。这根本谈不上什么安定团结。实际上，那些坚持搞派性的只是少数几个人，百分之九十五以上的人，包括跟着闹派性的群众，是厌恶派性的。只要把问题讲清楚，群众觉悟了，看清了那些坚持闹派性的人的真面目，就不会跟他们走了。闹派性的人大部分是可以教育过来的。我们要按照毛泽东同志提出的"团结——批评——团结"的公式，来解决群众中的派性问题，从团结的愿望出发，经过批评，达到团结的目的。当然，这中间要有必要的斗争。

我就讲这些，主要是讲加强党的领导，反对派性，把毛泽东同志树立的优良作风发扬起来。这个问题，全党同志要注意，特别是中央委员、高级干部，更要注意。

军队整顿的任务*

（一九七五年七月十四日）

一　我们军队的状况

首先应当肯定，我们的军队不管是建国以前，还是建国以后到现在，总的状况是好的，是经得起考验的。我们的军队是无产阶级专政的柱石。不讲抗美援朝[3]这些大仗，就讲珍宝岛、西沙群岛和中印边界自卫还击战[4]这些不大的仗，在战斗中，不管派一个团、一个连也好，一个班也好，都能完成任务。这说明我们军队的传统是好的，是英勇善战的。有的同志告诉我，现在军队团以下情况除个别的以外都不错。这一点我们是高兴的。

今天，我想着重讲一讲军队还有什么问题。我的意思是，因为军队受的赞扬太多了，所以不能只报喜不报忧。由于林彪一伙的破坏，军队建设中确实存在不少问题，在座的许多同志也有这个感觉。我想了一下，有五个字：肿、散、骄、奢、惰。当然，全军总的面貌不是这样。但是从部分单位来说，从部分同志来说，是存在这五个字的。

---

* 这是邓小平同志在中共中央军委扩大会议上的讲话。

一是有点肿。这次会议研究精简整编，就是解决肿的问题。不能说每一个师的部队都是肿的，但整个军队确实有点肿。

二是有点散。主要表现在有派性和组织纪律性差这两个方面。我们的军队历史上是由各个山头、五湖四海集中起来的。过去，有三个方面军，每个方面军又是由好多山头结合起来的，这就自然地不同程度地产生了山头主义。毛泽东同志在延安整风时，号召反对宗派主义，解决全党和各个地区特别是军队里的山头主义。经过整风，从一九四一年算起，差不多三四年时间就解决了。整风后，不管是军队干部，还是地方干部，拧成一股劲，力量多大呀！所以把仗打胜了。以后，军队里就再没有提出反对宗派主义的问题。那末，现在为什么又要提出这个问题呢？这是军队在支左〔5〕当中出现的新问题。军队支左，许多人也卷到派性里面去了。一些人卷到这一派里，另一些人卷到那一派里。军队的权力大得很，变成了派的后台，以后把派性带回到军队，在军队内部不少单位也分成了两派。现在，文化大革命已经九年了，军队还有相当一部分人没有摆脱派性，这一点影响了我们军队本身的团结。派性在军队里存在是很危险的，说严重一点，这种现象是不能容忍、也不应该容忍的。现在，军队里总有少数人喜欢垒点山头，喜欢搞那么一个小圈子，喜欢那些吹捧自己的人、听自己话的人，任人唯亲。其实，那些常常吹捧人的人是特别值得打个问号的。但是，我们有的同志就喜欢别人吹自己、捧自己，不善于搞五湖四海，不善于团结不同意见的同志。山头就是这样不自觉地垒起来了。在北京，有的单位就有这样的同志，有的甚至还是高级领导干部，他们就喜欢这样搞，经过“艰苦奋斗”，把和自己意见不同的同志弄走，找一些听他话的人，搞这样的班子。这不是垒山头吗？这不是搞宗派吗？讲落实政策，讲了多少年，好多政策不能落实，闹派性是一个重要的原因。有些部队的派性回过来又影响到地方，使地方的派性问题也不能解决。支左部队撤出地方，人走了，影响还在。所以我们说，地方的问题与军队有关。

有许多同志感到，现在军队组织纪律性差，什么下级服从上级呀，个人服从组织呀，都不管了。过去军队组织纪律性是很强的，命令一下，二话不说就行动嘛。现在不行，不只是个人，甚至有的单位也违抗命令。组织纪律性差同派性有关。他们考虑的不是革命整体的利益，而是他们那一派的利益，个人利益、小宗派利益高于一切，要名，要利，要地位，不满足就不高兴，甚至不服从调动。现在，要调动一个人可不容易。许多人都喜欢留在大城市，特别是喜欢在北京，要调到别的地方去，很困难，说什么身体不好，调到外地心脏病肯定要复发，可是在北京，心脏病就好了。总之，理由多得很。

现在不只是组织纪律差，政治纪律也差。比如，中央说要落实政策，他就是不干。这是什么问题？这就是政治纪律问题。又如，要军队同志帮助地方消除派性，使群众团结起来，可是有些同志就是不执行这个方针。这是组织纪律问题，又是政治纪律问题。

最近，中央连续发了几个文件，都提出要解决领导班子问题。领导班子软懒散的问题，地方有，军队也有。军队有相当多的散班子，也有相当多的懒班子，恐怕软班子占得更多。这段时间，地方上对这些问题解决得比较好，比较快，军队慢了一点。

三是有点骄。骄的问题我们军队历来就有。战争年代军队出力大，牌子硬，名誉好，就容易骄。这种情况，经过多年纠正，比较好了。但是应当指出，在文化大革命中又出现了新的情况。军队支左，权力大得很。大权在握，加上其他一些原因，在军队一部分人中，滋长了骄气。有的甚至不只是骄气，而是骄横。有的人喜欢指手画脚，把群众路线的优良传统也丢掉了。现在，军队的团结，军政、军民的团结，都存在不少问题。有的部队内部相互之间的关系相当紧张，军政之间、军民之间的关系也相当紧张。过去军队同志坐公共汽车，向来是给老人、带娃娃的妇女让座位的，现在有的不让了。有个战士坐车，一位妇女抱着娃娃，他不让座，娃娃哭了他也不理。旁边有位老人说，雷锋叔叔不在了。从这个事情上是可以看出问题的。我们军队在这方面本来有很好的传统。现在，不讲团结，不讲纪律，三大纪律八项注意〔6〕至少有某种程度的丧失。有的人发展到追求资产阶级生活方式，艰苦奋斗的传统作风丢掉了。这方面的例子多得很。如果认为这些都无关重要，没有警觉，那是很危险的。

四是有点奢。上面讲到有的人追求资产阶级生活方式。他们有的闹享受，闹待遇，一切都向高级发展，住房子越多越好。有的甚至公私不分，没有什么界限了。有的部队请客送礼，修建楼堂馆所。这些现象相当厉害，而且还在发展，并没有刹住。军队搞奢侈，有好多的事是违反政策的。有些人从地方上随便拿东西，或者低价购买。有的拿了东西连个手续都没有。军队执行毛泽东同志的五七指示[7]，办了不少农场、企业，这是好事。但要提醒同志们注意，必须真正执行五七指示的精神。现在有的农场、企业赚了钱，随便开支，有的领导干部还互相争批条子的权力。这种情况要整顿。地方的房屋、土地，军队占得太多，地方很有意见，该还的就应该还嘛。有的房屋、土地，因为过去地方没有用，军队就拿过来了，但也有是霸占的。关于奢的例子，我想哪一位同志的脑子里都装了一大堆，我就不多讲了。

五是有点惰。惰性，不只是在一些人身上存在，甚至有些机关也不同程度地存在。有些高级干部革命意志衰退，追求个人利益，不注意保持革命晚节。有的人小病大养，无病呻吟，官僚主义，工作不努力，不踏实，不深入基层，不亲自动手，不动脑筋，靠秘书办事，讲五分钟话都要人家写成稿子照着念，有时还念错了。这是思想懒惰。有的人怕字当头，不敢办事，不敢讲话，怕讲错了挨批。共产党员为什么怕？为什么不敢讲话？为什么不敢负责任？这样，难道自己就没有责任？写出来照着稿子念就没有错误？我看起码是文风不好。写的稿子都是照着报纸抄的，那不是八股？这些问题的产生，除了个人的思想原因之外，组织上支持帮助不够也是一个原因。所谓帮助，也包括批评，批评也是帮助。中央有责任帮助各省，军委有责任帮助各军区、各军兵种。要敢于负责，不要怕。错误难免，有错误应该批评，改了就好。

总之，军队总的形势是好的。现在是有点肿、散、骄、奢、惰。尽管是部分的，但是不可忽略。

二　军队要整顿

军队整顿什么？就是整上面讲的那五个字。这次会议我们搞编制，就是整肿字。但不只是整肿，同时还要注意散、骄、奢、惰，要联系起来解决。解决肿的问题，搞好军队的编制整顿、体制整顿，可以适当解决军队的其他问题。比如，这次整编，要配备、健全各级领导班子，就要同时注意克服散字、惰字，解决软班子、懒班子、散班子的问题。这一次编制要严格搞，要切实遵守编制。可以说编制就是法律。总不能像过去那样随便要战士为自己服务吧！规定配一个秘书，就不要用多了嘛。秘书少一点有好处，自己亲自动手，勤恳一点，多动一点脑子，对自己好处多啊！加强各级领导班子，选人要选得对，要好好了解。这次整编，一直到连的干部都要选得比较好，更不用说营团以上的干部了。军队整顿当中，还要加强干部学习，增强党性，反对派性，加强纪律性，发扬艰苦奋斗的传统作风。

三　军委的工作

军委常委的同志已经商量过，军委工作实际上就是两件事：第一件是“军队要整顿”；第二件是“要准备打仗”。这两件事都是毛泽东同志讲的，我们军队工作的纲就是这个。我们抓了编制，接着就抓装备，装备也要抓好。国家正在考虑下一个五年计划、十年计划，军队装备也要有规划。科研要走在前面。不单是尖端武器、常规武器有科研问题，就是减轻战士身上带的东西的重量，同样有科研问题。现在一个战士要背几十公斤，怎么打仗呀？到时候，非战斗减员不知有多少呢！这不是小事，也是装备问题，也要研究、定型。总后勤部要订出规划，要有一些人专门管这个事情。

抓编制，抓装备，还要抓战略，要按次序来抓。我们作战，有个战场问题，还有遇到什么情况怎么打法的问题，这些都要设想到。战略要研究的问题，不仅是作战问题，还包括训练。要把训练放在战略问题的一个重要位置上。现在是合成军队作战，空中也有，地面也有，水里也有，不是过去的小米加步枪了。现在当个连长，同过去的连长可不一样了。过去的连长，驳壳枪一举，就是“冲啊”！现在连长的知识要求比过去多得多，更不用说连以上的干部了。打起仗来，给你配几辆坦克，配一个炮兵连，还要进行对空联络，你怎么指挥啊？这就要求提高干部的指挥水平。对我们指挥作战的水平不能估计高了。如果不注意军队训练，至少在战争初期要相当倒霉就是了。还要提高干部的管理水平。现在我们的干部不大会管理部队。比如，连队的伙食普遍不好，花钱很多，吃得很差，这就是管理问题。管理问题还多得很。为了提高干部的指挥水平、管理水平，增加他们的知识，要好好办学校，包括各总部、各军兵种、各级的学校，都要办好。不打仗，除了搞演习以外，办一点学校，这总是一个办法。

很多同志提出，希望开一个政治工作会议，我看这个意见很好，是需要开一个全军政治工作会议，研究加强军队党的工作和政治工作。要加强军队党委的集体领导，要加强政治机关，提高政治机关的威信。在配备政治工作干部时要注意质量，政治干部要能起模范作用。现在军队里的干部问题很值得注意。怎样按照选拔干部的条件去做，这很重要。加强政治机关，特别要注意加强管干部的部门。政治机关的干部，特别是管干部的干部，要很公道，很正派，不信邪，不怕得罪人；也要有耐心，能熟悉干部，联系干部。我们的传统历来是政治机关管干部，首长总要经过政治机关去考核、审查干部，这才符合组织原则。要把这个好的传统继承起来。要特别注意加强连队政治工作。连队干部，尤其是指导员要会做工作。可以考虑连队指导员的年龄稍微大一点，任职时间稍微长一点。如果只干两三年就换了，经验就积累不起来，就不会做思想工作。另外，军队内部的团结问题，军队和地方的团结问题，军民关系问题，都要研究。

四 整编中的干部问题

现在整编中的干部问题是两个：一是在军队内部的处理问题，一是在地方的安置问题。有几十万干部转到地方，地方要承担起来，把他们安置好。这也是我们军队自己的事情，所以军队对地方要支持，要帮忙。现在地方上干部也多，安排不容易，有些同志遇到问题可能回军队告状。这个问题大家都要注意，军队要采取支持地方的态度。在军队内部的问题，就是谁留谁去，谁在职谁不在职。支左回来的干部，文化大革命初期靠边站的干部，现在都有一个分配工作的问题，应该通盘考虑。留在军队的师以上干部，谁在职，谁不在职，谁当顾问，解决好这些问题不容易，工作量很大，要妥善处理。刚才我讲的要连带解决的那几个字，跟安排干部问题有关，也要很好考虑。还有一个干部调整、交流问题。毛泽东同志讲了，除八大军区司令员对调外，省军区和有些部门的干部也要交流一下，在一个地方呆久了不好。有的在地方卷入了派性，妨碍地方的工作，总要调换一下嘛。如果有了山头，一定要去掉，要把山头平一平，把干部交流一下，不要挤到一堆。有些人适当调动一下地方有好处，主要是换一个地方可以多接触一些人，多了解一些情况，遇事也会谨慎一些。总之，在一个地方呆久了不好。对干部要教育，要把这个问题讲清楚。

在步骤上，我建议首先自上而下地调整好各级领导班子。我们解决地方问题，包括企业单位的问题，就是首先解决领导班子。领导班子要有威信，敢字当头，能很好地执行党的方针政策，能很好地工作。否则有些工作没有人去做，都要中央派人，或省、市、自治区派人，那怎么行啊？军队也一样。配备班子的时候，首先要把一、二把手选准，要选党性好、作风好、团结好的。现在强调一下艰苦奋斗的作风特别重要，有了这一点，好多事情都会变化，都会好起来。所以现在选干部，特别是选高级干部，要选艰苦奋斗或者比较艰苦奋斗的。

讲一讲顾问问题。设顾问是一个新事物，是我们军队现在状况下提出的一个好办法。设顾问，第一关是谁当顾问；第二关是当了顾问怎么办。谁去谁留的问题，不可能统统那么公道。毛泽东同志说，当了中央委员，不一定就比别人强，没有当中央委员也不一定就比有的中央委员差。所有的同志，特别是当顾问的同志，都要以大局为重，服从组织的安排。对顾问，组织上要关怀，这个关怀有物质待遇问题，但是特别要注意对他们政治思想方面的关怀。要使他们能够看到文件，听到报告，同级党委里面有些事要让他们知道。顾问组的组长，不参加党委，可以列席党委会，好同顾问组通气。其他待遇不变，但是配汽车、秘书要变一变。这要讲清楚，因为工作不需要，并不是降格了。当顾问的同志也要自觉。下去检查工作的时候，不要人家请客，不要办酒席。下去到处跑，到处请客，而且都是老上级，不请客就说不尊重，就不高兴，那还得了！下去检查工作要有计划，不然下面受不了。顾问也有权，就是建议权。顾问要会当，要超脱。不然，遇事都过问，同级党委吃不消。设了顾问，究竟会有什么问题，等搞年把子再来总结经验。

五　高级干部的责任

搞好军队的责任首先在我们到会的同志，扩大一点，到军以上的主要成员。我们这些人把军队带好了，我们党的一套优良传统就能保持好，军队就会非常团结、非常有战斗力。如果我们这些人搞得不好，就会把军队带得很不好，存在的一些问题就会发展。现在确实有些值得注意的现象，我们都担忧啊！过去几十年，军队总的是很好的，我们是出了力的，功劳是有份的。现在军队一些不好的现象能不能克服，几十年的优良传统能不能继承和发扬，主要靠我们这些老同志的传帮带。只要大家带头努力，做到毛泽东同志说的八个字，团结、紧张、严肃、活泼，我看，军队的问题是不难解决的，党的路线、方针、政策是可以贯彻好的。

以上几点意见概括起来，就是毛泽东同志说的："发扬革命传统，争取更大光荣。"〔8〕

关于国防工业企业的整顿*

（一九七五年八月三日）

几个月来，中央连续发了关于解决铁路问题、钢铁生产问题等几个文件，方针政策都明确了。要我讲几句，还是些老话。

第一，一定要建立敢字当头的领导班子。现在看起来，这个问题多数工厂企业已经解决了，还有少数没有解决。“老大难”单位，无非是这么个问题。你要斗派性，没有敢字当头的领导班子就根本不可能；要建立必要的规章制度，要落实政策，没有这样的领导班子也搞不成。有的人就是一个怕字。过去怕，还有点道理，不能说过去怕的人都不好。作为一个共产党员，过去怕也不对，但是还可以原谅，因为有当时的情况。现在中央支持地方，上级支持下级，再怕就只能怪自己，怪自己革命意志衰退，怪自己革命干劲差。只能得出这个结论。怕字当头，不干工作，小病大养，无病呻吟，这样的领导干部，索性请他好好休息，不然占着茅坑不拉屎怎么行？领导班子问题一定要抓紧解决，要找一些能够办事、敢于办事的同志来负责。这件事不要拖，特别是省里管工业的书记要注意。解决领导班子的问题，主要是配备好一、二把手，一、二把手敢字当头，就可

* 这是邓小平同志在国防工业重点企业会议上的讲话。

以把队伍带起来。要选一些比较有实际经验的稍微年轻一点的干部进领导班子，五十岁的、四十岁的，能有更年轻一点的就更好。这样的人总是会有的，本厂可以找，本厂有困难，外厂也可以找，本地区也可以找，哪里会找不到人！要选有能力的人，选到了要好好培养。

第二，一定要坚持质量第一。这个问题很重要，特别是军工产品。在战场上关键时刻有几发炮弹打不响，就可能影响整个战斗。现在的军工产品是现代化的武器，更要注意这个问题。我最近看到一些材料，说有多少国防工厂完成产值多少，产品质量好的和比较好的达到百分之九十五以上。你们切不可满足于这些数目字，这个话以后少讲为好。说产品质量大多数是好的，这不解决问题，有时恰恰在百分之一甚至百分之零点五里面，关键产品、关键零件出了问题。国防工办要注意这个问题。现在飞行事故多，当然这里面有部队训练不好、飞行员素质差、地面指挥水平低等问题，但是也要研究飞机质量方面的问题。有相当一部分事故，是由于那个百分之一甚至百分之零点五里头的零部件出了问题。在检查的时候，就是那个百分之零点五没有检查到。我们有几次科学试验没有成功，经过检查，并不是技术没有过关，而是那百分之一甚至百分之零点五的零部件质量没有过关，就是那么一点点没有达到要求。质量问题与建立规章制度有关。没有必要的责任制度，质量难于保证，这方面要很好地整顿。同时，也要请管国防工业的同志把科研工作抓紧，因为现在确实有好多军工产品，由于技术没有过关而不能正常生产。要发挥科技人员的积极性，要搞三结合〔9〕，科技人员不要灰溜溜的。不是把科技人员叫“老九”吗？

毛主席说，“老九不能走”〔10〕。这就是说，科技人员应当受到重视。他们有缺点，要帮助他们，鼓励他们。要给他们创造比较好的条件，使他们能够专心致志地研究一些东西。这对于我们事业的发展将会是很有意义的。

第三，一定要关心群众生活。这个问题不是说一句话就可以解决的，要做许多踏踏实实的工作。比如钢铁工人劳动那样重，而蔬菜少、肉类缺，基本条件都保证不了，这样的问题就必须具体地去研究解决。这一点在工业多的城市要特别注意。有些干部不是喜欢养鸡、养兔、养鸭吗？如果把自己关心自己的这个积极性转到关心群众生活方面来，我想问题就容易解决了。还有在山区的三线〔11〕工厂，那里的商业工作也要改进。我是四川人，经常听到家乡的工人反映，蔬菜少，肉类缺。不仅是四川，还有好多地方都有这个缺乏副食品的问题。应该采取一些措施。比如重庆附近，可以专门划出一部分地种菜，生产的蔬菜首先供应工厂，还可以供应市民。工人有点菜吃，有点肉吃，农民也可以增加一些收入，这对于改善工农关系也有好处。我们正在考虑，是不是调点粮食给一些城市的郊区养点猪，比如调五亿斤粮食，养五百万头猪。这些粮食不是全国到处分配，而是搞几个点，专粮专用。甚至还可以考虑用现代化的办法搞些养鸡场。这个问题要研究。最主要的是养猪。发展养猪，既可以使农民增加经济收入，又可以增加肥料，增产粮食。现在搞重体力劳动还很艰苦，不搞好职工生活不行。群众对生活方面的议论是相当多的，不要以为都是讲怪话。我们党和国家一定要关心群众生活，现在应该提出这个问题了。

关于发展工业的几点意见*

（一九七五年八月十八日）

计委起草的文件提出了相当多的问题。需要有这样一个文件。毛泽东同志历来主张要有章程。有章程才能体现党的方针、政策。过去的工业七十条〔12〕，基本上是好的，是修改的问题，不是要废除。文件修改后，可以先拿出来讨论。现在，我对工业发展的有关问题讲几点意见。

一、确立以农业为基础、为农业服务的思想。工业支援农业，促进农业现代化，是工业的重大任务。工业区、工业城市要带动附近农村，帮助农村发展小型工业，搞好农业生产，并且把这一点纳入自己的计划。许多三线〔11〕的工厂，分散在农村，也应当帮助附近的社队搞好农业生产。一个大厂就可以带动周围一片。这样还有一个好处，附近的社员就会爱护工厂，不去厂里随便拿东西。农业现代化不单单是机械化，还包括应用和发展科学技术等。城市可以帮助农村搞一些机械化的养鸡场、养猪场，这一方面能增加农民的收入，另一方面能改善城市的副食品供应。要是工人没有菜吃，没有肉吃，工业怎么

* 这是邓小平同志在国务院讨论国家计委起草的《关于加快工业发展的若干问题》时的谈话。

能搞得好？工业支援农业，农业反过来又支援工业，这是个加强工农联盟的问题。我给四川的同志写过信，告诉他们工业越发展，越要把农业放在第一位。

二、引进新技术、新设备，扩大进出口。外国都很重视引进国外的新技术、新设备。把他们的产品拆开一看，好多零部件也是别的国家制造的。有一些原材料，我们一时解决不了、必须进口的，还是要进口一些。如化纤厂搞起来了，缺少某些化工原料就不能生产，不进口怎么行？要进口，就要多出口点东西。这里有一个出口政策问题。出口什么？要大力开采石油，尽可能出口一些。工艺美术品等传统出口产品，要千方百计地增加出口。化工产品要考虑出口。煤炭也要考虑出口，还可以考虑同外国签订长期合同，引进他们的技术装备开采煤矿，用煤炭偿付。这样做好处很多：一可增加出口，二可带动煤炭工业技术改造，三可容纳劳动力。这是一个大政策，等中央批准了再办。总之，要争取多出口一点东西，换点高、精、尖的技术和设备回来，加速工业技术改造，提高劳动生产率。

三、加强企业的科学研究工作。这是多快好省地发展工业的一个重要途径。随着工业的发展，企业的科技人员数量应当越来越多，在全部职工中所占的比例应当越来越大。大厂要有自己独立的科研机构；小厂的科研可以由市里综合办，也可以由几个厂联合在一起搞。现在有一些知识分子用非所学，原来学的技能没有发挥出来，要改进这方面的工作。科研的课题很多，不说别的，光是出口商品的包装问题，我看就要好好研究一下。部队装备如何减轻重量，也很值得研究。有些装备光靠总后勤部自己搞不行，要有几个研究机构配合来搞。

四、整顿企业管理秩序。看来企业里面问题不少,其中带普遍性的问题是企业管理秩序不好,设备完好率差。特别是重工业,问题更突出。要考虑今年十一、十二两个月集中整顿一下企业管理秩序,加强设备维修,为明年的生产打好基础。设备失修严重的企业,重点应放在维修上面。宁可少生产一些,也一定要把设备维修好。不然欲速则不达,越催生产越上不去。企业里浪费惊人,也是普遍现象,要好好整顿,争取利润多上缴一点。企业管理是一件大事,一定要认真搞好。

五、抓好产品质量。质量第一是个重大政策。这也包括品种、规格在内。提高产品质量是最大的节约。在一定意义上说,质量好就等于数量多。质量好了,才能打开出口渠道或者扩大出口。要想在国际市场上有竞争能力,必须在产品质量上狠下功夫。

六、恢复和健全规章制度。关键是建立责任制。现在许多地方都存在无人负责的现象,积重难返,非突出地抓一下不可。执行规章制度要严一点。要有一点精神,不要怕挨批判,不要怕犯错误。你不严,规章制度就恢复不起来,企业的混乱情况就无法改变。南京无线电厂有一位老工人讲了严格执行规章制度的必要,这个材料可发给大家看看。

七、坚持按劳分配原则。这在社会主义建设中始终是一个很大的问题,大家都要动脑筋想一想。所谓物质鼓励,过去并不多。人的贡献不同,在待遇上是否应当有差别?同样是工人,但有的技术水平比别人高,要不要提高他的级别、待遇?技术人员的待遇是否也要提高?如果不管贡献大小、技术高低、能力强弱、劳动轻重,工资都是四五十块钱,表面上看来似乎大家是平等的，但实际上是不符合按劳分配原则的，这怎么能调动人们的积极性？我看高温、高空、井下、有毒的工种，待遇应当跟一般的工种有所不同。工资政策是个很复杂的问题，要研究。

科研工作要走在前面*

（一九七五年九月二十六日）

我在大寨会[13]上说，农业搞不好就要拖工业的后腿。如果我们的科学研究工作不走在前面，就要拖整个国家建设的后腿。科学研究是一件大事，要好好议一下。

现在科研队伍大大削弱了，接不上了。搞科研要靠老人，也要靠年轻人，年轻人脑子灵活，记忆力强。大学毕业二十多岁，经过十年三十多岁，应该是出成果的年龄。这一段时间一些科研人员打派仗，不务正业，少务正业，搞科研的很少。少数人秘密搞，像犯罪一样。陈景润[14]就是秘密搞的。这些人还有点成绩，这究竟算是红专还是白专？像这样一些世界上公认有水平的人，中国有一千个就了不得。说什么“白专”，只要对中华人民共和国有好处，比闹派性、拉后腿的人好得多。现在连红专也不敢讲，实际上是不敢讲“专”字。中央表扬了这样的人，对他们应该爱护和赞扬。

有位老科学家，搞半导体的，北京大学叫他改行教别的，他不会，科学院半导体所请他作学术报告，反映很好。他说这

---

* 这是邓小平同志在听取中国科学院负责同志汇报《关于科技工作的几个问题》（汇报提纲）时的插话。

是业余研究的。这种用非所学的人是大量的，应当发挥他们的作用，不然对国家是最大的浪费。他是学部委员、全国知名的人，就这么个遭遇。为什么不叫他搞本行？北大不用他，可以调到半导体所当所长，给他配党委书记，配后勤人员。

广大的科研人员实在是想搞研究啊！闹派性的是少数，现在这个状况是能够改变过来的。

科研工作能不能搞起来，归根到底是领导班子问题，不把领导班子弄好，谁来执行政策？领导班子，特别要注意提拔有发展前途的人。对于那些一不懂行、二不热心、三有派性的人，为什么还让他们留在领导班子里？科研人员中有水平有知识的为什么不可以当所长？现在的工作，主要是依靠四十多岁的人来搞。好的可以管党务工作，管后勤工作。后勤工作很重要，它要为研究工作创造条件，保护和管理好资料、材料、仪器、机器。不是忠心耿耿的人，不懂科学知识的人，是搞不起来的。这也是科研工作中的政治工作。党的、科研的、后勤的工作，三个部分，没有后勤，科研搞不起来。不能叫科研人员还去搞后勤，整天东跑西跑。要让党性好的组织能力强的人搞后勤。

我们还要把那些比较好的、有培养前途的科技人员记下来，建立科技人员档案，帮助他们创造条件，不管他们资格老不老。一九五七年我去苏联，尤金〔15〕说，苏联的原子弹，是三个三四十岁的年轻人搞出来的。这样的人我们就没有啊？总之，要给有培养前途的科技人员创造条件，关心他们，支持他们，包括一些有怪脾气的人。首先要解决这些人的房子问题，家庭有困难的也要帮助解决。

要后继有人，这是对教育部门提出的问题。大学究竟起什么作用？培养什么人？有些大学只是中等技术学校水平，何必办成大学？科学院要把科技大学办好，选数理化好的高中毕业生入学，不照顾干部子弟。这样做要是犯错误，我首先检讨。这不是复旧！一点外语知识、数理化知识也没有，还攀什么高峰？中峰也不行，低峰还有问题。我们有个危机，可能发生在教育部门，把整个现代化水平拖住了。比如我们提高工厂自动化水平，要增加科技人员，这就要靠教育。提高自动化水平，减少体力劳动，世界上发达国家不管是什么社会制度都是走这个道路。科技人员是不是劳动者？科学技术叫生产力，科技人员就是劳动者！

要解决教师地位问题。几百万教员，只是挨骂，怎么调动他们的积极性？毛主席讲消极因素还要转化为积极因素嘛！教育战线也要调动人的积极性。

各方面都要整顿*

（一九七五年九月二十七日、十月四日）

当前，各方面都存在一个整顿的问题。农业要整顿，工业要整顿，文艺政策要调整，调整其实也是整顿。要通过整顿，解决农村的问题，解决工厂的问题，解决科学技术方面的问题，解决各方面的问题。我在政治局讲了几个方面的整顿，向毛泽东同志报告了，毛泽东同志赞成。

现在问题相当多，要解决，没有一股劲不行。要敢字当头，横下一条心。这半年来，我讲了多次话，中心是讲敢字当头。有个“老大难”单位，过去就是老虎屁股摸不得。后来下了决心，管你是谁，六十岁的老虎屁股也好，四十岁的老虎屁股也好，二三十岁的老虎屁股也好，都得摸。一摸，就见效了。

整顿的核心是党的整顿。只要抓住整党这个中心环节，各个方面的整顿就不难。这次座谈会要议议整党这个题目，这是毛泽东同志同意的。整党怎么搞？办法肯定应当不同于过去。请各省根据自己的特点，搞出个规划来。整党主要放在整顿各级领导班子上，农村包括公社、大队一级的，工厂包括车间一级的，科研机构包括研究室一级的，这样解决问题比较快。领

---

* 这是邓小平同志在农村工作座谈会上的插话。

导班子整顿好了，党员的问题就容易解决了。

要在整党的基础上挑选干部。一个大队，一个公社，一个县，选好了一、二把手，整个领导班子就带起来了。特别要抓好县委一级，建立一个强有力的县委可是重要啊！当好一个县委书记并不容易，要有全面的领导经验，对东西南北中、党政军民学各方面的工作都能抓得起来。这跟当个厂长只管一个工厂情况不同。县委书记当好了，到地委、省委工作就比较容易，比较顺手。现在有些省提拔个省委书记都感到困难，我看不会那样难吧。县委书记、地委书记一大堆，为什么连个省委书记都找不出来？我想问题恐怕是没有注意或者注意不够。当然，这些人有的不是没有错误，犯了错误，作了自我批评，就有了正反两方面的经验嘛。对这些人不能忽略，忽略了是个损失。挑选领导干部，不管老中青，都要看他是不是肯干，是不是能带头吃大苦耐大劳。这是第一条。当然还要有头脑。老中青，现在要着重注意中。这里所说的中，就是现在四十岁多一点的干部。这些人至少有一二十年的工作经验，有些还有上十年的领导工作经验。发现一个好苗子，要让他一个台阶一个台阶地上来，每个台阶可以快一点，比如搞个年把子再上来。这种培养方法好，是对干部真正的爱护。

我总觉得现在有一个很大的问题，就是怎样宣传毛泽东思想。林彪把毛泽东思想庸俗化的那套做法，罗荣桓〔16〕同志首先表示不同意，说学习毛主席著作要学精神实质。当时书记处讨论，赞成罗荣桓同志的这个意见。林彪主张就学“老三篇”（后来加成“老五篇”）〔17〕，是割裂毛泽东思想。毛泽东思想有丰富的内容，是完整的一套，怎么能够只把“老三篇”、“老五篇”叫做毛泽东思想，而把毛泽东同志的其他著作都抛开呢？怎么能够抓住一两句话，一两个观点，就片面地进行宣传呢？割裂毛泽东思想这个问题，现在实际上并没有解决。比如文艺方针，毛泽东同志说，要古为今用，洋为中用，百花齐放，推陈出新。这是很完整的。可是，现在百花齐放不提了，没有了，这就是割裂。现在相当多的学校学生不读书，这也不符合毛泽东思想。毛泽东同志反对的是教育脱离实际、脱离群众、脱离劳动，并不是不要读书，而是要读得更好。毛泽东同志给少年儿童的题词是“好好学习，天天向上”嘛。还有，毛泽东同志讲了四个现代化，还讲过阶级斗争、生产斗争、科学实验是三项基本社会实践，现在却把科学实验割裂出来了，而且讲都怕讲，讲了就是罪，这怎么行呢？恐怕在相当多的领域里，都存在怎样全面学习、宣传、贯彻毛泽东思想的问题。毛泽东思想紧密联系着各个领域的实践，紧密联系着各个方面工作的方针、政策和方法，我们一定要全面地学习、宣传和实行，不能听到风就是雨。

“两个凡是”不符合马克思主义*

（一九七七年五月二十四日）

前些日子，中央办公厅两位负责同志来看我，我对他们讲，“两个凡是”〔18〕不行。按照“两个凡是”，就说不通为我平反的问题，也说不通肯定一九七六年广大群众在天安门广场的活动“合乎情理”的问题〔19〕。把毛泽东同志在这个问题上讲的移到另外的问题上，在这个地点讲的移到另外的地点，在这个时间讲的移到另外的时间，在这个条件下讲的移到另外的条件下，这样做，不行嘛！毛泽东同志自己多次说过，他有些话讲错了。他说，一个人只要做工作，没有不犯错误的。又说，马恩列斯都犯过错误，如果不犯错误，为什么他们的手稿常常改了又改呢？改了又改就是因为原来有些观点不完全正确，不那么完备、准确嘛。毛泽东同志说，他自己也犯过错误。一个人讲的每句话都对，一个人绝对正确，没有这回事情。他说：一个人能够“三七开”〔20〕就很好了，很不错了，我死了，如果后人能够给我以“三七开”的估计，我就很高兴、很满意了。这是个重要的理论问题，是个是否坚持历史唯物主义的问题。彻底

* 这是邓小平同志同中央两位同志谈话的一部分。

的唯物主义者，应该像毛泽东同志说的那样对待这个问题。马克思、恩格斯没有说过“凡是”，列宁、斯大林没有说过“凡是”，毛泽东同志自己也没有说过“凡是”[21]。我对那两位同志说：今年四月十日我给中央写信，提出“我们必须世世代代地用准确的完整的毛泽东思想来指导我们全党、全军和全国人民，把党和社会主义的事业，把国际共产主义运动的事业，胜利地推向前进”，这是经过反复考虑的。毛泽东思想是个思想体系。我和罗荣桓[16]同志曾经同林彪[1]作过斗争，批评他把毛泽东思想庸俗化，而不是把毛泽东思想当作体系来看待。我们要高举旗帜，就是要学习和运用这个思想体系。

尊重知识,尊重人才*

（一九七七年五月二十四日）

我们要实现现代化,关键是科学技术要能上去。发展科学技术,不抓教育不行。靠空讲不能实现现代化,必须有知识,有人才。没有知识,没有人才,怎么上得去?科学技术这么落后怎么行?要承认落后,承认落后就有希望了。现在看来,同发达国家相比,我们的科学技术和教育整整落后了二十年。科研人员美国有一百二十万,苏联九十万,我们只有二十多万,还包括老弱病残,真正顶用的不很多。日本人从明治维新〔22〕就开始注意科技,注意教育,花了很大力量。明治维新是新兴资产阶级干的现代化,我们是无产阶级,应该也可能干得比他们好。

抓科技必须同时抓教育。从小学抓起,一直到中学、大学。我希望从现在开始做起,五年小见成效,十年中见成效,十五年二十年大见成效。办教育要两条腿走路,既注意普及,又注意提高。要办重点小学、重点中学、重点大学。要经过严格考试,把最优秀的人集中在重点中学和大学。

要从科技系统中挑选出几千名尖子人才。这些人挑选出

---

* 这是邓小平同志同中央两位同志谈话的一部分。

来之后,就为他们创造条件,让他们专心致志地做研究工作。生活有困难的,可以给津贴补助。现在有的人家里有老人孩子,一个月工资几十元,很多时间用于料理生活,晚上找个安静地方读书都办不到,这怎么行呢?对这些人的政治要求要适当。他们在政治上要爱国,爱社会主义,接受党的领导。他们做好研究工作,出了成果,就对政治有利,对中华人民共和国有好处。

一定要在党内造成一种空气:尊重知识,尊重人才。要反对不尊重知识分子的错误思想。不论脑力劳动,体力劳动,都是劳动。从事脑力劳动的人也是劳动者。将来,脑力劳动和体力劳动更分不开来。发达的资本主义国家有许多工人的工作就是按电钮,一站好几小时,这既是紧张的、聚精会神的脑力劳动,也是辛苦的体力劳动。要重视知识,重视从事脑力劳动的人,要承认这些人是劳动者。

在军队中,科研和教育也要一起抓,进行现代战争没有现代战争知识怎么行?要使军队领导干部自己有知识而且尊重知识。要办各级学校,经过训练,使军队领导干部掌握现代科学文化知识和现代战争知识;同时使我们的部队干部年轻化。六十岁的人当军长是不行的。

科技和教育,各行各业都要抓。大的企业都要有科学技术研究机构,有科学技术研究人员。每个部门都要进行科学研究。

完整地准确地理解毛泽东思想*

（一九七七年七月二十一日）

马克思列宁主义、毛泽东思想，是我们党的指导思想。毛泽东思想继承和发展了马克思列宁主义。林彪〔1〕否定毛泽东思想，说“老三篇”〔17〕就代表了毛泽东思想。林彪还把毛泽东思想同马克思列宁主义割裂开来。这是对毛泽东思想的严重歪曲，极不利于我们的党和社会主义事业，极不利于国际共产主义运动。

我在今年四月十日致华国锋〔23〕同志、叶剑英〔24〕同志、党中央的信中，曾经提到，要用准确的完整的毛泽东思想来指导我们全党、全军和全国人民，把我们党的事业、社会主义的事业和国际共产主义运动的事业推向前进。我说要用准确的完整的毛泽东思想作指导的意思是，要对毛泽东思想有一个完整的准确的认识，要善于学习、掌握和运用毛泽东思想的体系来指导我们各项工作。只有这样，才不至于割裂、歪曲毛泽东思想，损害毛泽东思想。我们可以看到，毛泽东同志在这一个时间，这一个条件，对某一个问题所讲的话是正确的，在另

---

* 这是邓小平同志在中共十届三中全会上讲话的一部分。

外一个时间,另外一个条件,对同样的问题讲的话也是正确的;但是在不同的时间、条件对同样的问题讲的话,有时分寸不同,着重点不同,甚至一些提法也不同。所以我们不能够只从个别词句来理解毛泽东思想,而必须从毛泽东思想的整个体系去获得正确的理解。“四人帮”,特别是所谓理论家张春桥〔25〕,歪曲、篡改毛泽东思想。他们引用毛泽东同志的某些片言只语来骗人、吓唬人。我们要真正地领会毛泽东思想。就一个领域、一个方面的问题来说,也要准确地完整地理解毛泽东思想。比如说,关于知识分子问题,这是一个领域的问题。毛泽东同志历来重视知识分子的作用,同时也非常注意知识分子要好好地改造世界观。这是从爱护出发,是为了更好地调动他们的积极性,发挥他们的作用,使他们能够好好地为社会主义事业服务。“四人帮”把知识分子一概称为“臭老九”,并且还说这是毛主席说的。应该承认,毛泽东同志曾经把他们看作是资产阶级的一部分。这样的话我们现在不能继续讲。但是从整个革命和建设过程来看,毛泽东同志是重视知识分子的作用的。他在一九七五年,还针对“四人帮”的诬蔑,提出“老九不能走”〔10〕。我们要准确地完整地理解毛泽东同志关于知识分子问题的思想和政策。又比如说,关于领袖和群众的关系问题,毛泽东思想历来认为推动历史前进的力量是人民。作为伟大的马克思主义者,毛泽东同志多次反对对他本人的一些不适当不科学的评价,经常教育我们正确理解人民与领导人或领袖的关系。毛泽东思想不是在个别的方面,而是在许多领域发展了马克思列宁主义。毛泽东思想是个体系,是发展了的马克思主义。所以我建议,除了做好毛泽东著作的整理出版工作之外，做理论工作的同志，要花相当多的功夫，从各个领域阐明毛泽东思想的体系。要用毛泽东思想的体系来教育我们的党，来引导我们前进。

我想趁今天这个机会，简单地谈一谈毛泽东思想里面的党的学说问题。在这一方面，马克思、恩格斯讲得不多，列宁有个完整的建党的学说。正是因为列宁建立了那么一个好的党，才能取得十月革命的胜利，建立了第一个社会主义国家。把列宁的建党学说发展得最完备的是毛泽东同志。在井冈山时期，即红军创建时期，毛泽东同志的建党思想就很明确。大家看看红军第四军第九次党代表大会的决议〔26〕就可以了解。他的完整的建党学说，是经过实践在延安整风时期建立起来的。毛泽东同志对于建立一个什么样的党，党的指导思想是什么，党的作风是什么，都有完整的一套。正是因为毛泽东同志在延安整风中建立了完整的建党学说，并且用这个学说来教育我们全党、全军和人民，使我们建立了这么一个好的党，所以才取得抗日战争、解放战争的彻底胜利。建国以后，党内生气勃勃，生动活泼。毛泽东同志的建党学说以后又有新的发展。一九五七年，毛泽东同志概括地讲了一个目标："我们的目标，是想造成一个又有集中又有民主，又有纪律又有自由，又有统一意志、又有个人心情舒畅、生动活泼，那样一种政治局面，以利于社会主义革命和社会主义建设，较易于克服困难，较快地建设我国的现代工业和现代农业，党和国家较为巩固，较为能够经受风险。"〔27〕当然，毛泽东同志这里讲的政治局面不只是讲党，而且是讲整个国家，整个军队，整个人民，就是说全党、全军、全国人民都要有那样一种政治局面。

我们回想一下，正是根据毛泽东同志的建党学说，才建立了这样一个好的党。从延安整风以后，无论前方后方的人，真是生气勃勃，生动活泼，心情舒畅，团结一致。毛泽东同志建立的这个党，既能够充分发扬民主，充分发挥下面遵守纪律的自觉性，又能够在这样的基础上建立高度的集中。毛主席、党中央的命令、号召，谁不听哪！谁不是自觉地听哪！没有这样的党的风气，我们能够战胜比我们强得多的敌人吗？我们能够在建国以后，取得一个又一个的胜利吗？

“四人帮”反对毛泽东同志的建党学说，给党的建设、党的作风带来了很大的损害。详细情形我就不讲了。怎样才能达到毛泽东同志提出的那样一种政治局面呢？就是要好好学习毛泽东同志在党的建设这个领域里的思想。这里面内容很多。比如高度民主与高度集中相结合。比如正确区分和处理两类不同性质的矛盾。比如“团结——批评——团结”的公式。比如惩前毖后、治病救人的方法。比如充分发扬民主，团结百分之九十五以上的干部和群众。比如群众路线，信任群众。比如，在延安中央党校，毛泽东同志亲笔题的四个大字，叫“实事求是”。我看大庆讲“三老”，做老实人，说老实话，干老实事，就是实事求是。我认为，毛泽东同志倡导的作风，群众路线和实事求是这两条是最根本的东西。当然民主与集中的关系，自由和纪律的关系，都是很重要的。对我们党的现状来说，我个人觉得，群众路线和实事求是特别重要。毛泽东同志是彻底的唯物主义者，他充分信任群众，历来反对不信任群众、不依靠群众。对群众的议论，毛泽东同志是非常注意的。同志们总记得，在延安的时候，生产运动是怎么搞起来的。为什么提倡生产运动呢？原因之一就是当时征粮征多了，群众有怨言。我们好多共产党员听了心里非常不舒服。毛泽东同志看法不同，他说，讲得有道理，群众的呼声嘛！毛泽东同志就是伟大，就是同我们不同，他善于从群众这样的议论当中，发现问题，提出解决问题的方针和政策。毛泽东同志一向非常注意群众的议论，群众的思想，群众的问题。

我为什么说实事求是在目前重要呢？要搞好我们的党风、军风、民风，关键是要搞好党风。现在，"四人帮"确实把我们的风气搞坏了。"四人帮"的破坏实际上是十年，或者说是十年以上，开始是同林彪结合在一起。他们弄得我们党内同志不敢讲话，尤其不敢讲老实话，弄虚作假。甚至于我们有些老同志也沾染了这些坏习气，这是不应该原谅的啊！我们只要充分信任群众，实事求是，发扬民主，把毛泽东同志的建党学说和党的一整套作风恢复起来，发扬起来，那末，毛泽东同志所说的那样一种政治局面，就一定会达到。有了那样一种政治局面，我们什么风险也能够经受得住。我们要创造这样一种政治局面，在党中央领导下，全党、全军和全国人民团结起来，既有统一意志，又有个人心情舒畅，生动活泼，什么问题都可以摆到桌面上来，对领导人有意见，也可以批评。

整党整风，这是很必要的。我们这些老同志也得整一整风，当然不是人人过关喽。我们现在不搞那个方法，自觉地整一整风也需要吧！给青年党员、干部做个榜样嘛，传帮带嘛，把毛泽东同志建立的党的学说，党的作风，传帮带，带好嘛！那样，我们遇到什么困难、什么风险都不怕，我们的社会主义革命和社会主义建设事业，一定能够得到充分的发展。

现在我们全党、全军和全国人民的觉悟水平，对是非的识别能力，大大地提高了。人们动脑筋，想问题，关心国家，关心党。“四人帮”在那里危害党的时候，绝大多数人，可以说百分之九十九的干部、党员和人民，都是十分担心，忧心忡忡。我们有这样好的干部，这样好的党员，这样好的人民，他们觉悟程度很高，对党的事业无限信任，这是我们战胜一切困难，在各方面取得伟大胜利的最可靠的保障，是非常可贵的。所以我和同志们一样，相信在党中央的领导下，一定能够把全党、全军和全国各族人民团结起来，高举毛泽东思想的伟大旗帜，调动一切积极因素，力争在本世纪内实现四个现代化，使我们的社会主义国家兴旺起来，使我们党的事业兴旺起来，使我国的无产阶级专政更加巩固，使我们能够为国际共产主义运动，为全人类，作出更大的贡献。

关于科学和教育工作的几点意见*

（一九七七年八月八日）

这次召开科学和教育工作座谈会，主要是想听听大家的意见，向大家学习。外行管内行，总得要学才行。我自告奋勇管科教方面的工作，中央也同意了。我们国家要赶上世界先进水平，从何着手呢？我想，要从科学和教育着手。科学当然包括社会科学，虽然这次会议因为时间匆促没有邀请社会科学家。通过这次座谈会，我了解了一些情况，也开始了解了当前应该首先解决的一些问题。有些问题大家可能没有全讲出来，或者没有时间完全讲清楚，好在以后还有机会讲。下面我讲几点个人的意见。

第一，关于对十七年的估计问题。

对建国以后的十七年怎样估计，这是大家很关心的问题。这个问题在科研方面基本上得到了解答，大家不满意的是在教育方面。这是一个应当回答的问题。

我个人认为，毛泽东同志在文化大革命以前的大部分时间里，对科学研究工作、文化教育工作的一系列指示，基本精

* 这是邓小平同志在科学和教育工作座谈会上的讲话。

神是鼓励，是提倡，是估计到我们知识分子中的绝大多数是好的，是为社会主义服务或者愿意为社会主义服务的。在一九五七年以后讲过一些过头话，但在六十年代初期，他还是支持科学十四条〔28〕、高等学校六十条〔29〕这些的。我们要把毛泽东同志在教育方面的主导思想，在知识分子问题上的主导思想讲清楚。毛泽东思想是我们一切领域的指导思想，应当从总体方面完整地准确地表达出来。这是很重要的。对全国教育战线十七年的工作怎样估计？我看，主导方面是红线。应当肯定，十七年中，绝大多数知识分子，不管是科学工作者还是教育工作者，在毛泽东思想的光辉照耀下，在党的正确领导下，辛勤劳动，努力工作，取得了很大成绩。特别是教育工作者，他们的劳动更辛苦。现在差不多各条战线的骨干力量，大都是建国以后我们自己培养的，特别是前十几年培养出来的。如果对十七年不作这样的估计，就无法解释我们所取得的一切成就了。

就知识分子的世界观改造方面来说，应该怎样估计呢？世界观的重要表现是为谁服务。我国的知识分子绝大多数是自觉自愿地为社会主义服务的。反对社会主义的是极少数，对社会主义不那么热心的也只是一小部分。当然，历史不断前进，人们的思想也要不断改造。不仅从旧社会过来的知识分子要改造，就是建国以后培养出来的知识分子也要继续改造。不仅是知识分子的思想要继续改造，工人农民和共产党员的思想也要继续改造。这是毛泽东同志早就说过了的。

第二，关于调动积极性问题。

解决了对十七年的估计问题，恐怕至少在精神上可以使大家放下包袱。就今天的现状来说，要特别注意调动教育工作者的积极性，要强调尊重教师。我国科学研究的希望，在于它的队伍有来源。科研是靠教育输送人才的，一定要把教育办好。我们要把从事教育工作的与从事科研工作的放到同等重要的地位，使他们受到同样的尊重，同样的重视。一个小学教师，把全部精力放到教育事业上，就是很可贵的。要当好一个小学教师，付出的劳动并不比一个大学教师少，因此小学教师同大学教师一样光荣。对于终身为教育事业服务的人，应当鼓励。我建议，明年开个全国教育大会，总结交流办学经验，奖励有成就的大学、中学、小学教师。这样的会多年没有开了。

无论是从事科研工作的，还是从事教育工作的，都是劳动者。不是讲脑力劳动、体力劳动吗？科研工作、教育工作是脑力劳动，脑力劳动也是劳动嘛。有位科学家反映，现在在农业科学院种庄稼不算劳动，要到农村种庄稼才算劳动。这真是怪事。好多农业院校自己培育品种，自己种田，怎么不是劳动？科学实验也是劳动。一定要用锄头才算劳动？一定要开车床才算劳动？自动化的生产，就是整天站在那里看仪表。这也是劳动。这种劳动同样是费力的，而且不能出一点差错。要把这类问题讲清楚，因为它同调动知识分子的积极性有关。

要尊重劳动，尊重人才。毛泽东同志不赞成“天才论”，但不是反对尊重人才。他对我评价时就讲过“人才难得”。扪心自问，这个评价过高。但这句话也说明人才是重要的，毛泽东同志是尊重人才的。你们讲科研机构要出成果、出人才，教育战线也应该这样。中小学教师中也有人才，好的教师就是人才。要珍视劳动，珍视人才，人才难得呀！要发挥知识分子的专长，用非所学不好。有人建议，对改了行的，如果有水平，有培养前途,可以设法收一批回来。这个意见是好的。“四人帮”创造了一个名词叫“臭老九”。“老九”并不坏,《智取威虎山》里的“老九”杨子荣是好人嘛!错就错在那个“臭”字上。毛泽东同志说,“老九”不能走[10]。这就对了。知识分子的名誉要恢复。

有的同志提出,应当有奖惩制度,这个意见也对。但是要补充一点,就是重在鼓励,重点在奖。有的人在科学研究上很有成就,为我们国家作出了贡献,这样的人要不要鼓励?我看要。有的人一头钻到科研里面埋头苦干,应当鼓励。如果这也成了一条罪状,那怎么行?他们可能有些缺点,领导工作者要经常同他们谈谈心,政治上思想上帮助帮助。不要求全责备。毛泽东同志说过,要打破“金要足赤,人要完人”的形而上学思想。这是马克思主义者的态度,是彻底的唯物主义者的态度。对于犯了错误的人,有的需要有适当的惩处。但不要强调惩处,要强调帮助,满腔热情地帮助他们改正错误,帮助他们进步。

对知识分子除了精神上的鼓励,还要采取其他一些鼓励措施,包括改善他们的物质待遇。教育工作者的待遇应当同科研人员相同。假如科研人员兼任教师,待遇还应当提高一点,因为付出的劳动更多嘛。讲按劳分配,无非是多劳多得,少劳少得,不劳不得。这个问题从理论到实践,有好多具体问题要研究解决。这不仅是科学界、教育界的问题,而且是整个国家的重大政策问题。

第三,关于体制、机构问题。

座谈中反映比较强烈的,是要求有一个统管科学工作的机构。教育有教育部管,科学方面大家提出要恢复国家科委。应当肯定,过去国家科委的工作方针是正确的,是一九六三年毛泽东同志听了聂荣臻〔30〕同志的汇报后批准了的。就在那次汇报会上,毛泽东同志讲到要打科学技术这一仗,不打好这一仗,生产力无法提高。过去国家科委搞了一九五六年到一九六七年的十二年科学发展规划,这个规划到一九六二年就基本完成了,后来又搞了十年规划。我总觉得科学、教育目前的状况不行,需要有一个机构,统一规划,统一调度,统一安排,统一指导协作。重建国家科委,这个意见我个人比较赞成。什么时机合适?怎样组成?是否把军队方面的科研也统一管起来?这些问题要经过中央、国务院研究,暂时不作结论。但不管采取什么组织形式,都要搞统一规划。规划中,不单是确定研究项目,对研究机构的调整,哪些该合,哪些该分,也都要考虑。高等学校的专业,哪些要合,哪些要分,哪些要增加,哪些要减少,哪些要取消,也要有一个统一的规划。军事方面的科学研究也要纳入规划。我国现在科研人员少,队伍小,比不上那些发达的大国,这点我们要承认。美国科研队伍有一百二十万人,苏联前年的资料是九十万人,现在又增加了。我们是二十多万人。但是,正像有的同志说的,只要我们充分发挥社会主义制度的优越性,把力量统一地合理地组织起来,人数少,也可以比资本主义国家同等数量的人办更多的事,取得更大的成就。这次科学院起草了一个发展科学技术的八年规划,也许还要按照大家意见补充,但是有总比没有好。这个规划中央打算先不批发,由科学院发下去试行。

科研部门、教育部门都有一个调整问题。希望这个调整搞得快一些，哪怕不完善也可以，以后逐步改进。调整当中，具体问题很多，第一位的是配备好领导班子。我提出一个单位有三个人要选得好。党委统一领导，书记很重要，一定要选好，这是第一个人。第二个是领导科研或教学的人，要内行，至少是接近内行或者比较接近内行的外行。还有一个管后勤的，应当是勤勤恳恳、扎扎实实、甘当无名英雄的人。有了这样的三把手，事情就比较好办了，下面单位的调整，计划的执行等等，就可以比较顺利地进行了。

高等院校，特别是重点高等院校，应当是科研的一个重要方面军〔31〕，这一点要定下来。它们有这个能力，有这方面的人才。事实上，高等院校过去也承担了不少科研任务。随着高等院校的整顿，学生质量的提高，学校的科研能力会逐步增强，科研的任务还要加重。朝这个方向走，我们的科学事业的发展就可以快一些。各个领域都有要研究的问题，理科、工科、农科、医科都有。文科也要有理论研究，用马克思主义观点研究经济、历史、政法、哲学、文学等等。我们现在还不能让所有的高等院校普遍加重科研的分量，但是重点大学都要逐步加重科研的分量，逐步增加科研的任务。从科研队伍的数量来说，若干年后，学校的科研机构也许同专业研究机构大致相等。生产部门的科研队伍恐怕是最大的。科学不是划分为基础科学和应用科学吗？生产部门也会有搞基础科学的，但要着重搞应用科学；科学院和大学可以多搞一些基础科学，但也要搞应用科学，特别是工科院校。

要保证科研时间，使科研工作者能把最大的精力放到科研上去。会上提出一周要有六分之五的时间搞科研，我加了

“至少”两个字，你们又加上“必须”两个字。好！科学院文件下发时就加上这四个字。我看，有人一头钻到科研里面，应当允许。有人七天七夜搞科研，为什么不可以？

体制搞得合理，就可以调动积极性。要争取时间，快一点调整好。

第四，关于教育制度和教育质量问题。

教育还是要两条腿走路。就高等教育来说，大专院校是一条腿，各种半工半读的和业余的大学是一条腿，两条腿走路。在大专院校中先集中力量办好一批重点院校。重点院校除了教育部要有以外，各省、市、自治区和各个业务部门也要有一点。

高等院校学生来源于中学，中学学生来源于小学，因此要重视中小学教育。要树立好的风气。讲风气，无非是党风、军风、民风、学风，最重要的是党风。好的党风也要体现在教育中，这才能培养出好的学风。现在我们的青少年中，有些人有些坏的风气。改变这种风气，要从小学教育开始。建国以后相当一段时间，整个社会的风气、秩序和纪律是好的。学生自觉地遵守纪律，可以经常看到红领巾拿着喇叭，维持交通秩序。后来由于“四人帮”的破坏，风气不好了。要数罪状，把一些青少年带坏，是“四人帮”的一条很大的罪状。我们现在要把风气扭转过来，这就要求学校培养好的风气。要有爱劳动、守纪律、求进步等好风气、好习惯。教师有责任把这些好风气带动起来。教师要成为学生的朋友，与学生的家庭联系，互相配合，共同做好教育学生的工作。要恢复对学生课外活动的指导，增长学生的知识和志气，推动学生的全面发展。毛泽东同志主张要德、智、体全面发展嘛。中小学都要这样做。

要研究如何提高教师的水平。前几年教师不敢教，责任不在他们。现在要敢于教，还要善于教。要做到这一点，就要加强师资培训工作。要请一些好的教师当教师的教师，大学教师要帮助中学教师提高水平。在座的好几位同志就这样做过，效果很好。要把师资培训列入规划，列入任务。只有老师教得好，学生才能学得好。当然教与学有相互作用。现在学生中出现的某些问题，有多种原因，有社会原因、家庭原因，其中也与老师善于不善于教学生、带学生有关。要提高教师的水平，包括政治思想水平、业务工作能力以及改进作风等。

教育制度中有很多具体问题。一个是学制问题。是否先恢复小学五年，中学五年〔32〕，以后再进一步研究。现在意见还不一致，这关系不算太大。关键是教材〔33〕。教材要反映出现代科学文化的先进水平，同时要符合我国的实际情况。一个是恢复放假制度。在假期，要把学生的活动搞得生动活泼，多样化。有的学生还可以补补课。要让教师休假，给教师以恢复疲劳、思考问题、总结经验的时间，给他们以休整的时间，不能把他们的假期时间都给占用了。搞好劳逸结合，不仅不会降低而且有助于提高教学质量。一个是高等院校招收应届高中毕业生的问题。今年就要下决心恢复从高中毕业生中直接招考学生，不要再搞群众推荐。从高中直接招生，我看可能是早出人才、早出成果的一个好办法。还有个跳级、留级问题。这涉及的只是少数人。我个人倾向于允许跳级。这样，人才出得更快嘛。可以先找点学校试试。留级的问题要慎重。要尽可能把全班的学生教好，一次考得不好，还可以补考，不要轻易留级。必须留级的，也要做好工作。对于表现太坏又屡教不改的，要开除学籍。流氓、阿飞根本不好好学习，你不开除，他就会把整个学校的风气搞坏。学校要把学生的思想工作做到家。对表现不好的要多做工作，对屡教不改的处理也要慎重。要找出各种方式，多做转化工作，把不好的转变为好的或者比较好的。

第五，关于后勤工作问题。

后勤工作的任务，就是要为科研工作、教育工作服务，要为科研工作者和教育工作者创造条件，使他们能够专心致志地从事科研、教育工作。后勤工作包括提供资料，搞好图书馆，购置和供应器材、实验设备，建设中间工厂，也包括办好食堂、托儿所等等。搞后勤的要学会管家，学会少花钱多办事。有些问题的解决本来是轻而易举的，但是“四人帮”横行时一直无人去解决。一些科研人员到处去跑器材，耽误事情，浪费时间，是一种很大的损失。现在一定要有一批人搞后勤工作。这些人要甘当无名英雄，勤勤恳恳，热心为大家服务。后勤工作也是一门学问，也需要学习，也能出人才，不钻进去是搞不好的。

要调动科学和教育工作者的积极性，光空讲不行，还要给他们创造条件，切切实实地帮助他们解决一些具体问题。当然，一谈到这方面，就会遇到许多困难。对于这些困难，要分别轻重缓急，逐步加以解决。比如说，在科研队伍中，可以先解决一些比较有成就、有培养前途的人的困难。这些人不限于是老同志，还有中年、青年同志。“长江后浪推前浪”，在科学研究上，也往往是青年人赶过老年人，我们的老同志应当高兴地帮助青年人赶上来。对于那些与爱人分居两地的业务骨干，要优先把他们的家搬来。当然，不是说所有两地分居的人都能马上解决，这要修建许多宿舍，还得分别轻重缓急。

外交部反映，有一批华裔学者要求回国。周恩来同志过去就考虑过这个问题。我们要创造条件，盖些房子，做好安置他们回国的准备工作。他们回国总要有个家，总要有必要的工作条件吧！接受华裔学者回国是我们发展科学技术的一项具体措施，派人出国留学也是一项具体措施。我们还要请外国著名学者来我国讲学。同中国友好的学者中著名的学者多得很，请人家来讲学，这是一种很好的办法，为什么不干？

现在国家还有困难，有些实际问题一下子还解决不了。我个人认为，科研、教育经费应该增加。但不能希望马上增加很多。要在困难条件下，尽力把工作做好。原来条件比较好的，要充分利用现有的条件，尽快把工作搞上去；原来条件比较差的，要逐步改善。那些必须解决而且也能够解决的困难，要抓紧解决。

第六，关于学风问题。

培养好的风气，最主要的是走群众路线和实事求是这两条。特别是科学，它本身就是实事求是、老老实实的学问，是不允许弄虚作假的。这些年来，由于"四人帮"的破坏，在学风方面出了不少问题，例如压制讨论、互相封锁等。我们现在不同意见的争论、讨论不是太多了，而是太少了。讨论当中可能会出来一些错误的意见，也不可怕。我们要坚持百家争鸣的方针，允许争论。不同学派之间要互相尊重，取长补短。要提倡学术交流。任何一项科研成果，都不可能是一个人努力的结果，都是吸收了前人和今人的研究成果。一个新的科学理论的提出，都是总结、概括实践经验的结果。没有前人或今人、中国人或外国人的实践经验，怎么能概括、提出新的理论？搞封锁是害人又害己。我们要把对待封锁的态度，作为检验一个人世界观改造得如何的重要内容之一。凡是搞封锁的，就说明他的世界观没有得到很好的改造。有的产品制造技术，国外早就有了，在国内还自己封锁自己，这种现象要坚决克服。

学术刊物要办起来。要解决一下科研、教育方面的出版印刷问题，并把它列入国家计划。现在纸张很紧张，而浪费纸张的现象又很严重，有些不必印的东西印得过多，该印的东西却不给印。合理安排很重要。毛泽东同志历来提倡各级党委领导机关少发文件，多到下面跑跑。如果实行这一点，可以省出很多纸张。有价值的学术论文、刊物一定要保证印刷出版。现在有的著作按目前的出版情况，要许多年才能印出来，这样就把自己捆死了。

学风里面问题很多，不可能都讲到。所以要提出这个问题，是想培养一种好的学风，形成生动活泼的局面，使我国的科学教育事业兴旺发达起来。

军队要把教育训练提高到战略地位*

（一九七七年八月二十三日）

四个现代化，有个国防现代化。军队目前存在着相当多的问题。很多同志担心，军队能不能顺利地实现现代化？还有同志担心，军队经过林彪、“四人帮”这样久的破坏，如果不很快整顿，遇到敌人进攻还能不能打仗？这些担心不是没有根据的。这就提出一些问题：军队怎样整顿，怎样准备打仗，怎样把军队搞好。解决了这些问题，才能谈到国防现代化问题。

解决这些问题从何着手呢？

当然，调整各级领导班子，包括毛泽东同志讲的交流干部，是首先要做的事情。如果没有一九七五年那一次的调整，陷进帮派活动中去的人会更多，受害的干部也会更多。那次调整，保护了一部分干部。但是那次调整的面太窄，还有些应该调整的没有调整，应该交流的没有交流。调整、交流是毛泽东同志多次提倡、多次指示的，本来是应该接着做下去的，我们没有来得及做，就停下来了。

我这里讲的从何着手，是讲除了调整领导班子以外，还有

---

* 这是邓小平同志在中共中央军委座谈会上讲话的一部分。

哪些问题需要考虑解决呢？一九七五年开军委扩大会议的时候，在我的讲话中提出一个原则，就是在没有战争的条件下，要把军队的教育训练提高到战略地位。我们的军队过去是在长期的战争环境中锻炼成长的，那时提升干部主要靠战场上考验。现在不打仗，你根据什么来考验干部，用什么来提高干部，提高军队的素质，提高军队的战斗力？还不是要从教育训练着手？要把军委扩大会议上提出的把教育训练提高到战略地位这个方针具体化。要从两个方面去做。

一个方面是部队本身要提倡苦学苦练。军队由于过去一段时期的混乱，现在有相当一部分纪律废弛，作风不好，在人民中威信下降。现在地方上不大欢迎军队的干部，当然不是对所有干部都不欢迎。我们解放军要有自知之明，要靠自己恢复名誉。部队要加强政治教育，加强纪律性，要从勤学苦练当中学本领。军队的好传统、好作风，也要从苦练当中恢复和培养起来。军队要能打仗，靠提高政治觉悟，靠勤学苦练。不苦练不仅不能提高本领，还会出事故。从战士到干部都要苦练。干部，包括各级领导干部，都要在苦练中增长指挥能力和管理能力。比如连队指导员，要在苦练中学会当好指导员。好多事故都要防患于未然。否则问题明明出来了，连长不懂得怎么搞，指导员不懂得怎么搞，甚至还会使矛盾激化。一个连长、一个指导员，不知道每一个兵的情况，当什么连长、指导员！一个军长，不懂得连队，怎么指挥你这个军！更不要说师、团干部了。所以军、师、团的干部，要下连队当兵，懂得自己的连队。部队训练还包括现代化战争知识、诸军兵种联合作战的内容。通过学习、拉练、演习，可以提高各级干部的素质。对连队来说，学硬骨头六连是对的，因为硬骨头六连的作风不只是一个连队的作风，所有的连队以至各级干部都应该像他们那样勤学苦练，有他们那种政治思想。但是，单单学习硬骨头六连还不够，还要努力学习现代化战争知识和其他许多必要的政治文化科技知识。以上是谈部队的训练。部队训练当然还有很多问题，大家可以议一下。

另一方面是通过办学校来解决干部问题。要看到我们各级干部指挥现代化战争的能力都很不够，不要把自己的眼睛蒙住了。承认我们哪些方面有缺点，哪些方面还不足，这就是解决问题的起点，克服弱点、克服缺点的起点。比如我们的国家，承认自己哪些方面落后，这就有希望。我们有一段时间不承认这一点，吃了亏。现在我们一定要承认我们的科学技术水平与世界先进水平相比，还差很长的一截。要承认我们军队打现代化战争的能力不够。要承认我们军队的人数虽然多，但是素质比较差。我们军队的素质在战争年代是很好的，在抗美援朝〔3〕时也是很好的。老实说，有那样的素质，就是用现有的武器，也可以打仗，也可以学会适应现代化战争的条件，打败强大的帝国主义。现在的问题是，由于遭受林彪、“四人帮”的干扰破坏，我们军队的素质确实不如以前了。特别是各级干部的指挥、管理能力弱。指挥现代化战争，包括我们老同志在内，能力都不够。要承认这个现实。

要把原有的学校，除个别的外，基本上恢复起来。把更多的干部放到学校去训练。现在训练政治干部的学校很少，要增加。从抗日战争开始，我们就感到政治干部缺，解放战争也感到政治干部缺。选军事指挥员比较容易，选政治干部就比较难，至少过去第二野战军是这样。我相信这是一个全军的状况。抗日战争时期吸收了一部分知识分子，后来政治干部除了老红军以外，就靠这批人，从这批“三八式”里边选出的。现在合格的连指导员有多少？合格的营教导员有多少？合格的团政治委员、师政治委员、军政治委员有多少？有同志反映：在同林彪、“四人帮”的斗争中，政治干部上当受骗甚至陷进去的，从数量上说，比其他干部多。这如果是事实，就很值得我们警惕！部队连以上政治干部的数量同军事干部的数量几乎相等，所以，训练政治干部的学校要增加。增加的方法，也可以一个学校既训练军事干部又训练政治干部，也可以专门办政治学校。这个问题可以研究。还有，各军兵种的技术专业学校，都要恢复起来，如果不够，可以增加，有些也可以合并。

学校怎么办？我想对学校提出三个要求。第一，训练干部，选拔干部，推荐干部。用形象化的语言说，就是各级学校的本身要起到集体政治部的作用，或者说起到集体干部部的作用。第二，认真学习现代化战争知识，学习诸军兵种联合作战。不但高级干部要学，连排干部也要学，都要懂得现代化战争。我曾经讲过，现在当个连长，不是拿着驳壳枪喊个“冲”就行了，给你配几辆坦克，配个炮兵连，还要进行对空联络、通信联系，你怎么指挥？一个连是这样，更不用说营、团、师、军了。第三，恢复我们军队的传统作风。概括地说，这种作风就是艰苦奋斗的作风，实事求是的作风，群众路线的作风。要在学校里培养这种作风，并把它带到部队，发扬光大。不能像前些年办学校的办法，要讲一点有用的东西。提出这三个要求，够不够？大家研究一下。

学校有各级的:高级,中级,初级。高级的有军事学院,政治学院,后勤学院。现在的军政大学要分开。海军、空军也有高级的学校,各特种兵、技术兵种也有高级的学校;还有中级的、初级的。一个师有教导队,训练班长和排干部。大军区训练营连干部。高级学校训练团以上的干部。大体上这样区分是适当的。

办学校要达到上面讲的三个要求。我个人设想,五年或更多一点时间,要达到一个目的:使干部队伍水平提高,能力加强,比较年轻化,特别是战斗部队的干部更要年轻些,使我们的干部能够掌握一些现代化战争知识,并且有好的作风。通过学校推荐的干部,一是要有现代化战争的军事知识和指挥、管理能力,二是要有好的思想和作风。基本上按这个要求,更新我们的干部,特别是战斗部队的干部。

办学校需要有准备。什么准备呢?首先,是办什么学校,办在什么地方。没有校址怎么办?校址问题,既然延安窑洞都可以办,为什么我们不能搭起帐篷来办呢?或者用简陋一点的房子来办呢?其次,还要选好办学校的干部,包括教师,这个很重要。这些干部比现职干部还重要,要选最优秀的,特别是能深入实际、努力工作、艰苦奋斗、以身作则的干部。办学校的人要了解学员,否则他怎么推荐干部呢?怎么起到集体政治部、干部部的作用呢?办学校的干部要精选,凡是适合办学校的干部,宁肯从现有工作岗位上调出来。第三,是教材问题。教材很重要,要统一教材。我跟军事科学院、军政大学的同志谈过,请他们主持把教材编出来。教材的内容,要使学员懂得敌人,懂得自己;要重视我们自己的战争经验;要有现代化战争的知识，坦克、飞机，天空、地面、海上，诸军兵种联合作战，等等。总之，一系列东西都要反映在教材里面。第四，要选好学员。招收什么样的人，调什么干部来学？要调好干部来学。高级学校的训练对象要稍微改动一下。现在军政大学训练的基本上是军师干部，团的干部只占百分之二十。以后团的干部的比重要增加。我建议高级学校的学员应该以团的干部为主，加上一部分优秀的营的干部，同时训练军师干部。现在有不少的团的干部打过仗，抗美援朝时当过班长，也有当过连排长的。营的干部打过仗的恐怕就少了，但营一级有优秀的干部。特种部队打过仗的营的干部还不少。

为什么提出学员要以团的干部为主呢？就是为了能使作战部队指挥员年轻化或比较年轻化。我设想，到五年以后尽最大可能达到这一点。政治干部的年龄可以稍大一点，但也不能太大，大三四岁可以。前年我就讲过，连指导员的年龄可以稍大一点，多积累些经验，可以做细致的思想工作。由此类推，各级政治干部的年龄比军事干部的可稍微大一点。军事指挥员要年轻一点，但不排除个别身体好的人年龄也可以大一点。各级军事学校，教学时间的比例，可以三七开，军七政三。要认真学习军事知识，如飞机、坦克的型号、性能，怎么样对付，诸军兵种联合作战怎样指挥等等。政治学校，四六开，政六军四。政治干部要学军事。教师很重要，要选好，要有一个好的教学队伍。学校领导干部可以兼课，大军区和所属部门的领导同志也都可以兼课。

对于在学校学习得好的，指挥、管理能力比较强的，现代化战争知识学得比较好的，而且思想作风又好的干部，学校可以推荐，营的干部可以提拔到团，团的干部可以提拔到师。当然，大量的干部还要回到原工作岗位，因为我们只有那么多军、那么多师。在部队搞两年，再把这一批优秀的师干部、团干部“回炉”一年，调回来再学习，主要是加深现代化战争知识，然后把好的师的干部提拔到军，好的团的干部提拔到师。这样就可以在五年或更多一点的时间内，实现作战部队干部的年轻化。海军和空军的指挥员也应该这样。

教育战线的拨乱反正问题*

（一九七七年九月十九日）

最近《人民日报》记者找了六位参加过一九七一年全国教育工作会议的同志座谈，写了一份材料，讲了《全国教育工作会议纪要》产生的经过，很可以看看。《纪要》是姚文元〔34〕修改、张春桥〔25〕定稿的。当时不少人对这个《纪要》有意见。《人民日报》记者写的这份材料说明了问题的真相。

《纪要》里讲了所谓“两个估计”，即文化大革命前十七年教育战线是资产阶级专了无产阶级的政，是“黑线专政”〔35〕；知识分子的大多数世界观基本上是资产阶级的，是资产阶级知识分子。这个问题究竟怎么看？建国后的十七年，各条战线，包括知识分子比较集中的战线，都是以毛泽东同志为代表的路线占主导地位，唯独你们教育战线不是这样，能说得通吗？《纪要》是毛泽东同志画了圈的。毛泽东同志画了圈，不等于说里面就没有是非问题了。我们不能简单地处理。一九七六年天安门事件〔36〕中关于我的问题的决议，毛泽东同志也是画了圈的。天安门事件涉及那么多人，说是反革命事件，不行嘛！说我是天安门事件的后台，其实，当时我已经不能同外界接触

* 这是邓小平同志同教育部主要负责同志的谈话。

了。《纪要》引用了毛泽东同志的一些话，有许多是断章取义的。《纪要》里还塞进了不少“四人帮”的东西。对这个《纪要》要进行批判，划清是非界限。我们要准确地完整地理解毛泽东思想的体系。我提出这个问题，可有人反对哩！大家知道，对马克思列宁主义，应该准确地完整地理解它的体系。对毛泽东思想就不这样？也应该如此嘛，否则非犯错误不可。毛泽东同志在延安为中央党校题词，就是“实事求是”四个大字，这是毛泽东哲学思想的精髓。

“两个估计”是不符合实际的。怎么能把几百万、上千万知识分子一棍子打死呢？我们现在的人才，大部分还不是十七年培养出来的？原子弹是一九六四年搞成功的。氢弹虽然是一九六七年爆炸的，但也不是一下子就搞出来的。这些都是聂荣臻〔30〕同志抓那个一九五六年制订的十二年科学规划打下的基础。你们的思想没有解放出来。你们管教育的不为广大知识分子说话，还背着“两个估计”的包袱，将来要摔筋斗的。现在教育工作者对你们教育部有议论，你们要心中有数。要敢于大胆讲话〔37〕。我在八月八日科学和教育工作座谈会上的那篇讲话，是个大胆的讲话，当然也照顾了一点现实。对我的讲话，有人反对，这不要紧。一个方针政策，总会有人反对和不同意的。他们敢讲出来就好，可以开展辩论嘛！

一九七一年全教会时，周恩来同志处境很困难。一九七二年，他和一位美籍中国物理学家谈话时，讲要从应届高中毕业生中直接招收大学生。在当时的情况下，提出这个问题是很勇敢的。这是要教育部门转弯子，但是教育部门没有转过来。为什么要直接招生呢？道理很简单，就是不能中断学习的连续性。十八岁到二十岁正是学习的最好时期。过去我和外宾也讲过,中学毕业后劳动两年如何如何好。实践证明,劳动两年以后,原来学的东西丢掉了一半,浪费了时间。采取直接招生的办法,并不是不要劳动,劳动可以在中小学就注意。从青少年起教育他们热爱劳动有好处。到大学以后,重点是结合学习搞对口劳动。到农村劳动也可以搞一点,但不能太多。

毛泽东同志的七二一指示〔38〕要正确地去理解。七二一大学、共产主义劳动大学,各省自己去搞,办法由他们自己定,毕业生不属国家统一分配范围。但是清华大学、北京大学恐怕不能这样办,并不是所有大学都要走上海机床厂的道路。毛泽东同志一贯强调要提高科学文化水平,从来没有讲过大学不要保证教育质量,不要提高科学文化水平,不要出人才。

教育部要争取主动。你们还没有取得主动,至少说明你们胆子小,怕又跟着我犯"错误"。我知道科学、教育是难搞的,但是我自告奋勇来抓。不抓科学、教育,四个现代化就没有希望,就成为一句空话。抓,要有具体政策、具体措施,解决具体的思想问题和实际问题。你们要放手去抓,大胆去抓,要独立思考,不要东看看,西看看。把问题弄清楚,该怎么办就怎么办。该自己解决的问题,自己解决;解决不了的,报告中央。教育方面的问题成堆,必须理出个头绪来。现在群众劲头起来了,教育部不要成为阻力。教育部首要的问题是要思想一致。赞成中央方针的,就干;不赞成的,就改行。

要健全教育部的机构。要找一些四十岁左右的人,天天到学校里去跑。搞四十个人,至少搞二十个人专门下去跑。要像下连队当兵一样,下去当"学生",到班里听听课,了解情况,监督计划、政策等的执行，然后回来报告。这样才能使情况反映得快，问题解决得快。可以首先跑重点大学，跑重点中学、小学。这些就是具体措施，不能只讲空话。

工宣队〔39〕问题要解决，他们留在学校也不安心。军队支左〔5〕的，无例外地都要撤出来。学校里这些问题不解决，扯皮就扯得没完没了。

重点大学搞多少，谁管，体制怎么定？我看，重点大学教育部要管起来。教育部直属重点大学，双重领导，以教育部为主。教育部要直接抓好几个学校，搞点示范。学校每周学习时间多少，政治活动时间不能超过多少等等，这些都要具体化，教育部要干预。人民大学是要办的，主要培养财贸、经济管理干部和马列主义理论工作者。师范大学要办好。省、市管的师范院校，教育部也要经常派人去检查。不办好师范教育，教师就没有来源。

大学学制本科一般定为四年，这个问题认识基本一致了。医科不同，可以长一些。还有个别专业也可以长些。所谓四年，基础课恐怕要两三年。基础打得不好，搞科研是有困难的。我看了你们编的外国教材情况简报。看来，教材非从中小学抓起不可，教书非教最先进的内容不可，当然，也不能脱离我国的实际情况。

你们起草的招生文件写得很难懂，太繁琐。关于招生的条件，我改了一下。政审，主要看本人的政治表现。政治历史清楚，热爱社会主义，热爱劳动，遵守纪律，决心为革命学习，有这几条，就可以了。总之，招生主要抓两条：第一是本人表现好，第二是择优录取。

科学研究机构已经确定实行党委领导下的所长负责制，并决定恢复科研人员的职称。这是很大的决策，解决了很多重要的问题，会引起震动，会影响到教育、工业等方面。教育部门要紧紧跟上。大专院校也应该恢复教授、讲师、助教等职称。多年来，许多同志考虑恢复职称的问题，这次中央在召开全国科学大会的通知中把这个问题解决了。

科研、教育的后勤部门，工作量大，政策性强，十分重要。大学里应当有一批热爱本职工作、勤勤恳恳为教学和科研服务的人，把这方面的工作管起来，使教学和科研人员能够集中精力做好业务工作，不要让他们为了设备和工作条件问题到处奔跑。

要加强学校的教师队伍，科研系统有的人可以调出来搞教育，支援教育。搞教育是很光荣的，要鼓励大家热心教育事业。对科研系统抽出来支援教育的那些同志，教育部要在政治上、物质上安排好。今后我们要很好地研究科研和教育如何协调、人员如何经常交流的问题。人员不流动，思想就会僵化。外国科研机构很注意更新科研队伍，经常补充年轻的、思想灵活的人进来。我们也要逐步实行科研人员流动、更新的制度。要注意发现人才。现在有些人的成就外国人都公认，我们反而不了解，说明我们的一些制度有缺陷，不能发现人才，要认真改进。

教育要狠狠地抓一下，一直抓它十年八年。我是要一直抓下去的。我的抓法就是抓头头，抓方针。重要的政策、措施，也是方针性的东西，这些我是要管的。教育方面有好多问题，归根到底是要出人才、出成果。

总之，教育部要思想解放，争取主动。过去讲错了的，再讲一下，改过来。拨乱反正，语言要明确，含糊其词不行，解决不了问题。办事要快，不要拖。

在中央军委
全体会议上的讲话

（一九七七年十二月二十八日）

这次军委会议，充分肯定了一九七五年的军委扩大会议，认为那次会议是正确的，是一次重要的会议。那次会议，涉及的内容很多，主题是讲整顿。当时设想，从整顿着手，也就是先从调整配备领导班子着手，把军队整顿好。这个问题解决了，然后再解决装备问题，因为装备问题不抓不行。再就是战略问题，没有明确的战略方针，好多事情都不好办。

这次军委会议，提出了全军的十项战斗任务〔40〕，还要通过九个决定、条例〔41〕。解决的问题之多，方面之广，内容之丰富，是过去多少年来没有过的。这次会议，对我们军队几乎所有的领域，所有的方面，都订出了章程。这些章程有些是过去有的，被林彪、“四人帮”破坏了，这次把它们恢复了；有的是新订的。所有这些章程，都是整顿军队、准备打仗所必需的。有了这些章程，我们就有章可循，就能够统一认识，统一行动。

这次会议，是一次十分重要的会议。会议的精神和决定，要很好地传达和贯彻执行。作决定，大家举手赞成容易，可是执行起来，就不是那么简单了。有的事情原则上赞成，一遇到具体问题，就是另外一回事了。贯彻执行的关键在于高级干部要以身作则。高级干部办到了,全军就容易办到。高级干部办不到,就会一风吹,一切照旧。

下面我讲五点。

一、关于揭批“四人帮”和整顿领导班子的问题。

军队的揭批“四人帮”运动,总的情况是好的。多数单位的运动正在逐步深入,发展是健康的。但是有些单位的运动没有深入下去,有的刚刚开始揭问题,有的问题不少,拖着不解决,有的还在捂盖子。总之,发展是不平衡的。运动没有搞开的单位,首先是要领导带头,放手发动群众,不要用框框来束缚。因为群众还没有发动起来,你晓得有什么问题呢?运动搞得比较深入的单位,领导就要保持清醒的头脑,特别注意掌握政策。对人的处理,要取慎重态度,严格区分两类不同性质的矛盾,要扩大教育面,缩小打击面。对于同“四人帮”篡党夺权阴谋活动有牵连的人和事,一定要彻底查清。军队是无产阶级专政的主要工具。军队不搞好,军队干部不纯,祸害很大。所以,这一点对于军队极为重要。对犯了错误特别是犯了严重错误的人,一定要揭发批判他们的错误,并给他们创造条件,改正错误。要帮助他们进行必要的自我批评,把自己的错误向群众讲清楚,取得群众的谅解,然后给以适当的处理。不能因为是人民内部矛盾就不揭不批,让他们滑过去。如果这样,会留下后患,以后还会闹“地震”的。而且这也不是真正爱护干部,是害了干部,因为他自己得不到教训。我们已经看到这样一些人,滑过来,滑过去,一次再一次地犯错误,就是没有得到教训嘛。对“四人帮”的死党中死不改悔的人,毫无疑问要坚决打击。“四人帮”的死党和他们帮派体系里的人,有的愿意改悔,而又彻底揭发“四人帮”及其帮派体系的罪行，并且证明说的是真话，对这种人应该实行从宽处理的政策。对那些错误严重、态度又坏的人，不能重用，也不应该保留他原有的级别和待遇。

在调配领导班子时，那些参与“四人帮”篡党夺权阴谋活动的人，当然不能让他们进来。那些风派、溜派以及搞“地震”的人，那些错误严重而又态度很坏的人，那些有问题没有查清的人，也不能让他们进领导班子。还有些人也不能进领导班子或者不能重用，例如，搞法西斯专政、称王称霸的；搞打砸抢的（当然不一定是大干部，“四人帮”用了那么一些“小螃蟹”，专门搞打砸抢，还搞特务活动，安“钉子”）；投机钻营、招摇撞骗的；拉拉扯扯，吹吹拍拍，好搞宗派活动的；玩弄权术，专门整人的；耍小聪明，搞小动作，不老老实实的；革命意志严重衰退，饱食终日，无所用心的，等等。就是说，我们配备各级领导班子，特别是配备一、二把手的时候，只注意同“四人帮”阴谋活动有没有牵连的问题还不够。还有另外一种人，同“四人帮”没有什么牵连，或者有点牵连也并不大，但是政治品质不好，思想体系是反马克思主义的，其中有些人干了很多坏事，民愤很大，实际上是坏分子。这种人不仅不能进领导班子，也不能留在军队。现在有些领导同志对这类人认识不够，要引起重视。这里不单是指选老干部，选年轻人特别要注意这一点，可得要选准，因为将来是他们当家啦。选得不准，教训不少啊。

我们要全面地历史地看干部。对于那些在长期革命斗争中表现很好，只是在一段时间做了一些错事、讲了一些错话的同志，应该通过适当的批评和自我批评，帮助他们改正错误。所谓历史地看干部，不仅要看他过去的历史，也要看他在同林彪、“四人帮”斗争中的表现。有的人先是跟着林彪，后来又跟着“四人帮”干坏事、犯错误，这也是历史嘛！我们军队的老同志很多，总的讲，有一个共同的特点，非常朴实、正派。当然现在也有少数人有点变罗。所以，看人是不容易的啊！一定要在斗争中观察、识别干部，选择得当。

我们今后配备领导班子的时候，要选用什么人呢？要选那些认真学习马列主义、毛泽东思想，在斗争中经得起考验的人；要选那些党性强，能团结人，不信邪的人；要选那些艰苦朴素，实事求是，说老实话，办老实事，做老实人，作风正派的人；要选那些努力工作，联系群众，关心群众疾苦，有魄力，有实际经验，能够办事的人。现在我们的领导干部年龄都比较大了，五年以后，五十岁以下的人，打过仗的就很少了。所以，我们这些老同志，要认真选好接班人，抓紧搞好传帮带。

一九七五年我提出整顿领导班子的软、懒、散。经过两年的实践，特别是从同“四人帮”的斗争中看，软，就是怕字当头，丧失原则，顶不住，跟着别人跑；懒，就是意志衰退，不读书，不看报，不动脑筋，不下部队，好吃懒做；散，就是争权夺利，搞不团结，捏不到一起。有的人老以为自己一贯正确，闹新的山头主义，任人唯亲，用自己的好恶作标准来看干部，对自己好的就拉过来，不好的就排挤，总想自己搞一帮人，总以为不搞一帮人就办不成事情。这些年，有的人就学了林彪、“四人帮”这一套。领导班子要抓紧整顿，迅速改变软、懒、散的状况。

这里我还要讲一个肿字。过去不是讲五个字吗，肿、散、骄、奢、惰，第一个字就是肿。这个肿，我们还没有很好解决；我们新的编制也没有很好解决；在执行规定的编制时，更没有要求大家注意精简，不许超编。尽管我们部队这样大，但连队并不充实，而各级机关却十分庞大，臃肿的情况很严重。现在一提出要解决什么问题，就要增加机构，增加人，这不行。还有的从下面抽人，搞这样那样的办公室。为什么原来的机构不用呢？当然也有的原来的机构不能用，要抓紧调整。这次按确定的编制定额精简，以后还有没有精简的问题？还有。以后精简，主要是精简各级领导班子和领导机关，首先是总部和军兵种、大军区、省军区的机关。当然，这次精简以后，定额确定以后，就要稳定一个时期。

现在大军区、军兵种的领导干部，已经进行了必要的调整和交流，除个别人外，也要稳定一个时期。这次会议后，就要着手调整军师级干部。在总政治部领导下，各大军区、军兵种一定要把这件事情办好。这里讲的军师级干部，不单是战斗部队的军师级干部，还有总部、军兵种、各大军区的军师级干部。调整这两级班子时，要特别注意政治机关的干部部门，要选一些好同志，选作风正派、不信邪的人，敢于想问题、讲问题的人。调整时，还要注意选配好这些部门的领导骨干，发挥职能机构的作用。

二、关于形势问题。

国内形势确实是好的。但是我们不要大意，还要看到困难，看到问题，看到我们工作中的缺点。有的地方问题成堆。有了正确的方针，还要有有力的措施，有效的政策，继续解决存在的问题。军队也是这样。当然，我们是有信心的，只要我们认真对待，一定可以搞好。在小组讨论中，有的同志说，如果搞得好，也可以争取早一点把军队整顿好。我也相信这一点。军队有一个长处，它是很集中的一个组织，行动起来快。

国际形势也是好的。我们有可能争取多一点时间不打仗。因为我们有毛泽东同志的关于划分三个世界〔42〕的战略和外交路线，可以搞好国际的反霸斗争。另一方面，苏联的全球战略部署还没有准备好。美国在东南亚失败后，全球战略目前是防守的，打世界大战也没有准备好。所以，可以争取延缓战争的爆发。

但是，我想强调一点，就是要抢时间。战争可能延缓爆发，可是我们不能只看到这一方面，我们要防备别人早打、大打。因为霸权主义者有疯狂性，不知道他们在什么地方制造一件什么小事情，就可能挑起战争。大战固然可能推迟，但是一些偶然的、局部的情况是难以完全预料的。我们应该想到，如果现在敌人打来怎么办？应该说，现在我们也能打。首先，要抓紧把工事检查一下。要准备弹药。打仗没有弹药毫无办法。过去我们的弹药是从敌人那里缴来的，现在要是打起来从哪里缴？所以自己要搞后勤。不管现在打也好，将来打也好，都要有工事，有弹药。还要抓紧部队训练，提高战斗力，提高士气。现在世界上有人说，什么都是技术决定，不要完全迷信这个。当然，我们也要讲究技术，不讲究技术是要吃亏的。但是，把电子计算机看成能代替全部指挥职能，那不可能，那样人的能动性也就没有了。经验证明，只要我们坚持人民战争，敌人就是现在来，我们以现有武器也可以打，最后也可以打胜。我们有这样多人口，军民团结一致，敌人要消灭我们的人民是不可能的。但是我们一定要争取有更多的时间，把装备搞上去，把部队的教育训练搞好，这样可以减少不必要的牺牲。我们能够争取比较长一点时间不打仗，对我们军队的现代化建设，对我们军队战斗力的提高，对我们的备战工作，都是有利的。这里我想说一下，即使能够争取十年二十年时间实现我军装备的现代化，那时我们同敌人比较起来，武器装备也仍将处于劣势。我们在前进，敌人也没有睡觉嘛！因此，到那个时候，如果打起来，我们还是要以弱胜强，这种基本状况还不能够完全改变。我们历来的经验，就是用劣势装备打败优势的敌人，因为我们进行的是正义战争，是人民战争。这一点，我们要有充分的信心。

总之，仗总可能有一天要打起来。我们绝不能浪费时间，要加紧备战工作，特别是要训练干部学会指挥现代战争。这一点我们可要有自知之明。指挥现代战争，随着我们装备的现代化，我们的干部包括在座的老同志，指挥能力够不够？不要以为我们过去打了很多漂亮仗，立了很多战功，就觉得自己行。新的武器装备一来，行不行呀？懂不懂呀？指挥能力够不够呀？就是自己行，下面的人行不行呀？你不训练，就是不行。所以要努力提高干部指挥现代战争的能力。这是一点。再一点是加速改进军队的装备。但这里有个条件，请大家注意，就是要根据可能。国家只能拿出那么多钱，用于军事方面多少，还要进行综合平衡。国防的现代化，只有建立在国家整个工业以及农业发展的基础上才有可能。但是不管怎么样，我们弄得好一些，就可以在现有的国力下加速改进军队的装备。

三、关于把军队办成一个大学校的问题。

军队的教育训练，有两个决定，一个是对学校的，一个是对部队的。在这里我不多讲了。现在的问题是，军队本身要加强教育，加强干部训练。还有一个问题是，我们军队有些干部到地方不大受欢迎，也确实不像过去那样顶用。要研究解决这个问题。毛泽东同志早就提出过，军队要办成一个大学校。在新的条件下，我们重新强调贯彻执行毛泽东同志的这个指示，显得特别重要。当前有几十万干部要转业。由于“四人帮”的干扰破坏，这一工作中断了两年。今后每年也将有大批干部离开军队到地方工作，从军事战线转到社会主义建设各条战线。如何使他们尽快适应新的任务呢？办法就是为他们创造到地方工作的条件。在教育训练上要增加这方面的内容。我们说，要把教育训练提高到战略地位，就包括把军队办成一个大学校，使干部既学到现代战争知识，又学到现代科学知识和生产知识，还要学会做政治工作和管理工作。这样，我们的军队干部既能在军队建设中发挥作用，到地方上也能发挥作用，打起仗来，又可以在战争中发挥作用，就成为军队和地方都合用的干部。

对干部的教育训练，要使他们学好马列著作和毛泽东同志的著作，懂得现代战争知识，有好的思想作风，有强的指挥能力和管理能力；还要使他们学点搞工业、农业的知识和必要的现代科学知识，学点历史、地理、外语；有条件的，还要使他们学点专业技术，比如开汽车、开拖拉机，并且懂点原理。我们军队里具有多种知识和一定专业技术的人以后会慢慢多起来。这些问题，主管教育训练的部门要作出规划，提出落实的具体措施。毛泽东同志提倡干部学多种知识。这些年，由于林彪、“四人帮”的干扰破坏，使得一些干部知识很简单，有些还学坏了，到地方不太受欢迎。我们在教育训练中给干部创造到地方工作的条件，这对国家建设有利，对军队建设和战备也有利。

当前，有一大批干部要转业到地方。对这些干部，需要办训练班，组织参观，请地方同志介绍经验，让他们接触工业、财贸、政法、文教等方面的知识。凡是要转业到地方的干部，都可以这样做。

军队每年有上百万的战士复员，怎样使他们到地方工作更好地发挥作用，是个值得重视的问题。对战士的教育训练要做到一兵多能。要学政治、学军事、学技术，还要学点数理化，学点工农业知识，学点外语。我所说的这些，并不是要求每一个战士都要学到。如能调配适当，组织得好，学到那么一点知识，就很有用处。毛泽东同志曾要八三四一部队的战士学文化，做社会调查。现在的战士，中学生占的比例是很大的，如果在服兵役期间，经过训练，水平提高了，作风又好，到地方就会发挥很大作用，地方上也就比较欢迎。

我们军队要搞得生动活泼些。只着眼于军队本身建设的需要是不够的，还要着眼于干部、战士转业复员到地方的需要。现在一个团的干部到工厂，不要说大工厂，就说中小工厂吧，当个厂的领导行不行？看来有些人可能不行。按资历来说，能指挥一个团，如果好好学点知识，学点本领，锻炼一下，当个中小工厂的领导，大厂的车间领导，应该说是可以的。要创造这样的学习条件。当然，到地方也可以学，也可以做政治工作，做管理工作，但不能都做政治工作、管理工作，容不下嘛。总要有一些做技术工作的，所以要学会多种知识。要使我们的干部和战士，经过训练以后，既能打仗，又能搞社会主义建设。我们现在有不少干部，不会管理部队。连队干部不会管连队。好多事故都是因为不会管理，不会做工作，不会做人的工作，不会做思想工作，使矛盾激化而发生的。这个问题我们多次讲过。团的干部、师的干部怎么样？不少人也不大会管理部队。要把部队管理好，就要提高管理能力。所谓管理得好，主要是做好人的工作。全国刚解放的时候，好多北方的干部到了南方，我们有些连级干部去当县委书记，当得不错嘛。那时有个条件，就是艰苦奋斗，联系群众，作风好，不浮夸，听指挥，能执行上面的指示、命令，即使文化水平不高，工作也能胜任。现在不同了，军队有些干部相当老大，自己觉得了不起。一九七五年我讲过“雷锋叔叔不在了”，“四人帮”对此大肆攻击、诬蔑，其实这不是我的话，是老百姓的话。政治工作本来是我们军队最擅长的，现在有些人到了地方却不会做政治工作。所以，军队的教育训练要为干部到地方工作创造条件。你不在军队里创造条件，到地方上就不受欢迎。当然，地方上也有安置不当的事，地方的同志也要注意这个问题。

四、关于纪律问题。

这个问题有个专门决定。我想再强调一下。

军队非讲纪律不可，纪律松弛是不行的。毛泽东同志在世的最后几年，特别强调这个问题，亲自领唱《三大纪律八项注意》歌，这是好多同志都知道的。三大纪律第一条就是一切行动听指挥。八大军区司令调动时，十天都到了职。毛泽东同志是相当了解这几年军队的状况的。纪律问题一九七五年提过，并没有解决，又耽误下来了。要重申这个问题，这是传帮带的主要内容之一。我们这个军队，历来强调一切行动听指挥，强调自觉遵守革命纪律。不这样，我们能够战胜比我们强大得多的敌人吗？能够保证党对军队的绝对领导、贯彻执行党的路线和政策吗？能够加速我军革命化现代化建设吗？现在有些干部对上面的指示不执行，命令不服从。这就是不守纪律！有的单位，个别人长期闹派性，有恃无恐，老虎屁股摸不得。为什么摸不得呢！有些干部调动工作，不合乎自己的要求就不服从命令。有个单位一九七五年要调一批人出去，这些人就是不走，还有个理由：你要我走，先把是非弄清楚。不服从命令，他还“理直气壮”，还像很有“道理”！对这种人，不管三七二十一，要他先执行命令，先走了再说。有意见可以提，可以保留。对不执行命令的，不走的，赶！有的开除军籍，有的降级，要执行纪律。如果军队连这一条都办不到，还叫什么军队！当然，决定一项事情，领导上要慎重，要注意，那是另外一回事。但是，命令是要执行的，指挥是要服从的。过去有好多派，闹派性，处理当然要慎重。以后不能以这个问题为借口，要严格军队的纪律。还有一些住大城市的，特别是在北京的干部，工作调动了，三令五申，家就是不搬。这怎么行呢？一般地讲，到哪里工作，家就应该搬到哪里嘛。

整顿军队必须严格整顿纪律。对这次会议的精神，对会议作出的各项决定，必须坚决贯彻执行。要提倡顾全大局。有些事从局部看可行，从大局看不可行；有些事从局部看不可行，从大局看可行。归根到底要顾全大局。军队干部一定要服从命令听指挥，首先要从老干部开始，带头遵守纪律。前面讲了，一个是一切行动听指挥，一个是自觉遵守纪律。要加强这方面的教育。

当然，我们军队也要有民主，没有民主就不可能有自觉的纪律。毛泽东同志历来提倡我们军队要实行政治、经济、军事三大民主。我们是党委领导，党委本身又有集中，又有民主，是委员会嘛，不是一个人说了算，重要的事情党委要好好讨论。党委内部要开展批评和自我批评，要有这种风气。我们高级干部应该参加党的小组生活。尽管党委本身有党的生活，可以起到互相监督、互相勉励的作用，但是，党委要很好注意高级干部参加党小组生活的问题。在连队，支部要发挥很好的作用，三大民主要坚持。政治民主当然要搞好。军事民主，教育训练方面，要官教兵、兵教官、兵教兵。学习现代化科学知识，确实有好多要兵教官。兵里面有些人，科学知识比连长、指导员多，就得请他当教员，特别是技术部门。经济民主很值得注意。现在有些干部侵占战士的利益，这是不允许的。部队有经济委员会，要把这个组织好好健全起来，发挥作用。政治工作就要管这个事，要组织人查帐，要每月公布帐目。搞好三大民主，要从连队搞起，从各级党委搞起。

五、关于团结问题。

毛泽东同志说过，要团结大多数人，包括那些反对过自己反对错了的人。我们不要因为过去谁整过自己就记仇。对同志不要记仇，要不念旧恶。我们这些人不会没有缺点，有缺点要允许人家批评。我们这些老干部应该在这方面做出好样子来。当然这是说批评，不是说造谣诬蔑，攻击谩骂，那是不许可的。我们要团结起来，共同对敌，共同揭批“四人帮”。只有这样，才能贯彻任人唯贤的干部路线，团结犯错误的好同志。我们要反对那些搞帮派、搞宗派主义的行为，要反对任人唯亲。

现在确实有那么一些人喜欢搞小圈子，很值得注意。有些人调走了，还干预原来单位的工作，还去插手。为什么要这样干呢？有什么必要呢？有什么好处呢？

我们讲团结，必须贯彻执行党的民主集中制的原则。有的人口头上讲团结，而把党委内部一些不同的意见捅出去，加以歪曲，散布流言蜚语，拉一部分人支持自己。还有一些人喜欢搞挑拨离间。这些都是破坏团结的行为，是不能容许的。

毛泽东同志历来强调团结是胜利的保证。为了贯彻党的路线，实现四个现代化的宏伟目标，为了贯彻落实这次会议的精神，我们要团结在毛泽东思想旗帜下，团结在党中央周围。这是大局，我们要有这个大局观念。

这次会议赋予我们的任务很重，时间紧迫，要加强领导，做好规划，狠抓落实。首先要抓紧把各级领导班子调整配备好。这样，才能保证全军各项任务的胜利完成。

在全国科学大会开幕式上的讲话

（一九七八年三月十八日）

同志们：

全国科学大会胜利召开，我们大家感到非常高兴，全国人民感到非常高兴。今天能够举行这样一个在我国科学史上空前的盛会，就清楚地说明：王洪文〔43〕、张春桥〔25〕、江青〔44〕、姚文元〔34〕“四人帮”肆意摧残科学事业、迫害知识分子的那种情景，一去不复返了。科学技术工作受到了全党和全国人民前所未有的重视和关怀。广大科学技术工作者和工农兵群众，积极开展科学实验活动。青少年中，出现了热爱科学、学习科学的新风尚。一个向科学技术现代化进军的热潮正在全国迅猛兴起。在我们面前展现了光明灿烂的前景。

出席这次全国科学大会的，有来自各条战线的优秀科学技术工作者，技术革新的能手，科学种田的模范，忠诚于党的科学事业的干部。你们为社会主义祖国的科学技术的进步，辛勤劳动，做出了卓越的贡献。我代表中共中央向你们表示感谢和敬意。

同志们！

在二十世纪内，全面实现农业、工业、国防和科学技术的现代化，把我们的国家建设成为社会主义的现代化强国，是我国人民肩负的伟大历史使命。围绕着要不要四个现代化，我们曾经同“四人帮”进行了尖锐激烈的斗争。“四人帮”胡说什么“四个现代化实现之日，就是资本主义复辟之时”，疯狂进行破坏，使我国国民经济一度濒于崩溃的边缘，科学技术与世界先进水平的差距愈拉愈大。他们真是要搞社会主义、反对资本主义复辟吗？不，完全相反，正是在他们势力最猖狂的一些地方，社会主义遭到严重破坏。“四人帮”的所作所为，从反面使我们更加深刻地认识到，在无产阶级专政的条件下，不搞现代化，科学技术水平不提高，社会生产力不发达，国家的实力得不到加强，人民的物质文化生活得不到改善，那末，我们的社会主义政治制度和经济制度就不能充分巩固，我们国家的安全就没有可靠的保障。我们的农业、工业、国防和科学技术越是现代化，我们同破坏社会主义的势力作斗争就越加有力量，我们的社会主义制度就越加得到人民的拥护。把我们的国家建设成为社会主义的现代化强国，才能更有效地巩固社会主义制度，对付外国侵略者的侵略和颠覆，也才能比较有保证地逐步创造物质条件，向共产主义的伟大理想前进。

四个现代化，关键是科学技术的现代化。没有现代科学技术，就不可能建设现代农业、现代工业、现代国防。没有科学技术的高速度发展，也就不可能有国民经济的高速度发展。党中央决定召开这次全国科学大会，目的就是动员全党全国重视科学技术，制订规划，表彰先进，研究加速发展科学技术的措施。今天，我就有关的几个问题讲点意见。

第一个问题，对科学技术是生产力的认识问题。在这个问题上,"四人帮"曾经喧嚣一时,颠倒是非,搞乱了人们的思想。科学技术是生产力,这是马克思主义历来的观点。早在一百多年以前,马克思就说过:机器生产的发展要求自觉地应用自然科学。并且指出:"生产力中也包括科学"[45]。现代科学技术的发展,使科学与生产的关系越来越密切了。科学技术作为生产力,越来越显示出巨大的作用。

现代科学技术正在经历着一场伟大的革命。近三十年来,现代科学技术不只是在个别的科学理论上、个别的生产技术上获得了发展,也不只是有了一般意义上的进步和改革,而是几乎各门科学技术领域都发生了深刻的变化,出现了新的飞跃,产生了并且正在继续产生一系列新兴科学技术。现代科学为生产技术的进步开辟道路,决定它的发展方向。许多新的生产工具,新的工艺,首先在科学实验室里被创造出来。一系列新兴的工业,如高分子合成工业、原子能工业、电子计算机工业、半导体工业、宇航工业、激光工业等,都是建立在新兴科学基础上的。当然,不论是现在或者今后,还会有许多理论研究,暂时人们还看不到它的应用前景。但是,大量的历史事实已经说明:理论研究一旦获得重大突破,迟早会给生产和技术带来极其巨大的进步。当代的自然科学正以空前的规模和速度,应用于生产,使社会物质生产的各个领域面貌一新。特别是由于电子计算机、控制论和自动化技术的发展,正在迅速提高生产自动化的程度。同样数量的劳动力,在同样的劳动时间里,可以生产出比过去多几十倍几百倍的产品。社会生产力有这样巨大的发展,劳动生产率有这样大幅度的提高,靠的是什么?最主要的是靠科学的力量、技术的力量。

大家知道，生产力的基本因素是生产资料和劳动力。科学技术同生产资料和劳动力是什么关系呢？历史上的生产资料，都是同一定的科学技术相结合的；同样，历史上的劳动力，也都是掌握了一定的科学技术知识的劳动力。我们常说，人是生产力中最活跃的因素。这里讲的人，是指有一定的科学知识、生产经验和劳动技能来使用生产工具、实现物质资料生产的人。石器时代，青铜器时代，铁器时代，十七世纪，十八世纪，十九世纪，人们使用的生产工具，掌握的科学知识、生产经验和劳动技能，都大不相同。今天，由于现代科学技术的日新月异，生产设备的更新，生产工艺的变革，都非常迅速。许多产品，往往不要几年的时间就有新一代的产品来代替。劳动者只有具备较高的科学文化水平，丰富的生产经验，先进的劳动技能，才能在现代化的生产中发挥更大的作用。在我们的社会里，广大劳动者有高度的政治觉悟，他们自觉地刻苦钻研，提高科学文化水平，从而必将在生产中创造出比资本主义更高的劳动生产率。

承认科学技术是生产力，就连带要答复一个问题：怎么看待科学研究这种脑力劳动？科学技术正在成为越来越重要的生产力，那末，从事科学技术工作的人是不是劳动者呢？

在剥削阶级统治的社会里，有各种各样的脑力劳动者。有些人是完全为反动统治阶级服务的，他们同从事体力劳动的劳动者处在对立的地位。但就在那个时候，也有很多从事科学技术工作的知识分子，如同列宁所说，尽管浸透了资产阶级偏见，但是他们本人并不是资本家，而是学者〔46〕。他们的劳动成果为剥削者所利用，这一般是社会制度决定的，并不是出于他们的自由选择。他们同那些绞尽脑汁直接为反动统治阶级出谋划策的政客是截然不同的。马克思曾经指出，一般的工程技术人员也参与创造剩余价值〔47〕。这就是说，他们也是受资本家剥削的。

在社会主义社会里，工人阶级自己培养的脑力劳动者，与历史上的剥削社会中的知识分子不同了。在我国社会主义改造的过程中，毛泽东同志曾经指出过，从旧社会过来的知识分子，有一个依附在哪张"皮"上的问题〔48〕。在社会主义历史时期中，只要还存在着阶级矛盾和阶级斗争，知识分子就需要注意解决是否坚持工人阶级立场的问题。但总的说来，他们的绝大多数已经是工人阶级和劳动人民自己的知识分子，因此也可以说，已经是工人阶级自己的一部分。他们与体力劳动者的区别，只是社会分工的不同。从事体力劳动的，从事脑力劳动的，都是社会主义社会的劳动者。随着现代科学技术的发展，随着四个现代化的进展，大量繁重的体力劳动将逐步被机器所代替，直接从事生产的劳动者，体力劳动会不断减少，脑力劳动会不断增加，并且，越来越要求有更多的人从事科学研究工作，造就更宏大的科学技术队伍。"四人帮"把今天我们社会里的脑力劳动与体力劳动的分工歪曲成为阶级对立，正是为了打击迫害知识分子，破坏工人、农民和知识分子的联盟，破坏社会生产力，破坏我们的社会主义革命和社会主义建设。

正确认识科学技术是生产力，正确认识为社会主义服务的脑力劳动者是劳动人民的一部分，这对于迅速发展我们的科学事业有极其密切的关系。我们既然承认了这两个前提，那末，我们要在短短的二十多年中实现四个现代化，大大发展我们的生产力，当然就不能不大力发展科学研究事业和科学教育事业，大力发扬科学技术工作者和教育工作者的革命积极性。

新中国成立以来，我们的科学技术事业有了很大的发展，在经济建设和国防建设中发挥了重大作用。这在旧中国简直是无法想象的。这个伟大成就是谁也不能否定，谁也无法否定的。但是，必须清醒地看到，我们的科学技术水平同世界先进水平的差距还很大，科学技术力量还很薄弱，远不能适应现代化建设的需要。特别是林彪、"四人帮"的破坏，耽误了我们很多时间。

我们现在的生产技术水平是什么状况？几亿人口搞饭吃，粮食问题还没有真正过关。我们钢铁工业的劳动生产率只有国外先进水平的几十分之一。新兴工业的差距就更大了。在这方面不用说落后一二十年，即使落后八年十年，甚至三年五年，都是很大的差距。

毛泽东同志经常教导我们："中国应当对于人类有较大的贡献。"〔49〕在科学技术方面，我国古代曾经创造过辉煌的成就，四大发明对世界文明的进步起了伟大作用。但是我们祖先的成就，只能用来坚定我们赶超世界先进水平的信心，而不能用来安慰我们现实的落后。我们现在在科学技术方面的创造，同我们这样一个社会主义国家的地位是很不相称的。

如实地指明这种落后状况，会不会使人们失去信心呢？这种人也可能有。这种人是连半点马克思主义气味也没有的。对于我们无产阶级革命者来说，实事求是地说明情况，认真地去分析造成这种情况的历史的和现实的原因，才能够正确制订我们的战略规划，部署我们的力量；才能够更加激励我们奋发图强，尽快改变这种情况；也才能动员人们虚心学习，迅速掌握世界最新的科学技术。

认识落后，才能去改变落后。学习先进，才有可能赶超先进。提高我国的科学技术水平，当然必须依靠我们自己努力，必须发展我们自己的创造，必须坚持独立自主、自力更生的方针。但是，独立自主不是闭关自守，自力更生不是盲目排外。科学技术是人类共同创造的财富。任何一个民族、一个国家，都需要学习别的民族、别的国家的长处，学习人家的先进科学技术。我们不仅因为今天科学技术落后，需要努力向外国学习，即使我们的科学技术赶上了世界先进水平，也还要学习人家的长处。

中国的革命，吸引着世界各国革命人民，与之共呼吸。中国的社会主义现代化建设，也已得到并且必将进一步更广泛地得到世界各国人民的关注和支持。我们要积极开展国际学术交流活动，加强同世界各国科学界的友好往来和合作关系。对于一切在科学技术上帮助过我们的国际朋友，我们表示衷心的感谢。

这就是我要讲的第一个问题。

第二个问题，关于建设宏大的又红又专的科学技术队伍。

我们向科学技术现代化进军，要有一支浩浩荡荡的工人阶级的又红又专的科学技术大军，要有一大批世界第一流的科学家、工程技术专家。造就这样的队伍，是摆在我们面前的一个严重任务。

这里，一个重要的问题，是对又红又专要有正确的理解，合理的要求。

“四人帮”胡说“知识越多越反动”，鼓吹“宁要没有文化的劳动者”，把既无知又反动的交白卷的小丑捧为“红专”典型，把孜孜不倦，刻苦钻研，为祖国的科学技术事业作出贡献的好同志诬蔑为“白专”典型。这种是非关系、敌我关系的颠倒，一度在人们的思想上造成很大的混乱。

毛泽东同志提倡知识分子又红又专，鼓励大家改造资产阶级世界观，树立无产阶级世界观。世界观的重要表现是为谁服务。一个人，如果爱我们社会主义祖国，自觉自愿地为社会主义服务，为工农兵服务，应该说这表示他初步确立了无产阶级世界观，按政治标准来说，就不能说他是白，而应该说是红了。我们的科学事业是社会主义事业的一个重要方面。致力于社会主义的科学事业，作出贡献，这固然是专的表现，在一定意义上也可以说是红的表现。

二十八年来，我们的科学技术队伍，在毛泽东思想的哺育下，确有很大的进步。绝大多数科学技术人员热爱党、热爱社会主义，努力同工农兵相结合，满腔热情地对待自己从事的科学技术工作，做出了成绩。甚至在林彪、“四人帮”那样迫害和摧残知识分子的时候，广大科学技术人员也没有动摇对党对社会主义的信任，在极端困难的条件下，仍然坚持科学技术工作。许多人在同“四人帮”斗争中表现出很高的觉悟。“四人帮”被粉碎后，他们迸发出极大的革命热情，衷心拥护党中央，为实现四个现代化更加奋发努力工作。这样的队伍，多么难能可贵！这样的队伍，就整个说来，不愧是我们工人阶级自己的又红又专的科学技术队伍！

我们作这样一个估计，当然并不是说，科学技术人员政治思想觉悟都很高了，在思想上、作风上、工作上没有这样那样的缺点错误了。而是说，从政治立场这个基本方面来看，绝大多数科学技术人员应该说是站在工人阶级立场上的。这样的革命知识分子，是我们党的一支依靠的力量。当然，他们不应该自满，不能就此停步不前，而要继续努力，在政治上、业务上都要不断求得新的进步。至于他们身上还存在着的缺点错误，那是教育、帮助的问题，要用批评和自我批评的方法来解决。没有缺点错误的人是没有的。我们这些人，我们的政治工作干部，我们参加党几十年的老干部，不也存在着这样那样的缺点错误吗？为什么对这些业务干部、技术专家却要特别苛求呢！对于科学技术人员中出身不好、历史上犯过错误或家庭、社会关系有些问题的人，我们应当着重看他们自己的基本政治态度，看他们自己的现实表现，看他们对社会主义革命、社会主义建设所作的贡献。

在科学技术人员中，也有一部分人资产阶级世界观没有得到根本改造，或者受到资产阶级思想的影响比较深，在尖锐、激烈、复杂的阶级斗争中，常常摇摆不定。对于他们，只要不是反党反社会主义的，也要团结教育，发挥他们的专长，尊重他们的劳动，关心和热情帮助他们进步。毛泽东同志向来主张革命队伍的人越多越好，向来主张尊重那些有知识、有专长、有贡献的人，向来主张对犯过错误的人要一看、二帮，而不是嫌弃他们。我们一定要认真地实行毛泽东同志的这些教导。

在我们的社会主义社会里，人人都要改造。不仅那些基本立场没有转过来的人要改造，而且所有的人都应该学习，都应该不断改造，研究新问题，接受新事物，自觉地抵制资产阶级思想的侵袭，更好地担负起建设社会主义现代化强国的光荣而又艰巨的任务。

科学技术人员应当把最大的精力放到科学技术工作上去。我们说至少必须保证六分之五的时间搞业务，也就是说这是最低的限度，能有更多的时间更好。如果为了科学上和生产上的需要，有人连续奋战七天七晚，那正是他们热爱社会主义事业的忘我精神的崇高表现，我们对于他们只能够学习、表扬和鼓励。无数的事实说明，只有把全副身心投入进去，专心致志，精益求精，不畏劳苦，百折不回，才有可能攀登科学高峰。我们不能要求科学技术工作者，至少是绝大多数科学技术工作者，读很多政治理论书籍，参加很多社会活动，开很多与业务无关的会议。林彪、“四人帮”动不动就用“脱离政治”的罪名来打击科学技术人员，谁要是努力钻研业务，就会被扣上“白专”帽子。白是一个政治概念。只有政治上反动，反党反社会主义的，才能说是白。怎么能把努力钻研业务和白扯到一起呢！即使是思想上作风上有这样那样毛病的科学技术人员，只要不是反党反社会主义的，就不能称为白。我们的科学技术人员，为社会主义的科学事业辛勤劳动，怎么是脱离政治呢？社会主义事业是有分工的。各行各业的同志在坚持社会主义的政治立场的条件下，努力做好自己的岗位工作，这不但不是脱离政治，而且正是有社会主义觉悟的表现。前几年，林彪、“四人帮”搞得工人不能做工，农民不能种地，解放军不能练兵，学生不能学习，科学技术人员不能钻研业务，给我们的社会主义事业造成多么重大的损失！这个教训难道还不深刻吗？

我们还要在努力提高现有科学技术队伍的水平，充分发挥他们的作用的同时，大力培养新的科学技术人才。由于林彪、“四人帮”的破坏，我们的科学技术队伍发生了青黄不接的现象，这就使加速培养年轻一代的科学技术人才的任务更加迫切了。

我们培养、选拔人才，有广阔的源泉，有巨大的潜力。最近，高等学校招生制度改革之后，发现了一批勤奋努力的、有才华的优秀青少年。看到他们的优异成绩，我们都感到高兴。尽管“四人帮”猖獗一时，但是，他们没有能够扑灭广大青少年的学习热情，没有能够扼杀广大教师为党为人民精心培育下一代的革命积极性。今天，党中央这样关注科学和教育事业，这样着力于培养选拔人才，我们可以预见，一个人才辈出、群星灿烂的新时代必将很快到来。科学的未来在于青年。青年一代的成长，正是我们事业必定要兴旺发达的希望所在。

科学技术人才的培养，基础在教育。我们要全面地正确地执行党的教育方针，端正方向，真正搞好教育改革，使教育事业有一个大的发展，大的提高。教育事业，决不只是教育部门的事，各级党委要认真地作为大事来抓。各行各业都要来支持教育事业，大力兴办教育事业。人民教师是培养革命后代的园丁。他们的创造性劳动，应该受到党和人民的尊重。要确实保证教师的教学活动时间，要关心他们的政治生活、工作条件和业务学习。对于在教学工作中作出突出贡献的教师，应该给以表扬和奖励。

在人才的问题上，要特别强调一下，必须打破常规去发现、选拔和培养杰出的人才。这是被“四人帮”搞乱了的一个重大问题。他们把有贡献的科学家、教授、工程师诬蔑为资产阶级学术权威，把我们党和国家培养成长的优秀中年青年科学技术人员，诬蔑为修正主义苗子。我们要彻底清除“四人帮”的流毒，把尽快地培养出一批具有世界第一流水平的科学技术专家，作为我们科学、教育战线的重要任务。毛泽东同志在抗日战争初期就说过：如果我们党有一百个至二百个系统地而不是零碎地、实际地而不是空洞地学会了马克思列宁主义的同志，就会大大地提高我们党的战斗力量，并加速我们战胜日本帝国主义的工作〔50〕。革命事业需要有一批杰出的革命家，科学事业同样需要有一批杰出的科学家。我们工人阶级的杰出人才，是来自人民的，又是为人民服务的。在广泛的群众基础上，才能不断涌现出杰出人才。也只有有了成批的杰出人才，才能带动我们整个中华民族科学文化水平的提高。

我们的科学家、教师发现人才，培养人才，本身就是一种成就，就是对国家的贡献。在科学史上可以看到，发现一个真正有才能的人，对科学事业可以起多么大的作用！世界上有的科学家，把发现和培养新的人才，看作是自己毕生科学工作中的最大成就。这种看法是很有道理的。我们国家现在一些杰出的数学家，也是在他们年轻的时候，被老一辈数学家发现和帮助他们成长起来的。尽管有些新人在科学成就上超过了老师，他们老师的功绩还是不可磨灭的。

第三个问题，讲讲在科学技术部门的各个研究所中，怎样实现党委领导下的所长负责制。

能不能把我国的科学技术尽快地搞上去，关键在于我们党是不是善于领导科学技术工作。我们的国家进入了新的发展时期，我们党的工作重点、工作作风都应该有相应的转变。各级党委要真正做到阶级斗争、生产斗争和科学实验一起抓。要广泛开展群众性的科学实验活动，做到在技术上、生产上不断有新创造和新纪录。全国有几十万个企业、几十万个生产大队，只有每个企业和生产大队都来大搞技术改造，大搞科学实验，先进的科学技术才能广泛地在工农业中得到应用，才能多快好省地发展生产。同时，又要大力抓好专业科学研究机构的工作。专业的科学研究队伍，是科学工作的骨干力量。没有一支强大的高水平的专业科学研究队伍，就难以攀登现代科学技术的高峰，群众性的科学实验活动，也难以持久深入地一浪高过一浪地向前发展。我们一定要把专业队伍同群众队伍结合起来。

中央规定，科学研究机构要建立技术责任制，实行党委领导下的所长负责制。这是重要的组织措施。它既有利于加强党委的领导，又有利于充分发挥专家的作用。

科学研究机构的基本任务是出成果出人才，要出又多又好的科学技术成果，出又红又专的科学技术人才。衡量一个科学研究机构党委的工作好坏的主要标准，也应当是看它能不能很好地完成这个基本任务。只有很好地完成这个基本任务，才是为巩固无产阶级专政、建设社会主义真正尽了自己的责任。

要完成这个基本任务，有许许多多的工作要做。不可能所有这些事情都由党委去抓，都由党委去解决。应当老老实实地承认，在科学技术工作中，我们有许多东西还不懂。即使懂得，也不能事事都由党委来办。要有分工负责，要从上到下建立岗位责任制。这样，工作才能有秩序，有效率，才能职责分清，赏罚分明，不致拖延推诿，互相妨碍。

党委的领导，主要是政治上的领导，保证正确的政治方向，保证党的路线、方针、政策的贯彻，调动各个方面的积极性。同时，是通过计划来领导，要抓好科学研究计划，要知人善任，把力量组织好。为了实现科学研究计划，为了把科学研究工作搞上去，还必须做好后勤保证工作，为科学技术人员创造必要的工作条件，这也是党委的工作内容。我愿意当大家的后勤部长，愿意同各级党委的领导同志一起，做好这方面的工作。

科学技术的业务领导工作，应当放手让所长、副所长分工去做。不论是党内的还是党外的专家，担负了行政职务，党委就应当支持他们的工作，充分发挥他们的作用，使他们真正做到有职有权有责。他们同样也是党和国家的干部，决不应该见外。党委应该了解和检查他们的工作，但是不能包办代替。

许多事情，比如对学术论文的评价，科学技术人员业务水平的考核，研究计划的制订，研究成果的鉴定，等等，都应该充分发扬民主，走群众路线，广泛倾听有关科学技术人员的意见。对于学术上的不同意见，必须坚持百家争鸣的方针，展开自由的讨论。在科学技术工作中，认真听取专家的意见，充分发挥专家的作用，是使我们少犯错误、做好工作所必需的。这是我们科学研究机构党委实行群众路线的一个重要方面。

我们强调科学技术人员集中精力搞好科学技术工作，是不是减轻了政治工作的任务，降低了政治工作的要求呢？不是的。这是要求我们提高政治工作的水平，改进政治工作的方法，抛弃形式主义的东西，肃清“四人帮”的流毒和影响，认真学习解放军政治工作的优良传统。凡是有利于发展社会主义科学事业的要求和创议，就应该给以支持。对于那些追求个人私利，互相封锁，不搞协作，甚至垄断、剽窃等等不利于发展社会主义科学事业的错误思想和作风，应该进行批评教育。我们今天进行社会主义的现代化建设，向科学技术现代化进军，政治工作的重要任务，就应该是使每个科学技术人员都了解他所从事的科学技术工作同实现四个现代化的伟大目标的关系，鼓舞和动员他们以革命的精神，和衷共济，大力协同，努力攻克科学堡垒，攀登科学高峰。

二十多年来，我们党对科学技术工作的领导，虽然积累了一些经验，但是应该承认，怎样科学地组织管理和领导好社会主义的科学技术事业，我们面前还有很大的未被认识的必然王国。不改变这种情况，就很难取得大的成就，就不会有主动权。毛泽东同志曾教导我们，以其昏昏，使人昭昭，是不行的〔51〕。我们党的各级领导干部，不能长期安于当外行，要钻进去，逐渐成为内行。我们要努力学习马克思主义，提高政治水平，又要努力学习科学知识，总结正反两个方面的经验，研究和掌握科学技术工作的客观规律，全面地正确地执行党的各项方针政策。我们党能够领导人民推翻剥削制度，改造社会，也一定能够掌握科学技术工作规律，领导我国人民攀登世界科学高峰。

路线是非基本澄清了，规划制订了，措施提出来了，群众已经发动起来了。现在，摆在我们各级党组织面前的事情，就是要鼓实劲，要切实解决问题，要踏踏实实地工作。一句话，就是要落在实处。追求表面文章，不讲实际效果、实际效率、实际速度、实际质量、实际成本的形式主义必须制止。说空话、说大话、说假话的恶习必须杜绝。

同志们！

党的第十一次全国代表大会〔52〕、第五届全国人民代表大会和第五届全国政治协商会议的相继召开，充分显示了全党的大团结、全国各族人民的大团结。我们这次全国科学大会也是一次团结的大会。党的团结、人民的团结是我们的事业必定要取得胜利的根本保证。让我们高举毛泽东思想的伟大红旗，在党中央领导下，坚定不移地朝着建设社会主义现代化强国的伟大目标，乘风破浪，胜利前进！

祝科学兴旺发达！祝大会圆满成功！

坚持按劳分配原则*

（一九七八年三月二十八日）

国务院政治研究室起草的《贯彻执行按劳分配的社会主义原则》这篇文章我看了，写得好，说明了按劳分配的性质是社会主义的，不是资本主义的。有些地方还要改一下，同当前按劳分配中存在的实际问题联系起来。

我们一定要坚持按劳分配的社会主义原则。按劳分配就是按劳动的数量和质量进行分配。根据这个原则，评定职工工资级别时，主要是看他的劳动好坏、技术高低、贡献大小。政治态度也要看，但要讲清楚，政治态度好主要应该表现在为社会主义劳动得好，做出的贡献大。处理分配问题如果主要不是看劳动，而是看政治，那就不是按劳分配，而是按政分配了。总之，只能是按劳，不能是按政，也不能是按资格。

我们实行的是低工资政策，这是一个相当长时期的政策。现在八级工的工资最高额是一百零几元，将来随着生产的发展，工资要逐步提高，各级工资数额要有所增加。现在小学教员的工资太低。一个好的小学教员，他付出的劳动是相当繁重的，要提高他们的工资。将来，有些教得很好的小学教员，工资

* 这是邓小平同志同国务院政治研究室负责同志谈话的一部分。

可以评为特级。各行各业都要设立特级，以鼓励人们终身从事自己的职业。

要实行考核制度。考核必须是严格的、全面的，而且是经常的。各行各业都要这样做。今后职工提级要根据考核的成绩，合格的就提，而且允许跳级，不合格的就不提。

要有奖有罚，奖罚分明。对干得好的、干得差的，经过考核给予不同的报酬。我们实行精神鼓励为主、物质鼓励为辅的方针。颁发奖牌、奖状是精神鼓励，是一种政治上的荣誉。这是必要的。但物质鼓励也不能缺少。在这方面，我们过去行之有效的各种措施都要恢复。奖金制度也要恢复。对发明创造者要给奖金，对有特殊贡献的也要给奖金。搞科学研究出了重大成果的人，除了对他的发明创造给予奖励外，还可以提高他的工资级别。如果他干了几年，干不出成绩来，就应该让他改行。最近罗马尼亚作了个决定，干得好的工厂，干部、工人就可多得一点报酬；干得不好的工厂，干部、工人就要少得一点报酬。这也是奖罚分明。稿费制度也要恢复，并根据新的情况加以修订。

贯彻按劳分配原则有好多事情要做。有些问题要经过调查研究，逐步解决。有些制度要恢复起来，建立起来。总的是为了一个目的，就是鼓励大家上进。

在全国教育工作会议上的讲话

（一九七八年四月二十二日）

同志们：

粉碎“四人帮”以来，特别是改革高等学校招生制度和批判“两个估计”之后，教育战线出现了许多新气象。成绩应当充分肯定。但是，无论在教育界，还是在社会上，大家都希望教育工作有更快的进展。在这方面，我们有许多问题要解决，有许多事情要做。今天，我讲几点意见。

第一点，提高教育质量，提高科学文化的教学水平，更好地为社会主义建设服务。

我们的学校是为社会主义建设培养人才的地方。培养人才有没有质量标准呢？有的。这就是毛泽东同志说的，应该使受教育者在德育、智育、体育几方面都得到发展，成为有社会主义觉悟的有文化的劳动者。

“四人帮”反对严格要求学生学习科学文化，反对学生以学习科学文化为主，胡说这是“智育第一”，是“脱离无产阶级政治”。他们鼓吹“宁要没有文化的劳动者”，胡说“知识越多越反动”，并把今天掌握了文化的劳动者及其子弟诬蔑成为资产阶级知识分子。“四人帮”这些谬论的流毒，现在仍然需要大力肃清。

列宁多次强调指出：工人一分钟也不会忘记自己需要知识的力量。没有知识，工人就无法自卫；有了知识，工人就有了力量。这个真理在今天更加显出它的重要性。我们要掌握和发展现代科学文化知识和各行各业的新技术新工艺，要创造比资本主义更高的劳动生产率，把我国建设成为现代化的社会主义强国，并且在上层建筑领域最终战胜资产阶级的影响，就必须培养具有高度科学文化水平的劳动者，必须造就宏大的又红又专的工人阶级知识分子队伍。这些要求本身就是无产阶级政治的要求。

毫无疑问，学校应该永远把坚定正确的政治方向放在第一位。但这并不是说要把大量的课时用于思想政治教育。学生把坚定正确的政治方向放在第一位，这不仅不排斥学习科学文化，相反，政治觉悟越是高，为革命学习科学文化就应该越加自觉，越加刻苦。因此，“四人帮”把在坚持正确的政治方向的前提下大力提高教育质量，大力提高学生的科学文化水平，说成是什么“智育第一”，加以反对，这不但是彻底的荒谬，而且是对于无产阶级政治的实际上的取消和背叛。

学生负担太重是不好的，今后仍然要采取有效措施来防止和纠正。但是，同样明显的是，要极大地提高科学文化水平，没有“三老四严”〔53〕的作风，没有从难从严的要求，没有严格训练，也不能达到目的。我们要在科学技术上赶超世界先进水平，不但要提高高等教育的质量，而且首先要提高中小学教育的质量，按照中小学生所能接受的程度，用先进的科学知识来充实中小学的教育内容。

考试是检查学习情况和教学效果的一种重要方法，如同检验产品质量是保证工厂生产水平的必要制度一样。当然也不能迷信考试，把它当作检查学习效果的唯一方法。要认真研究、试验，改进考试的内容和形式，使它完善起来。对于没有考好的学生，要鼓励和帮助他们继续努力，不要因此造成不必要的精神负担。

第二点，学校要大力加强革命秩序和革命纪律，造就具有社会主义觉悟的一代新人，促进整个社会风气的革命化。

“四人帮”对教育事业的破坏，不仅造成科学文化的教育质量惊人下降，而且严重地损害了学校的思想政治教育，败坏了学校纪律，腐蚀了社会主义社会的革命风气。“四人帮”在口头上政治喊得响，实际上搞的是反革命反社会主义的政治，是用剥削阶级最腐朽最反动的思想来毒害青少年，制造“文盲加流氓”式的人物。彻底清除“四人帮”所造成的这种恶果，是关系到巩固无产阶级专政的一项极其严重的政治任务。

革命的理想，共产主义的品德，要从小开始培养。我们党的教育事业历来有这样的优良传统。革命战争年代，儿童团员、共青团员创造了可歌可泣的英雄业绩。全国解放以后，我们的教育工作，我们的青年团、少先队的工作，发扬光大了过去的优良传统。在很长的一段时间里，广大青少年好好学习，天天向上，爱祖国，爱人民，爱劳动，爱科学，爱护公共财物，英勇机智地同敌人、坏分子作斗争，树立了一代新风。学校风气的革命化促进了社会风气的革命化。这种风气不仅是中国历史上从来没有过的，而且受到了世界人民的赞誉。我们希望从事教育工作的同志，各个有关部门的同志，整个社会的家家户户，都来关心青少年思想政治的进步，把被“四人帮”破坏了的优良革命传统恢复和发扬起来。毛泽东同志说：“思想政治工作，各个部门都要负责任。共产党应该管，青年团应该管，政府主管部门应该管，学校的校长教师更应该管。”〔54〕尤其是中小学教师和幼儿教育工作者，负有培养革命接班人的幼苗的重任。我们要大力在青少年中提倡勤奋学习、遵守纪律、热爱劳动、助人为乐、艰苦奋斗、英勇对敌的革命风尚，把青少年培养成为忠于社会主义祖国、忠于无产阶级革命事业、忠于马克思列宁主义毛泽东思想的优秀人才，将来走上工作岗位，成为有很高的政治责任心和集体主义精神，有坚定的革命思想和实事求是、群众路线的工作作风，严守纪律，专心致志地为人民积极工作的劳动者。

我们要求所有的人都努力上进，但毕竟还要看各个人自己是否努力。集体的努力也是各个人努力的综合表现。这种个人努力程度的差别，即使到共产主义社会也会存在。毛泽东同志说过，一万年以后也会有先进和落后的差别。因此，我们在鼓励帮助每个人勤奋努力的同时，仍然不能不承认各个人在成长过程中所表现出来的才能和品德的差异，并且按照这种差异给以区别对待，尽可能使每个人按不同的条件向社会主义和共产主义的总目标前进。同时，对于严重破坏革命秩序和革命纪律又屡教不改的人，也要采取严格措施加以认真的教养改造，不能让这极少数人为害学校和社会。

今后，不仅大中学校招生要德智体全面考核，择优录取，而且各部门招工用人也要逐步实行德智体全面考核的办法，择优尽先录用。这也就是把毛泽东同志提出的培养德智体全面发展、有社会主义觉悟的有文化的劳动者的方针贯彻到底，贯彻到整个社会的各个方面。这样做，对于提高整个职工队伍的政治质量和科学文化素养，对于满足不同工种、职业的特殊要求，对于在青少年中以至在整个社会上造成人人向上、奋发有为、不甘落后的革命风气，都将发挥巨大的促进作用。

第三点，关于教育事业必须同国民经济发展的要求相适应的问题。

为了培养社会主义建设需要的合格的人才，我们必须认真研究在新的条件下，如何更好地贯彻教育与生产劳动相结合的方针。马克思、恩格斯、列宁和毛泽东同志都非常重视教育与生产劳动的结合，认为在资本主义社会里这是改造社会的最强有力的手段之一；在无产阶级取得政权之后，这是培养理论与实际结合、学用一致、全面发展的新人的根本途径，是逐步消灭脑力劳动和体力劳动差别的重要措施。早在八十年前，列宁就说过："无论是脱离生产劳动的教学和教育，或是没有同时进行教学和教育的生产劳动，都不能达到现代技术水平和科学知识现状所要求的高度。"[55]现代经济和技术的迅速发展，要求教育质量和教育效率的迅速提高，要求我们在教育与生产劳动结合的内容上、方法上不断有新的发展。

要做到这一点，各级各类学校对学生参加什么样的劳动，怎样下厂下乡，花多少时间，怎样同教学密切结合，都要有恰当的安排。更重要的是整个教育事业必须同国民经济发展的要求相适应。不然，学生学的和将来要从事的职业不相适应，学非所用，用非所学，岂不是从根本上破坏了教育与生产劳动相结合的方针？那又怎么可能调动学生学习和劳动的积极性，怎么可能满足新的历史时期向教育工作提出的巨大要求？

我们的国民经济是有计划按比例发展的，我们培养训练专门家和劳动后备军，也应该有与之相适应的周密的计划。我们不但要看到近期的需要，而且必须预见到远期的需要；不但要依据生产建设发展的要求，而且必须充分估计到现代科学技术的发展趋势。

国家计委、教育部和各部门，要共同努力，使教育事业的计划成为国民经济计划的一个重要组成部分。这个计划，应该考虑各级各类学校发展的比例，特别是扩大农业中学、各种中等专业学校、技工学校的比例；要研究发展什么样的高等学校，怎样调整专业设置、安排基础理论课程和进行教材改革。要制订加速发展电视、广播等现代化教育手段的措施，这是多快好省发展教育事业的重要途径，必须引起充分的重视。生产劳动、科学试验和科学研究在学校教育中怎样组织得更有计划，使之更符合于经济计划和教育计划的需要，应该加以深入的研究。为了加速造就人才和带动整个教育水平的提高，必须考虑集中力量加强重点大学和重点中小学的建设，尽快提高它们的教学水平和教学质量。

今后国家将努力开辟新的途径，增加新的行业，以便更有效地为四个现代化服务。我们制订教育规划应该与国家的劳动计划结合起来，切实考虑劳动就业发展的需要。

最后，讲讲尊重教师的劳动，提高教师的质量问题。

一个学校能不能为社会主义建设培养合格的人才，培养德智体全面发展、有社会主义觉悟的有文化的劳动者，关键在教师。

二十多年来，我们已经建立了一支人民教师队伍。全国有教师九百万人。绝大多数教职员工热爱党热爱社会主义，勤勤恳恳地为社会主义教育事业服务，为民族、为国家、为无产阶级立了很大功劳。为人民服务的教育工作者是崇高的革命的劳动者。我们对广大教育工作者的辛勤努力表示慰问和敬意。特别是对广大的小学教育工作者，他们在更为艰苦的条件下，为培育革命后代不辞劳累，作出贡献，我们更要表示慰问和敬意。

我们要提高人民教师的政治地位和社会地位。不但学生应该尊重教师，整个社会都应该尊重教师。我们提倡学生尊敬师长，同时也提倡师长爱护学生。尊师爱生，教学相长，这是师生之间革命的同志式的关系。对于优秀的教育工作者，应该大张旗鼓地予以表扬和奖励。

要研究教师首先是中小学教师的工资制度。要采取适当的措施，鼓励人们终身从事教育事业。特别优秀的教师，可以定为特级教师。限于国家的经济力量，我们一时还难以较大地改善教职员工的物质生活待遇，但是必须为此积极创造条件。各级党委和教育行政部门，首先要在可能范围内，尽力办好集体福利事业。

各级党委和学校的党组织，应该热情地关心和帮助教师思想政治上的进步，帮助他们认真学习马克思列宁主义、毛泽东思想，使更多的人牢固地树立起无产阶级的共产主义的世界观。要积极地在优秀的教师中发展党员。教育战线任务愈来愈重，各级教育部门不能不努力提高现有教师队伍的教学能力和教学质量。教育部和各地教育行政部门，要采取切实有效的措施，比如充分利用广播、电视，举办各种训练班、进修班，编印教学参考资料等，大力培训师资。我们希望广大教师努力在政治上、业务上不断提高，沿着又红又专的道路前进。

同志们！我希望这次会议，能够对教育工作中一些重大问题，充分展开讨论。要提倡敢想敢说的革命精神。有不同意见不要紧，各种方案可以比较。办什么事也得走群众路线。人民内部要有充分的民主，这样才能拿出好的主意来。当然，任何好主意不会自动实现。美好的前景如果没有切实的措施和工作去实现它，就有成为空话的危险。为了在不长的时间内实现四个现代化，我们需要大力提倡能把崇高理想逐步变为现实的脚踏实地的革命作风。

我相信，在党中央领导下，依靠教育战线上广大师生员工的努力，坚持把揭批“四人帮”的斗争进行到底，踏踏实实地进行工作，我们的教育事业一定能够同其他战线一样，新人辈出，捷报频传，蒸蒸日上！

实现四化，永不称霸*

（一九七八年五月七日）

粉碎“四人帮”，全国人民都高兴。现在的情况比较好，人民的积极性调动起来了。实现四个现代化，我们清醒地看到这是一件艰巨的事情，但是是能够做到的。首先是我们有全党的团结，全国人民的团结。我们的人民是勤劳的人民，有着艰苦奋斗的传统。其次是我们已经建立了相当的物质基础。还有就是我们制定了明确的方针，要利用世界上一切先进技术、先进成果。在“四人帮”时期要这样做是不允许的，他们说这是洋奴哲学。科学技术本身是没有阶级性的，资本家拿来为资本主义服务，社会主义国家拿来为社会主义服务。中国古代有四大发明，世界各国后来不是也利用了嘛！现在世界上的先进技术、先进成果我们为什么就不能利用呢？我们要把世界一切先进技术、先进成果作为我们发展的起点。再加一条，那就是我们有丰富的自然资源。总起来说，人民的积极性调动起来了，又有一定的物质基础，有丰富的资源，加上利用世界的先进技术，我们实现四个现代化是有可能的。当然也不

---

* 这是邓小平同志会见马达加斯加民主共和国政府经济贸易代表团时谈话的一部分。

那么容易。世界上先进技术发展很快，发展速度不是用年来计算，而是用月、用日来计算的，叫做“日新月异”。我们就是实现了四个现代化，工农业产品的产量和国民收入按人口平均来算，还是比较低的。现在我们的方针政策已经明确，我们的口号是少说空话，多做工作。

我们现在还很穷，在无产阶级国际主义义务方面，还不可能做得很多，贡献还很小。到实现了四个现代化，国民经济发展了，我们对人类特别是对第三世界的贡献可能会多一点。作为一个社会主义国家，中国永远属于第三世界，永远不能称霸。这个思想现在人们可以理解，因为中国现在还很穷，是不折不扣的第三世界国家。问题是将来我们发展了，搞不搞霸权主义。朋友们，你们都比我年轻，你们是可以看到的，到那个时候，如果中国还是社会主义国家，就不能实行霸权主义，仍然属于第三世界。如果那时中国翘起尾巴来了，在世界上称王称霸，指手画脚，那就会把自己开除出第三世界的“界籍”，肯定就不再是社会主义国家了。一九七四年我在联大特别会议上作了一篇讲话〔56〕，讲的就是这个内容。这是毛泽东主席、周恩来总理制定的对外政策，我们要用来教育子孙后代。

在全军政治工作会议上的讲话

（一九七八年六月二日）

同志们：

这次全军政治工作会议，是继军委会议之后军队召开的又一次重要的历史性会议。

会议讨论和修改了加强政治工作的决议、政治工作条例、干部服役条例三个草案。这些文件经过军委审定之后，军队政治工作也就有了章程。

这次会议着重研究和解决在新的历史条件下，发扬政治工作的优良传统，提高我军战斗力的问题。会议根据毛泽东思想，针对部队的实际，提出问题，分析问题，解决问题，很好，很必要。这次会议，中心突出，主题明确，精力集中，越开越好。会议的风气正，发扬民主，畅所欲言，对原则问题又不含糊，给下边作了好样子。总之，会议开得很圆满，很成功。

我讲四个问题。

第一个问题，讲讲实事求是。

我们开会，作报告，作决议，以及做任何工作，都为的是解决问题。我们说的做的究竟能不能解决问题，问题解决得是不是正确，关键在于我们是否能够理论联系实际，是否善于总结经验，针对客观现实，采取实事求是的态度，一切从实际出发。我们只有这样做了，才有可能正确地或者比较正确地解决问题，而这样地解决问题，究竟是否正确或者完全正确，还需要今后的实践来检验。如果我们不这样做，那我们就一定什么问题也不可能解决，或者不可能正确地解决。

我们党有很多同志坚持学习马列主义、毛泽东思想，坚持把马列主义的普遍真理同革命实践相结合的原则，这是很好的，我们一定要继续发扬。但是，我们也有一些同志天天讲毛泽东思想，却往往忘记、抛弃甚至反对毛泽东同志的实事求是、一切从实际出发、理论与实践相结合的这样一个马克思主义的根本观点，根本方法。不但如此，有的人还认为谁要是坚持实事求是，从实际出发，理论和实践相结合，谁就是犯了弥天大罪。他们的观点，实质上是主张只要照抄马克思、列宁、毛泽东同志的原话，照抄照转照搬就行了。要不然，就说这是违反了马列主义、毛泽东思想，违反了中央精神。他们提出的这个问题不是小问题，而是涉及到怎么看待马列主义、毛泽东思想的问题。

马列主义、毛泽东思想的基本原则，我们任何时候都不能违背，这是毫无疑义的。但是，一定要和实际相结合，要分析研究实际情况，解决实际问题。按照实际情况决定工作方针，这是一切共产党员所必须牢牢记住的最基本的思想方法、工作方法。实事求是，是毛泽东思想的出发点、根本点。这是唯物主义。不然，我们开会就只能讲空话，不能解决任何问题。

毛泽东同志从参加共产主义运动、缔造我们党的最初年代开始，就一直提倡和实行对于社会客观情况的调查研究，就一直同理论脱离实际、一切只从主观愿望出发、一切只从本本和上级指示出发而不联系具体实际的错误倾向作坚决的斗争。毛泽东同志在一九二九年为古田会议写的决议〔26〕中就尖锐地反对主观主义的指导，认为这种指导，“其必然的结果，不是机会主义，就是盲动主义”。一九三〇年，毛泽东同志专门写了《反对本本主义》这篇文章，提出“没有调查，没有发言权”的科学论断。他坚决反对在共产党内讨论问题的时候，开口闭口拿本本来，以为上了书的就是对的这种错误的心理。毛泽东同志说：“盲目地表面上完全无异议地执行上级的指示，这不是真正在执行上级的指示，这是反对上级指示或者对上级指示怠工的最妙方法。”又说：“我们说马克思主义是对的，决不是因为马克思这个人是什么‘先哲’，而是因为他的理论，在我们的实践中，在我们的斗争中，证明了是对的。我们的斗争需要马克思主义。我们欢迎这个理论，丝毫不存什么‘先哲’一类的形式的甚至神秘的念头在里面。”

在战胜了使中国革命遭到严重失败的王明“左”倾路线〔57〕以后，毛泽东同志总结了这次斗争的教训，在一九三六年和一九三七年写下了《中国革命战争的战略问题》、《实践论》、《矛盾论》等一系列不朽著作，奠定了我们党的思想理论基础。毛泽东同志指出：“马克思主义者认为，只有人们的社会实践，才是人们对于外界认识的真理性的标准。……辩证唯物论的认识论把实践提到第一的地位，认为人的认识一点也不能离开实践，排斥一切否认实践重要性、使认识离开实践的错误理论。”〔58〕“我们的教条主义者是懒汉，他们拒绝对于具体事物做任何艰苦的研究工作，他们把一般真理看成是凭空出现的东西，把它变成为人们所不能够捉摸的纯粹抽象的公式，完全否认了并且颠倒了这个人类认识真理的正常秩序。”〔59〕毛泽东同志在谈到战争的指导原则的时候指出：“指挥员的正确的部署来源于正确的决心，正确的决心来源于正确的判断，正确的判断来源于周到的和必要的侦察，和对于各种侦察材料的联贯起来的思索。”〔60〕我们过去打仗，都懂得不研究我情敌情，做不到知己知彼，就要打败仗。

但是，党内有些反对毛泽东思想的人并没有由于毛泽东同志的这些教导而改变他们的立场。因此，毛泽东同志在一九四一、一九四二年发起了伟大的整风运动。毛泽东同志的《〈农村调查〉的序言和跋》、《改造我们的学习》、《整顿党的作风》、《反对党八股》等著作，就是这次整风运动的主要文献。毛泽东同志在整风运动中反复强调实事求是、从实际出发的根本观点和根本态度。他说：“‘实事’就是客观存在着的一切事物，‘是’就是客观事物的内部联系，即规律性，‘求’就是我们去研究。我们要从国内外、省内外、县内外、区内外的实际情况出发，从其中引出其固有的而不是臆造的规律性，即找出周围事变的内部联系，作为我们行动的向导。”“这种态度，就是党性的表现，就是理论和实际统一的马克思列宁主义的作风。这是一个共产党员起码应该具备的态度。”〔61〕而与此相反的反科学的反马克思列宁主义的主观主义的方法，则“是共产党的大敌，是工人阶级的大敌，是人民的大敌，是民族的大敌，是党性不纯的一种表现”〔62〕。毛泽东同志告诫全党同志不应该把马克思主义的理论“看成是死的教条”，“把马克思列宁主义书本上的某些个别字句看作现成的灵丹圣药，似乎只要得了它，就可以不费气力地包医百病”[63]。如果这样，“就阻碍了理论的发展，害了自己，也害了同志”[64]。他指出：“真正的理论在世界上只有一种，就是从客观实际抽出来又在客观实际中得到了证明的理论”[65]。根据这种马克思主义的根本观点，毛泽东同志在党的七大的报告中，把理论和实践相结合的作风，规定为我们党的三大作风[66]的第一项。

在这以后，毛泽东同志继续反复多次地讲了这种观点，这种作风。例如，一九五三年，毛泽东同志说：“中央领导机关是一个制造思想产品的工厂，如果不了解下情，没有原料，也没有半成品，怎么能够制造出产品？”[67]一九五六年，毛泽东同志说：“理论与实践的统一，是马克思主义的一个最基本的原则。按照辩证唯物论，思想必须反映客观实际，并且在客观实践中得到检验，证明是真理，这才算是真理，不然就不算。”[68]一九五八年，毛泽东同志说：“任何英雄豪杰，他的思想、意见、计划、办法，只能是客观世界的反映，其原料或者半成品只能来自人民群众的实践中，或者自已的科学试验中，他的头脑只能作为一个加工工厂而起制成完成品的作用，否则是一点用处也没有的。人脑制成的这种完成品，究竟合用不合用，正确不正确，还得交由人民群众去考验。”[69]一九六三年，毛泽东同志在《人的正确思想是从哪里来的？》一文中指出：“人的正确思想，只能从社会实践中来”。又指出，由社会实践中产生的“思想（包括理论、政策、计划、办法）是否正确地反映了客观外界的规律，还是没有证明的，还不能确定是否正确”，只有放到社会实践中去，经过实践的考验，才能证明它“究竟是正确的还是错误的，此外再无别的检验真理的办法”。

毛泽东同志历来坚持要用马列主义的立场、观点、方法来提出问题，分析问题，解决问题。他历来是按照不同的时间、地点、条件讲问题的。毛泽东同志讲过：我写文章，不大引马克思、列宁怎么说，报纸老引我的话，引来引去，我就不舒服。应该学会用自己的话来写文章。当然不是说不要引人家的话，是说不要处处都引。主要的是要用马克思主义的立场、观点、方法来分析问题，解决问题。马克思主义的活的灵魂，就是具体地分析具体情况。马列主义、毛泽东思想如果不同实际情况相结合，就没有生命力了。我们领导干部的责任，就是要把中央的指示、上级的指示同本单位的实际情况结合起来，分析问题，解决问题，不能当“收发室”，简单地照抄照转。

同志们请想一想，实事求是，一切从实际出发，理论和实践相结合，这是不是毛泽东思想的根本观点呢？这种根本观点有没有过时，会不会过时呢？如果反对实事求是，反对从实际出发，反对理论和实践相结合，那还说得上什么马克思列宁主义、毛泽东思想呢？那会把我们引导到什么地方去呢？很明显，那只能引导到唯心主义和形而上学，只能引导到工作的损失和革命的失败。

全军的政治工作会议多年没有开了，现在开这样一次会议，应该采取什么方法呢？很明显，我们应该也只能采取实事求是、从实际出发、理论和实践相结合的方法，总结过去的经验，分析新的历史条件，提出新的问题、新的任务、新的方针。这样，我们的会议才能够解决问题，才能够解决得正确。韦国清〔70〕同志的报告好，好就好在研究了新的历史条件下的问题，有针对性地提出了解决的办法。这就是我们在实际行动中坚决拥护毛泽东思想的表现。反之，如果我们只把过去的一些文件逐字逐句照抄一通，那就不能解决任何问题，更谈不到正确地解决什么问题。那样，即使我们口头上大讲拥护毛泽东思想，实际上也只能是违反毛泽东思想。我们一定要肃清林彪、“四人帮”的流毒，拨乱反正，打破精神枷锁，使我们的思想来个大解放，这确实是一个十分严重的任务。

第二个问题，讲讲新的历史条件。

这次全军政治工作会议要着重解决什么问题呢？从部队存在的问题和实际情况来看，最重要的，就是要研究和解决在新的历史条件下，怎样恢复和发扬政治工作的优良传统，提高我军战斗力的问题。这就是按照毛泽东同志关于实事求是的教导，研究分析实际问题，解决实际问题。

我们是历史唯物主义者，研究和解决任何问题都离不开一定的历史条件。从民主革命到社会主义革命，我们经历了二十多年的战争，又经历了二十多年的和平环境，这是一个很大的变化。

对军队来说，由长期的战争环境转入和平环境，这是个最大的不同。我们政治工作的根本的任务、根本的内容没有变，我们的优良传统也还是那一些。但是，时间不同了，条件不同了，对象不同了，因此解决问题的方法也不同。

毛泽东同志制定的三大纪律八项注意〔6〕，就曾根据不同的情况，在具体内容上提出不同要求。开始规定了三项纪律，接着又提出了六项注意。三项纪律的内容后来也有变化，把“不拿工人农民一点东西”改为“不拿群众一针一线”，把“打土豪要归公”改为“筹款要归公”，后来又改为“一切缴获要归公”。六项注意增加了“洗澡避女人”、“不搜俘虏腰包”两项内容。到一九四七年重新颁布的三大纪律八项注意，内容上也有修改，“上门板”、“捆铺草”，改为“不打人骂人”、“不损坏庄稼”，“洗澡避女人”、“不搜俘虏腰包”，改为“不调戏妇女”、“不虐待俘虏”。三大纪律八项注意的基本精神不能变，也没有变，但怎样贯彻执行，如果不研究不结合新的情况，就贯彻不好。例如“一切缴获要归公”，现在没有打仗，就没有缴获要归公的问题，就要研究在新的历史条件下怎样执行这个原则。

军民一致，这个原则不能变。但现在我们同人民群众的关系也有了不同的内容。在农村，过去是个体经济，现在是集体经济；部队过去在农村，现在不少部队进了城市，住了营房，这就是新的情况。现在搞好军民关系，一个重要问题，就是要帮助集体经济的发展。一个军要研究是不是可以帮助一两个公社，附近有工厂的也可以研究如何帮助工厂。我们就是要按照新的情况，从各方面搞好军民关系，正确地解决军民关系问题。

军队内部也出现了许多新的变化。在韦国清同志的报告中对部队的组织状况、思想状况等方面的问题已经作了分析。现在，干部有很多新的情况，战士也有新的特点，教育对象不一样了，教育没有新的内容不行。忆苦思甜当然要搞，但只搞忆苦思甜就不够了，要研究如何在新的历史条件下提高战士的政治觉悟。就官兵关系来说，现在同战争时期就不同，怎样坚持官兵一致的原则，就要很好地研究。

后勤现在也在开会，也要着重研究后勤工作方面在新的历史条件下出现的新的情况和新的问题。比如，随着军事科学技术的发展和我军装备的逐步改善,后勤工作也出现了很多新情况。过去我们是小米加步枪,对后勤依赖还不算很大。现在不同了,无论是军需给养、武器弹药、装备器材,都得靠强大的后方供应。战争物资的储备,也在不断变化。这些都需要认真具体地研究。另外,过去我们家当比较小,现在家当大了,怎么把整个后勤工作管好,也是个新问题,需要有适应新情况的一系列制度和解决办法,同破坏财务制度、铺张浪费的现象作斗争。

以上讲的,都是在新的历史条件下出现的新情况和新问题。这次全军政治工作会议,提出在新的历史条件下发扬政治工作的优良传统,提高我军战斗力,是分析了政治工作的实际情况,提出和解决政治工作的具体工作路线和政策,这正是为了更好地完成新时期的历史任务,完全体现了毛泽东同志关于既要有总路线、总政策,又要有具体工作路线和具体政策的指示精神。如果我们不去分析和解决新的历史条件下存在的问题,我们就不能够恢复和发扬政治工作的优良传统,就不能够在没有打仗的情况下提高部队战斗力。

我们的革命导师马克思、列宁、毛泽东同志历来重视具体的历史条件,重视从研究历史和现状中找出规律性的东西来指导革命。那种否定新的历史条件的观点,就是割断历史,脱离实际,搞形而上学,就是违反辩证法。

第三个问题,讲讲破和立。

我们讲实事求是,讲新的发展时期,讲新的历史条件,就要讲破和立。破,在当前和今后一个时期就是要深入揭批"四人帮",要联系揭批林彪〔1〕,肃清他们的流毒和影响。立,就是要完整地准确地掌握毛泽东思想体系，在新的历史条件下，恢复和发扬我党我军的优良传统和作风。

军队揭批“四人帮”总的情况是好的，我不多说了。但是运动的发展不平衡。我们一定要把这场斗争搞深搞透，进行到底，决不能捂盖子。

揭批“四人帮”，是当前和今后一个时期各项工作的纲。抓不好这个纲，是非就不明，阵线就不清，班子就配不好，作风就不能转变，团结就没有良好的基础，工作也搞不上去。总而言之，不破掉这些坏东西，就不能立新东西。

要把“四人帮”揭深批透，非联系揭批林彪不可。林彪、“四人帮”早就勾结在一起，阴谋篡党夺权。林彪对军队毒害很大，过去没有怎么批，被“四人帮”包下来了。他们不批林，假批孔，把矛头指向周恩来同志、叶剑英〔24〕同志。揭批“四人帮”联系揭批林彪，这是顺理成章的事，不存在什么“纠缠历史旧帐”的问题。

要增强团结，必须深入揭批“四人帮”，必须联系揭批林彪。这正是为了分清是非，在马列主义、毛泽东思想的基础上搞好团结。这样才能真正团结绝大多数。跟林彪一伙犯了错误，检查得好，真正改了，一直表现不错的，我们就应该充分信任；坚持不改，又跟“四人帮”干坏事的，当然要从严处理。不这样做，就分不清是非，就搞不好团结，就无法实现整顿的任务。

揭批林彪、“四人帮”，必须联系实际，搞好各方面的整顿。整顿就要有破有立。整顿，主要是整顿领导班子，整顿作风。

当前调整好整顿好领导班子是个关键。有的单位问题成堆，老是解决不了，主要是领导班子没有真正调整好。要坚决执行军委会议关于哪些人可以进领导班子，哪些人不能进领导班子、不能重用的规定，抓紧把各级领导班子选配好，整顿好。一九七五年我们讲过软、懒、散三种情况，现在有些领导班子还是这个问题。要放手发动群众，揭露矛盾，搞清是非，整掉林彪、“四人帮”的帮派体系。还必须把派性整掉、搞臭。

培养接班人，这件事关系到军队建设和未来反侵略战争的大局，非解决不可。年轻干部只要选得准，搞好对他们的传帮带，加强学校的培养，是能够接好班的。我们老同志在这个问题上，眼光要放得远一些，要积极发挥骨干作用，选好接班人，带好接班人。这件事做好了，我们才有资格去见马克思，见毛主席，见周总理。

整顿领导班子，一个重要方面就是要把作风整顿好。各级领导人的作风要转变，要解决官僚主义的问题、不深入实际的问题。我们办事情，做工作，必须深入调查研究，联系本单位的实际解决问题。

军队的作风要做个好样子，就要解决一个提高工作效率的问题。要雷厉风行，艰苦奋斗，紧张快干。不能慢慢吞吞，拖拖拉拉，议而不决，决而不行。军队还是要讲三大纪律八项注意，一切行动听指挥，步调一致才能得胜利。

整顿，还有一个恢复政治机关的职能、作用、威信的问题。我们多次讲过，要在三几年内，把政治机关的职能、作用、威信恢复到红军时期、抗日战争时期、解放战争时期的水平。要做到这一点，就要破林彪、“四人帮”的那一套，立毛泽东同志关于政治工作的理论和传统作风，并在新的条件下发展提高。这次会议之前，我又讲过，通过这次会议，要把政治机关的职能、作用、威信恢复起来，起码要起这个作用。

政治工作是党的工作，政治机关是党的工作机关。上级政治机关对下级党委、政治委员、政治机关的工作，应该进行指导，督促检查。这是我们的老传统。

整顿，一定要从严。不论整顿领导班子，整顿作风，整顿政治机关，没有一股子劲头不行。在整顿过程中，要严格考核干部，并且把它作为一项制度坚持下去。

第四个问题，讲讲以身作则。

这个问题很重要。领导干部，特别是高级干部以身作则非常重要。群众对干部总是要听其言、观其行的。连长指导员不以身作则，就带不出好兵来；领导干部不做出好样子，就带不出部队的好风气，就出不了战斗力。

现在，强调以身作则这个问题很必要。比如，调动了工作，就要搬房子，高级干部不带头怎么行？下了命令，要立即到职，高级干部要带头。艰苦奋斗，也要高级干部带头。

能不能深入下去，工作能不能落实，关键在于领导干部是不是以身作则，深入部队，调查研究，从实际出发，分析问题，解决问题。最近，不少单位领导干部开始下部队了，这是好现象。

我们说治军要严，首先对领导班子要严，对高级干部要严。高级干部要以身作则，做执行“三要三不要”〔2〕原则的榜样，做艰苦奋斗的榜样，做实事求是的榜样。总之，做马列主义、毛泽东思想和革命实践相结合的榜样。

政治干部更要强调以身作则，我们过去在战争年代就是这样。那时，你打仗不勇敢，怕死，你不同战士心连心，不联系实际，不联系群众，做政治工作就没有人听。政治干部不能说的是一套，做的又是一套。红军时代的政治工作条例就规定："政治指导员进行政治工作全凭本身直接接近群众和熟识红军战士"，"政治指导员不论在执行自己的职务上和个人行动上，均须做全体军人的模范，并且要在言论和事实上来表现"。我们要恢复和发扬政治工作的优良传统，也要靠政治干部以身作则。

今天，后勤会议的同志也在。我要讲一下，后勤干部，特别是领导干部也要以身作则，不要"近水楼台先得月"。一定要廉洁奉公，当好红管家。要严格遵守财经纪律，同违反财经纪律的现象作斗争，要同假公济私、开后门的现象作斗争。

这里要特别说一下，高级干部能不能以身作则，影响是很大的。现在，不正之风很突出，要先从领导干部纠正起。群众的眼睛都在盯着他们，他们改了，下面就好办。

我们的毛泽东同志、周恩来同志以身作则，严于律己，艰苦奋斗，几十年如一日，成为我党我军优良传统和作风的化身。他们的感人事迹在全党、全军、全国人民中，发生了多么巨大和深远的影响！不仅影响到我们这一代，而且影响到子孙后代。我们的干部，特别是老干部，要以毛泽东同志、周恩来同志为榜样，用实际行动搞好传帮带。

这次全军政治工作会议，是一个团结的会议，胜利的会议。要贯彻落实好这次会议精神，在座的同志是责无旁贷的，但更重要的是各级党委、政治委员要加强领导，亲自动手，狠抓落实。我相信，经过这次会议，全军的政治工作一定会有新的起色，毛泽东同志亲自培育的我党我军的优良传统一定会发扬光大。

高举毛泽东思想旗帜，坚持实事求是的原则*

（一九七八年九月十六日）

怎么样高举毛泽东思想旗帜，是个大问题。现在党内外、国内外很多人都赞成高举毛泽东思想旗帜。什么叫高举？怎么样高举？大家知道，有一种议论，叫做“两个凡是”〔18〕，不是很出名吗？凡是毛泽东同志圈阅的文件都不能动，凡是毛泽东同志做过的、说过的都不能动。这是不是叫高举毛泽东思想的旗帜呢？不是！这样搞下去，要损害毛泽东思想。毛泽东思想的基本点就是实事求是，就是把马列主义的普遍原理同中国革命的具体实践相结合。毛泽东同志在延安为中央党校题了“实事求是”四个大字，毛泽东思想的精髓就是这四个字。毛泽东同志所以伟大，能把中国革命引导到胜利，归根到底，就是靠这个。马克思、列宁从来没有说过农村包围城市，这个原理在当时世界上还是没有的。但是毛泽东同志根据中国的具体条件指明了革命的具体道路，在军阀割据的时候，在敌人控制薄弱的地区，领导人民建立革命根据地，用农村包围城市，最后夺取了政权。列宁领导的布尔什维克党是在帝国主义世界

* 这是邓小平同志在听取中共吉林省委常委汇报工作时谈话的一部分。

的薄弱环节搞革命，我们也是在敌人控制薄弱的地区搞革命，这在原则上是相同的，但我们不是先搞城市，而是先搞农村，用农村包围城市。如果没有实事求是的基本思想，能提出和解决这样的问题吗？能把中国革命搞成功吗？

中华人民共和国建立以后，毛泽东同志运用实事求是这一真理领导我们继续前进。当然，有好多东西当时还不具备提出来的条件。我们高举毛泽东思想的旗帜，就要在每一时期，处理各种方针政策问题时，都坚持从实际出发。我们现在要实现四个现代化，有好多条件，毛泽东同志在世的时候没有，现在有了。中央如果不根据现在的条件思考问题、下决心，很多问题就提不出来、解决不了。比如毛泽东同志在世的时候，我们也想扩大中外经济技术交流，包括同一些资本主义国家发展经济贸易关系，甚至引进外资、合资经营等等。但是那时候没有条件，人家封锁我们。后来“四人帮”搞得什么都是“崇洋媚外”、“卖国主义”，把我们同世界隔绝了。毛泽东同志关于三个世界划分〔42〕的战略思想，给我们开辟了道路。我们坚持反对帝国主义、霸权主义、殖民主义和种族主义，维护世界和平，在和平共处五项原则〔71〕的基础上，积极发展同世界各国的关系和经济文化往来。经过几年的努力，有了今天这样的、比过去好得多的国际条件，使我们能够吸收国际先进技术和经营管理经验，吸收他们的资金。这是毛泽东同志在世的时候所没有的条件。外国人也可能骗我们，也可能欺负我们落后。比如，一套设备，给你涨点价，或者以次充好，都是可能的。但是总的说来，我们有了过去没有的好条件。如果毛泽东同志没有说过的我们都不能干，现在就不能下这个决心。在这样的问题上，什么叫高举毛泽东思想的旗帜呢？就是从现在的实际出发，充分利用各种有利条件，实现毛泽东同志提出、周恩来同志宣布的四个现代化的目标。如果只是毛泽东同志讲过的才能做，那我们现在怎么办？马克思主义要发展嘛！毛泽东思想也要发展嘛！否则就会僵化嘛！

所谓理论要通过实践来检验，也是这样一个问题。现在对这样的问题还要引起争论，可见思想僵化。根本问题还是我前边讲的那个问题，违反毛泽东同志实事求是的思想，违反辩证唯物主义、历史唯物主义的原理，实际上是唯心主义和形而上学的反映。世界天天发生变化，新的事物不断出现，新的问题不断出现，我们关起门来不行，不动脑筋永远陷于落后不行。现在在世界上我们算贫困的国家，就是在第三世界，我们也属于比较不发达的那部分。我们是社会主义国家，社会主义制度优越性的根本表现，就是能够允许社会生产力以旧社会所没有的速度迅速发展，使人民不断增长的物质文化生活需要能够逐步得到满足。按照历史唯物主义的观点来讲，正确的政治领导的成果，归根结底要表现在社会生产力的发展上，人民物质文化生活的改善上。如果在一个很长的历史时期内，社会主义国家生产力发展的速度比资本主义国家慢，还谈什么优越性？我们要想一想，我们给人民究竟做了多少事情呢？我们一定要根据现在的有利条件加速发展生产力，使人民的物质生活好一些，使人民的文化生活、精神面貌好一些。

什么叫高举？这是我们要回答的问题。现在中央提出的方针、政策是真正的高举。下这样大的决心，切实加速前进的步伐，是最好的高举。离开这些，是形式主义的高举，是假的高举。

用先进技术和管理方法改造企业*

（一九七八年九月十八日）

现在摆在你们面前的问题，是鞍钢如何改造。引进技术改造企业，第一要学会，第二要提高创新。许多工作从现在起就要着手，如培训工人，培训干部，现在不着手，外国的先进技术就不能掌握。这方面我们是有教训的。现在抢时间很重要，全国准备引进上千个项目。凡是引进的技术设备都应该是现代化的，必须是七十年代的，配套也要是七十年代的。世界在发展，我们不在技术上前进，不要说超过，赶都赶不上去，那才真正是爬行主义。我们要以世界先进的科学技术成果作为我们发展的起点。我们要有这个雄心壮志。

鞍钢减人、减机构的设想，我看是好的。划出去的单位，领导班子和机构不要搞很多人。现代化、自动化，人多了不行，人多了管理不好。日本年产六百万吨钢的企业，行政人员只有六百人。鞍钢现在的年产量是六百多万吨，行政人员有两万三千人，这肯定不合理。引进先进技术设备后，一定要按照国际先进的管理方法、先进的经营方法、先进的定额来管理，也就是

* 这是邓小平同志在听取中共鞍山市委负责同志汇报时讲话的一部分。

按照经济规律管理经济。一句话，就是要革命，不要改良，不要修修补补。

我们改造企业，为了保证应有的技术水平、管理水平，要有合格的管理人员和合格的工人。应该设想，经过技术改造，文化和技术操作水平较高的工人应当是大量的，否则不能操作新技术、新工艺和新设备。干部和工人都要经过考核，不合格的作编外处理，要保证他们的生活，当然不在职的人不能享受在职的待遇。要组织他们学习，对他们进行培训，开辟新的就业领域。要下这个决心。

合格的管理人员、合格的工人，应该享受比较高的待遇，真正做到按劳分配。这个并不是资产阶级的，平均一百元二百元的工资，变不成资本家。这会不会打击其他人的积极性？讲怪话的会有，但可以刺激大家努力向上。发展经济工人要增加收入，这样反过来才能促进经济发展。农业也是一样，增加农民收入，反过来也会刺激农业发展，巩固工农联盟。社会主义要表现出它的优越性，哪能像现在这样，搞了二十多年还这么穷，那要社会主义干什么？我们要在技术上、管理上都来个革命，发展生产，增加职工收入。

你们除了考虑改造钢铁企业，也要综合考虑鞍山市的社会结构。世界变化的结果，生产越发展，直接从事生产的人越少，从事服务业的人越多。服务行业很多，如种子公司、建筑、修理等，这说明可以有很多办法安置劳动力。你们要注意，编制里面一定要有相当规模的科学研究机构。美国和日本的大企业，都有相当规模的科学研究机构。我们也要把科研队伍加强和扩大起来。

要加大地方的权力，特别是企业的权力。企业要有主动权、机动权，如用人多少，要增加点什么，减少点什么，应该有权处理。企业应该有点外汇，自己可以订货，可以同国外交流技术。有些事情，办起来老是转圈，要经过省、部、国家计委，就太慢了。现在我们有些同志做工作，只听上边讲了一些什么话，自己不敢开动脑筋。还是毛主席说的，要放下包袱，开动机器。要提高我们的技术水平、管理水平，没有一点创造性不行，企业没有自己的权力和机动性不行。大大小小的干部都要开动机器，不要当懒汉，头脑僵化。当然这个懒汉主要是过去制度形成的。以后既要考虑给企业的干部权力，也要对他们进行考核，要讲责任制，迫使大家想问题。现在我们的上层建筑非改不行。

实行开放政策，学习世界先进科学技术*

（一九七八年十月十日）

中国在历史上对世界有过贡献，但是长期停滞，发展很慢。现在是我们向世界先进国家学习的时候了。

我们过去有一段时间，向先进国家学习先进的科学技术被叫作“崇洋媚外”。现在大家明白了，这是一种蠢话。我们派了不少人出去看看，使更多的人知道世界是什么面貌。关起门来，固步自封，夜郎自大，是发达不起来的。

由于受林彪、“四人帮”的干扰，我们国家的发展耽误了十年。六十年代前期我们同国际上科学技术水平有差距，但不很大，而这十几年来，世界有了突飞猛进的发展，差距就拉得很大了。同发达国家相比较，经济上的差距不止是十年了，可能是二十年、三十年，有的方面甚至可能是五十年。到本世纪末还有二十二年，二十二年以后，世界是什么面貌？包括你们在内的发达国家，在七十年代的基础上再向前发展二十二年，将是什么面貌？我们的四个现代化，要在本世纪末达到你们现在的水平已不容易，要达到你们二十二年后的水平就更难了。所

* 这是邓小平同志会见德意志联邦共和国新闻代表团时谈话的一部分。

以,要实现四个现代化,就要善于学习,大量取得国际上的帮助。要引进国际上的先进技术、先进装备,作为我们发展的起点。

你们问我们实行开放政策是否同过去的传统相违背。我们的作法是,好的传统必须保留,但要根据新的情况来确定新的政策。过去行之有效的东西,我们必须坚持,特别是根本制度,社会主义制度,社会主义公有制,那是不能动摇的。我们不能允许产生一个新的资产阶级。我们引进先进技术,是为了发展生产力,提高人民生活水平,是有利于我们的社会主义国家和社会主义制度。至于怎么能发展得多一点、好一点、快一点、省一点,这更不违背我们的社会主义制度。

工人阶级要为实现四个现代化作出优异贡献*

（一九七八年十月十一日）

同志们：

中国工会第九次全国代表大会的召开，对我国工人运动的发展和加快实现四个现代化，具有重要的意义。我代表党中央和国务院，向大会表示热烈的祝贺，向全体到会的代表同志们，向战斗在各条战线上的全体职工同志们，致以亲切的慰问。

全国第六次劳动大会〔72〕和工会第七次、第八次全国代表大会〔73〕所规定的工人运动的路线、方针、任务是正确的。全国总工会和各级工会组织在党的领导下做了许多很好的工作，对全国的社会主义革命和社会主义建设的胜利发展起了重大的作用。在党的领导和工会的帮助下，全国各民族、各地区、各工业部门的职工群众中都涌现了一批劳动模范和革命骨干，他们至今还是我们学习的榜样和团结的核心。

但是，近些年来，林彪、“四人帮”使工会工作完全瘫痪。他们扶植一批坏人，把持一部分工人团体，使它们成为自己篡党

* 这是邓小平同志在中国工会第九次全国代表大会上的致词。

夺权的工具。他们在工人中煽动派性,煽动武斗,煽动停工停产,反对各厂矿企业的革命干部、劳动模范和工会积极分子,并加以野蛮的迫害和摧残。他们制造各企业和整个工业、整个国民经济的无政府状态,反对社会主义的计划经济,反对各尽所能、按劳分配的原则,反对一切合理的规章制度,破坏劳动纪律。他们的这一切反革命罪行造成了极为严重的后果,同时,也在全国工人阶级中引起了极大的革命义愤。各地都有大批先进分子不怕他们的白色恐怖,同他们进行了英勇不屈的斗争。斗争的实践证明,我国工人阶级不愧是久经考验的立场坚定的革命领导阶级。

粉碎"四人帮"后的两年中,在党中央的领导下,揭批"四人帮",拨乱反正,形势越来越好。很明显,林彪、"四人帮"在工人队伍中所散布的流毒和造成的恶果,还要下很大的功夫去肃清,整顿队伍的工作还要在每个企业中完全落实。我们一定要把揭批"四人帮"的斗争进行到底。但是同样很明显,这个斗争在全国广大范围内已经取得决定性的胜利,我们已经能够在这一胜利的基础上开始新的战斗任务。

党的十一大〔52〕和五届人大已经向全国人民提出在本世纪末实现社会主义的四个现代化的伟大目标。现在党中央、国务院要求加快实现四个现代化的步伐,并且为此而提出了一系列政策和组织措施。中央指出:这是一场根本改变我国经济和技术落后面貌,进一步巩固无产阶级专政的伟大革命。这场革命既要大幅度地改变目前落后的生产力,就必然要多方面地改变生产关系,改变上层建筑,改变工农业企业的管理方式和国家对工农业企业的管理方式,使之适应于现代化大经济的需要。为了提高经济发展速度，就必须大大加强企业的专业化，大大提高全体职工的技术水平并且认真实行培训和考核，大大加强企业的经济核算，大大提高劳动生产率和资金利润率。因此，各个经济战线不仅需要进行技术上的重大改革，而且需要进行制度上、组织上的重大改革。进行这些改革，是全国人民的长远利益所在，否则，我们不能摆脱目前生产技术和生产管理的落后状态。中央相信，为了社会主义的利益，为了四个现代化的利益，全国工人阶级一定会在这些改革中起大公无私的模范先锋作用，各工会组织一定会用深入群众的宣传组织工作积极协助各企业顺利地实现这些改革，为革命和建设的事业作出新的杰出贡献。工人阶级最重要的特点之一就是同社会化的大生产相联系，因此它的觉悟最高，纪律性最强，能在现时代的经济进步和社会政治进步中起领导作用。我们希望工会第九次全国代表大会能对当前的形势进行深入的讨论，以便团结全体会员，在揭批“四人帮”的斗争取得完全胜利的基础上，为迎接这一伟大任务而斗争。

工会要教育全体会员认识实现四个现代化的伟大意义，努力提高自己的政治、管理、技术、文化水平。工人阶级要发扬艰苦奋斗、大公无私、严守纪律、服从调动、爱厂如家的光荣传统，团结一致，克服“四人帮”所煽动的派性和无政府主义的残余。工人阶级要用最大的努力来掌握现代化的技术知识和现代化的管理知识，为实现四个现代化作出优异的贡献。任何人对四个现代化贡献得越多，国家和社会给他的荣誉和奖励就越多，这是理所当然的。党中央和国务院已经决定，为了表彰先进，庆祝中华人民共和国成立三十周年，准备在明年召开工交、基建、农林、财贸、文教、科技战线的全国劳动模范代表大会。希望全国职工群众用丰硕的成果来迎接新长征中第一次盛大的群英会。

我们的企业要实行党委领导下的厂长或经理负责制，要建立强有力的生产指挥系统。工会要教育全体会员维护企业实行高度集中的行政领导，维护生产指挥系统的高度权威。只有这样，才能有效地克服现在普遍存在的无人负责现象，才能正常地、有秩序地组织生产。也只有这样，才能不断地扩大再生产，增加利润，同时不断地改善职工生活，从而确实保证国家利益、集体利益和个人利益的统一。工会要教育全体会员积极参加企业的管理。为了实现四个现代化，我们所有的企业必须毫无例外地实行民主管理，使集中领导和民主管理结合起来。今后企业的车间主任、工段长、班组长要由本车间、工段和班组的工人选举产生。企业的重大问题要经过职工代表大会或职工大会讨论。企业的领导干部要在大会上听取职工意见，接受职工的批评和监督。对某些严重失职或作风恶劣的领导人员和管理人员，大会有权向上级建议给以处分或撤换。各企业的工会，将成为职工代表大会和职工大会的工作机构。因此，工会再不是有些人所认为的那种可有可无的组织了。工会工作的好坏怎么样，影响着工人当家作主的权利行使得怎么样，也影响着企业管理的好坏怎么样，影响着集中领导能否顺利进行。这就是说，一个企业管理得好，不仅是企业党政干部的成绩，也是全企业工人群众的成绩，也是工会工作的成绩。

工会要努力保障工人的福利。我们的国家还很落后，工人的福利不可能在短期间有很大的增长，而只能在生产增长特别是劳动生产率增长的基础上逐步增长。但是，这决不能成为企业领导不关心工人福利的借口，尤其不能成为工会组织不关心工人福利的借口。在目前的条件下，企业领导在这方面还是有大量的工作应该做，工会组织有更大量的工作应该做。工会组织要督促和帮助企业行政和地方行政在可能的范围内，努力改善工人的劳动条件、居住条件、饮食条件和卫生条件，同时要在工人中间积极开展各种形式的互助活动。

无论要做好以上哪一项工作，工会组织都必须密切联系群众，使广大工人都感到工会确实是工人自己的组织，是工人信得过的、能替工人说话和办事的组织，是不会对工人说瞎话、拿工人的会费做官当老爷、替少数人谋私利的组织。工会要为工人的民主权利奋斗，反对形形色色的官僚主义，它本身就必须是民主的模范。工会要教育工人艰苦奋斗、大公无私、严守纪律、服从调动、爱厂如家，工会干部自己就必须在所有这些方面都成为模范。只要工会这样做了，工会就会在工人群众中享有很高的威信，可以为四个现代化作出重大的贡献。凡是在揭批运动已经进行得比较彻底的地方，我们的党、行政、青年团就都有责任使工作干出显著的成绩来，我们的工会就同样有责任使工作干出显著的成绩来。粉碎“四人帮”已经两年了，我们不能老是把工作中的问题归之于“四人帮”的流毒。如果“四人帮”的流毒老是没有肃清，那末，这个老是没有肃清的状况，责任还是在我们自己。只要我们大家都这样来严格要求自己的工作，我们党和国家的事业就一定会兴旺发达起来，我们的四个现代化的伟大理想就一定能够加快实现。

同志们！我国工人阶级在建设自己国家的同时，一定要时时刻刻记着全世界无产阶级、被压迫人民和被压迫民族。我们要进一步加强同全世界工人阶级和革命人民的团结，支持他们反帝、反殖、反霸，争取和维护民族独立以及争取社会进步的斗争，为全世界工人阶级的解放和人类的进步事业作出应有的贡献。我国工人阶级也要虚心学习各国工人阶级的斗争经验，学习他们的先进科学技术，来加快实现我国的四个现代化。

同志们！我们的事业无比壮丽，我们的前途无限光明。让我们高举毛泽东思想的伟大旗帜，在党中央领导下，同心同德，一往无前，为实现中国工人阶级新的伟大历史使命——在本世纪内把我国建设成现代化的伟大的社会主义强国，努力奋斗！

解放思想，实事求是，团结一致向前看*

（一九七八年十二月十三日）

同志们：

这次会议开了一个多月了，就要结束了。中央提出了把全党工作的重心转到实现四个现代化上来的根本指导方针，解决了过去遗留下来的一系列重大问题，必将使全党、全军和全国各族人民提高斗志，增强信心，加强团结。现在，我们可以有把握地说，全党、全军和全国各族人民在党中央的正确领导下，在新的长征中，一定会不断取得新的胜利。

这次会议开得很好，很成功，在党的历史上有重要意义。我们党多年以来没有开过这样的会了，这一次恢复和发扬了党的民主传统，开得生动活泼。我们要把这种风气扩大到全党、全军和全国各族人民中去。

这次会议讨论和解决了许多有关党和国家命运的重大问题。大家敞开思想，畅所欲言，敢于讲心里话，讲实在话。大家

---

* 这是邓小平同志在中共中央工作会议闭幕会上的讲话。这次中央工作会议为随即召开的中共十一届三中全会作了充分准备。邓小平同志的这个讲话实际上是三中全会的主题报告。

能够积极地开展批评，包括对中央工作的批评，把意见摆在桌面上。一些同志也程度不同地进行了自我批评。这些都是党内生活的伟大进步,对于党和人民的事业将起巨大的促进作用。

今天,我主要讲一个问题,就是解放思想,开动脑筋,实事求是,团结一致向前看。

一　解放思想是当前的一个重大政治问题

解放思想,开动脑筋,实事求是,团结一致向前看,首先是解放思想。只有思想解放了,我们才能正确地以马列主义、毛泽东思想为指导,解决过去遗留的问题,解决新出现的一系列问题,正确地改革同生产力迅速发展不相适应的生产关系和上层建筑,根据我国的实际情况,确定实现四个现代化的具体道路、方针、方法和措施。

在我们的干部特别是领导干部中间,解放思想这个问题并没有完全解决。不少同志的思想还很不解放,脑筋还没有开动起来,也可以说,还处在僵化或半僵化的状态。这并不是因为他们不是好同志。这种状态是在一定历史条件下形成的。

一是因为十多年来,林彪、"四人帮"大搞禁区、禁令,制造迷信,把人们的思想封闭在他们假马克思主义的禁锢圈内,不准越雷池一步。否则,就要追查,就要扣帽子、打棍子。在这种情况下,一些人就只好不去开动脑筋,不去想问题了。

二是因为民主集中制受到破坏,党内确实存在权力过分集中的官僚主义。这种官僚主义常常以“党的领导”、“党的指示”、“党的利益”、“党的纪律”的面貌出现，这是真正的管、卡、压。许多重大问题往往是一两个人说了算，别人只能奉命行事。这样，大家就什么问题都用不着思考了。

三是因为是非功过不清，赏罚不明，干和不干一个样，甚至干得好的反而受打击，什么事不干的，四平八稳的，却成了“不倒翁”。在这种不成文法底下，人们就不愿意去动脑筋了。

四是因为小生产的习惯势力还在影响着人们。这种习惯势力的一个显著特点，就是因循守旧，安于现状，不求发展，不求进步，不愿接受新事物。

思想不解放，思想僵化，很多的怪现象就产生了。

思想一僵化，条条、框框就多起来了。比如说，加强党的领导，变成了党去包办一切、干预一切；实行一元化领导，变成了党政不分、以党代政；坚持中央的统一领导，变成了“一切统一口径”。违反中央政策根本原则的“土政策”要反对，但是也有的“土政策”确是从实际出发的，是得到群众拥护的。这些正确政策现在往往也受到指责，因为它“不合统一口径”。

思想一僵化，随风倒的现象就多起来了。不讲党性，不讲原则，说话做事看来头、看风向，满以为这样不会犯错误。其实随风倒本身就是一个违反共产党员党性的大错误。独立思考，敢想、敢说、敢做，固然也难免犯错误，但那是错在明处，容易纠正。

思想一僵化，不从实际出发的本本主义也就严重起来了。书上没有的，文件上没有的，领导人没有讲过的，就不敢多说一句话，多做一件事，一切照抄照搬照转。把对上级负责和对人民负责对立起来。

不打破思想僵化，不大大解放干部和群众的思想，四个现代化就没有希望。

目前进行的关于实践是检验真理的唯一标准问题的讨论，实际上也是要不要解放思想的争论。大家认为进行这个争论很有必要，意义很大。从争论的情况来看，越看越重要。一个党，一个国家，一个民族，如果一切从本本出发，思想僵化，迷信盛行，那它就不能前进，它的生机就停止了，就要亡党亡国。这是毛泽东同志在整风运动中反复讲过的。只有解放思想，坚持实事求是，一切从实际出发，理论联系实际，我们的社会主义现代化建设才能顺利进行，我们党的马列主义、毛泽东思想的理论也才能顺利发展。从这个意义上说，关于真理标准问题的争论，的确是个思想路线问题，是个政治问题，是个关系到党和国家的前途和命运的问题。

实事求是，是无产阶级世界观的基础，是马克思主义的思想基础。过去我们搞革命所取得的一切胜利，是靠实事求是；现在我们要实现四个现代化，同样要靠实事求是。不但中央、省委、地委、县委、公社党委，就是一个工厂、一个机关、一个学校、一个商店、一个生产队，也都要实事求是，都要解放思想，开动脑筋想问题、办事情。

在党内和人民群众中，肯动脑筋、肯想问题的人愈多，对我们的事业就愈有利。干革命、搞建设，都要有一批勇于思考、勇于探索、勇于创新的闯将。没有这样一大批闯将，我们就无法摆脱贫穷落后的状况，就无法赶上更谈不到超过国际先进水平。我们希望各级党委和每个党支部，都来鼓励、支持党员和群众勇于思考、勇于探索、勇于创新，都来做促进群众解放思想、开动脑筋的工作。

二　民主是解放思想的重要条件

解放思想，开动脑筋，一个十分重要的条件就是要真正实行无产阶级的民主集中制。我们需要集中统一的领导，但是必须有充分的民主，才能做到正确的集中。

当前这个时期，特别需要强调民主。因为在过去一个相当长的时间内，民主集中制没有真正实行，离开民主讲集中，民主太少。现在敢出来说话的，还是少数先进分子。我们这次会议先进分子多一点，但就全党、全国来看，许多人还不是那么敢讲话。好的意见不那么敢讲，对坏人坏事不那么敢反对，这种状况不改变，怎么能叫大家解放思想，开动脑筋？四个现代化怎么化法？

我们要创造民主的条件，要重申“三不主义”：不抓辫子，不扣帽子，不打棍子。在党内和人民内部的政治生活中，只能采取民主手段，不能采取压制、打击的手段。宪法和党章规定的公民权利、党员权利、党委委员的权利，必须坚决保障，任何人不得侵犯。

前几天对天安门事件〔36〕进行了平反，全国各族人民欢欣鼓舞，大大激发了人民群众的社会主义积极性。群众提了些意见应该允许，即使有个别心怀不满的人，想利用民主闹一点事，也没有什么可怕。要处理得当，要相信绝大多数群众有判断是非的能力。一个革命政党，就怕听不到人民的声音，最可怕的是鸦雀无声。现在党内外小道消息很多，真真假假，这是对长期缺乏政治民主的一种惩罚。有了又有集中又有民主，又有纪律又有自由，又有统一意志、又有个人心情舒畅、生动活泼的政治局面，小道消息就少了，无政府主义就比较容易克服。我们相信，我们的人民是顾大局、识大体、守纪律的。我们各级领导干部，特别是高级干部，也要注意严格遵守党的纪律，保守党的秘密，不要搞那些小道消息和手抄本之类的东西。

人民群众提出的意见，当然有对的，也有不对的，要进行分析。党的领导就是要善于集中人民群众的正确意见，对不正确的意见给以适当解释。对于思想问题，无论如何不能用压服的办法，要真正实行“双百”方针[74]。一听到群众有一点议论，尤其是尖锐一点的议论，就要追查所谓“政治背景”、所谓“政治谣言”，就要立案，进行打击压制，这种恶劣作风必须坚决制止。毛泽东同志历来说，这种状况实际上是软弱的表现，是神经衰弱的表现。我们的各级领导，无论如何不要造成同群众对立的局面。这是一个必须坚持的原则。我们的国家还有极少数的反革命分子，当然不能对他们丧失警惕。

我想着重讲讲发扬经济民主的问题。现在我国的经济管理体制权力过于集中，应该有计划地大胆下放，否则不利于充分发挥国家、地方、企业和劳动者个人四个方面的积极性，也不利于实行现代化的经济管理和提高劳动生产率。应该让地方和企业、生产队有更多的经营管理的自主权。我国有这么多省、市、自治区，一个中等的省相当于欧洲的一个大国，有必要在统一认识、统一政策、统一计划、统一指挥、统一行动之下，在经济计划和财政、外贸等方面给予更多的自主权。

当前最迫切的是扩大厂矿企业和生产队的自主权，使每一个工厂和生产队能够千方百计地发挥主动创造精神。一个生产队有了经营自主权，一小块地没有种上东西，一小片水面没有利用起来搞养殖业，社员和干部就要睡不着觉，就要开动脑筋想办法。全国几十万个企业，几百万个生产队都开动脑筋，能够增加多少财富啊！为国家创造财富多，个人的收入就应该多一些，集体福利就应该搞得好一些。不讲多劳多得，不重视物质利益，对少数先进分子可以，对广大群众不行，一段时间可以，长期不行。革命精神是非常宝贵的，没有革命精神就没有革命行动。但是，革命是在物质利益的基础上产生的，如果只讲牺牲精神，不讲物质利益，那就是唯心论。

同样，要切实保障工人农民个人的民主权利，包括民主选举、民主管理和民主监督。不但应该使每个车间主任、生产队长对生产负责任、想办法，而且一定要使每个工人农民都对生产负责任、想办法。

为了保障人民民主，必须加强法制。必须使民主制度化、法律化，使这种制度和法律不因领导人的改变而改变，不因领导人的看法和注意力的改变而改变。现在的问题是法律很不完备，很多法律还没有制定出来。往往把领导人说的话当做“法”，不赞成领导人说的话就叫做“违法”，领导人的话改变了，“法”也就跟着改变。所以，应该集中力量制定刑法、民法、诉讼法和其他各种必要的法律，例如工厂法、人民公社法、森林法、草原法、环境保护法、劳动法、外国人投资法等等，经过一定的民主程序讨论通过，并且加强检察机关和司法机关，做到有法可依，有法必依，执法必严，违法必究。国家和企业、企业和企业、企业和个人等等之间的关系，也要用法律的形式来确定；它们之间的矛盾，也有不少要通过法律来解决。现在立法的工作量很大，人力很不够，因此法律条文开始可以粗一点，逐步完善。有的法规地方可以先试搞，然后经过总结提高，制定全国通行的法律。修改补充法律，成熟一条就修改补充一条，不要等待"成套设备"。总之，有比没有好，快搞比慢搞好。此外，我们还要大力加强对国际法的研究。

国要有国法，党要有党规党法。党章是最根本的党规党法。没有党规党法，国法就很难保障。各级纪律检查委员会和组织部门的任务不只是处理案件，更重要的是维护党规党法，切实把我们的党风搞好。对于违反党纪的，不管是什么人，都要执行纪律，做到功过分明，赏罚分明，伸张正气，打击邪气。

三　处理遗留问题为的是向前看

这次会议，解决了一些过去遗留下来的问题，分清了一些人的功过，纠正了一批重大的冤案、错案、假案。这是解放思想的需要，也是安定团结的需要。目的正是为了向前看，正是为了顺利实现全党工作重心的转变。

我们的原则是"有错必纠"。凡是过去搞错了的东西，统统应该改正。有的问题不能够一下子解决，要放到会后去继续解决。但是要尽快实事求是地解决，干脆利落地解决，不要拖泥带水。对过去遗留的问题，应当解决好。不解决不好，犯错误的同志不做自我批评不好，对他们不作适当的处理不好。但是，不可能也不应该要求解决得十分完满。要大处着眼，可以粗一点，每个细节都弄清不可能，也不必要。

安定团结十分重要。加强全国各族人民的团结，首先要加强全党的团结，特别是要加强党的领导核心的团结。我们党的团结，是建立在马列主义、毛泽东思想基础上的团结。党内要分清理论是非、路线是非，要开展批评和自我批评，互相帮助，互相监督，克服各种错误思想。

对于犯错误的同志，要促进他们自己总结经验教训，认识和改正错误。要给他们考虑思索的时间。在大是大非问题上有了认识，检讨了，就要表示欢迎。对于人的处理要十分慎重。对过去的错误，处理可宽可严的，可以从宽；对今后发生的问题，要严些。对一般党员处理要宽些，对领导干部要严些，特别是对高级干部要更严些。

今后选拔干部要严格。对于那些搞打砸抢的、帮派思想严重的、出卖灵魂陷害同志的、连党的最关紧要的利益都不顾的人，决不能重用。对于看风使舵、找靠山、不讲党的原则的人，也不能轻易信任，要警惕，要教育，要促使他们改造世界观。

最近国际国内都很关心我们对毛泽东同志和对文化大革命的评价问题。毛泽东同志在长期革命斗争中立下的伟大功勋是永远不可磨灭的。回想在一九二七年革命失败以后，如果没有毛泽东同志的卓越领导，中国革命有极大的可能到现在还没有胜利，那样，中国各族人民就还处在帝国主义、封建主义、官僚资本主义的反动统治之下，我们党就还在黑暗中苦斗。所以说没有毛主席就没有新中国，这丝毫不是什么夸张。毛泽东思想培育了我们整整一代人。我们在座的同志，可以说都是毛泽东思想教导出来的。没有毛泽东思想，就没有今天的中国共产党，这也丝毫不是什么夸张。毛泽东思想永远是我们全党、全军、全国各族人民的最宝贵的精神财富。我们要完整地准确地理解和掌握毛泽东思想的科学原理，并在新的历史条件下加以发展。当然，毛泽东同志不是没有缺点、错误的，要求一个革命领袖没有缺点、错误，那不是马克思主义。我们要领导和教育全体党员、全军指战员、全国各族人民科学地历史地认识毛泽东同志的伟大功绩。

关于文化大革命，也应该科学地历史地来看。毛泽东同志发动这样一次大革命，主要是从反修防修的要求出发的。至于在实际过程中发生的缺点、错误，适当的时候作为经验教训总结一下，这对统一全党的认识，是需要的。文化大革命已经成为我国社会主义历史发展中的一个阶段，总要总结，但是不必匆忙去做。要对这样一个历史阶段做出科学的评价，需要做认真的研究工作，有些事要经过更长一点的时间才能充分理解和作出评价，那时再来说明这一段历史，可能会比我们今天说得更好。

四　研究新情况，解决新问题

要向前看，就要及时地研究新情况和解决新问题，否则我们就不可能顺利前进。各方面的新情况都要研究，各方面的新问题都要解决，尤其要注意研究和解决管理方法、管理制度、经济政策这三方面的问题。

在管理方法上，当前要特别注意克服官僚主义。

官僚主义是小生产的产物，同社会化的大生产是根本不相容的。要搞四个现代化，把社会主义经济全面地转到大生产的技术基础上来，非克服官僚主义这个祸害不可。现在，我们的经济管理工作，机构臃肿，层次重叠，手续繁杂，效率极低。政治的空谈往往淹没一切。这并不是哪一些同志的责任，责任在于我们过去没有及时提出改革。但是如果现在再不实行改革，我们的现代化事业和社会主义事业就会被葬送。

我们要学会用经济方法管理经济。自己不懂就要向懂行的人学习，向外国的先进管理方法学习。不仅新引进的企业要按人家的先进方法去办，原有企业的改造也要采用先进的方法。在全国的统一方案拿出来以前，可以先从局部做起，从一个地区、一个行业做起，逐步推开。中央各部门要允许和鼓励它们进行这种试验。试验中间会出现各种矛盾，我们要及时发现和克服这些矛盾。这样我们才能进步得比较快。

今后，政治路线已经解决了，看一个经济部门的党委善不善于领导，领导得好不好，应该主要看这个经济部门实行了先进的管理方法没有，技术革新进行得怎么样，劳动生产率提高了多少，利润增长了多少，劳动者的个人收入和集体福利增加了多少。各条战线的各级党委的领导，也都要用类似这样的标准来衡量。这就是今后主要的政治。离开这个主要的内容，政治就变成空头政治，就离开了党和人民的最大利益。

在管理制度上，当前要特别注意加强责任制。

现在，各地的企业事业单位中，党和国家的各级机关中，一个很大的问题就是无人负责。名曰集体负责，实际上等于无人负责。一项工作布置之后，落实了没有，无人过问，结果好坏，谁也不管。所以急需建立严格的责任制。列宁说过："借口集体领导而无人负责，是最危险的祸害"，"这种祸害无论如何要不顾一切地尽量迅速地予以根除"〔75〕。

任何一项任务、一个建设项目，都要实行定任务、定人员、定数量、定质量、定时间等几定制度。例如，引进技术设备，引进什么项目，从哪里引进，引进到什么地方，什么人参加工作，都要具体定下来。引进项目要有几定，原有企业也要有几定。现在打屁股只能打计委、党委，这不解决问题，还必须打到具体人的身上才行。同样，奖励也必须奖到具体的集体和个人才行。我们在实行党委领导下的厂长负责制的时候，要切实做到职责分明。

要使责任制真正发挥作用，必须采取以下几方面的措施：

一要扩大管理人员的权限。责任到人就要权力到人。当厂长的、当工程师的、当技术员的、当会计出纳的，各有各的责任，也各有各的权力，别人不能侵犯。只交责任，不交权力，责任制非落空不可。

二要善于选用人员，量才授予职责。要发现专家，培养专家，重用专家，提高各种专家的政治地位和物质待遇。用人的政治标准是什么？为人民造福，为发展生产力、为社会主义事业作出积极贡献，这就是主要的政治标准。

三要严格考核，赏罚分明。所有的企业、学校、研究单位、机关，都要有对工作的评比和考核，要有学术职称、技术职称和荣誉称号。要根据工作成绩的大小、好坏，有赏有罚，有升有降。而且，这种赏罚、升降必须同物质利益联系起来。

总之，要通过加强责任制，通过赏罚严明，在各条战线上形成你追我赶、争当先进、奋发向上的风气。

在经济政策上，我认为要允许一部分地区、一部分企业、一部分工人农民，由于辛勤努力成绩大而收入先多一些，生活先好起来。一部分人生活先好起来，就必然产生极大的示范力量，影响左邻右舍，带动其他地区、其他单位的人们向他们学习。这样，就会使整个国民经济不断地波浪式地向前发展，使全国各族人民都能比较快地富裕起来。

当然，在西北、西南和其他一些地区，那里的生产和群众生活还很困难，国家应当从各方面给以帮助，特别要从物质上给以有力的支持。

这是一个大政策，一个能够影响和带动整个国民经济的政策，建议同志们认真加以考虑和研究。

在实现四个现代化的进程中，必然会出现许多我们不熟悉的、预想不到的新情况和新问题。尤其是生产关系和上层建筑的改革，不会是一帆风顺的，它涉及的面很广，涉及一大批人的切身利益，一定会出现各种各样的复杂情况和问题，一定会遇到重重障碍。例如，企业的改组，就会发生人员的去留问题；国家机关的改革，相当一部分工作人员要转做别的工作，有些人就会有意见，等等。这些问题很快就要出现，对此我们必须有足够的思想准备。要教育党员和群众以大局为重，以党和国家的整体利益为重。我们应当充满信心。只要我们信任群众，走群众路线，把情况和问题向群众讲明白，任何问题都可以解决，任何障碍都可以排除。随着经济的发展，路子会越走越宽，人们会各得其所。这是毫无疑义的。

实现四个现代化是一场深刻的伟大的革命。在这场伟大的革命中,我们是在不断地解决新的矛盾中前进的。因此,全党同志一定要善于学习,善于重新学习。

全国胜利前夕,毛泽东同志号召全党重新学习。那一次我们学得不坏,进城以后,很快恢复了经济,成功地完成了社会主义改造。这些年来,应当承认学得不好。主要的精力放到政治运动上去了,建设的本领没有学好,建设没有上去,政治也发生了严重的曲折。现在要搞现代化建设,就更加不懂了。所以全党必须再重新进行一次学习。

学习什么?根本的是要学习马列主义、毛泽东思想,要努力把马克思主义的普遍原则同我国实现四个现代化的具体实践结合起来。当前大多数干部还要着重抓紧三个方面的学习:一个是学经济学,一个是学科学技术,一个是学管理。学习好,才可能领导好高速度、高水平的社会主义现代化建设。从实践中学,从书本上学,从自己和人家的经验教训中学。要克服保守主义和本本主义。几百个中央委员,几千个中央和地方的高级干部,要带头钻研现代化经济建设。

只要我们大家团结一致,同心同德,解放思想,开动脑筋,学会原来不懂的东西,我们就一定能够加快新长征的步伐。让我们在党中央和国务院的领导下,为改变我国的落后面貌,把我国建成现代化的社会主义强国而奋勇前进!

解决台湾问题，完成祖国统一大业提上具体日程*

（一九七九年一月一日）

今天是一九七九年元旦，这是个不平凡的日子。说它不平凡，不同于过去的元旦，有三个特点：第一，是我们全国工作的着重点转移到四个现代化建设上来了；第二，中美关系实现了正常化；第三，把台湾归回祖国、完成祖国统一的大业提到具体的日程上来了。因此，今年这个元旦是值得特别高兴的日子。这三个特点，反映了在粉碎"四人帮"之后，我们在国内工作和国际事务中都取得了相当大的成就。

去年我国的生产形势很好，比我们原来预计的情况要好得多。这是与我们认真揭批林彪、"四人帮"，肃清他们的流毒和影响分不开的。更值得高兴的是，在粉碎"四人帮"以后，出现了举国上下心情舒畅、团结一致的局面。毛主席在一九五七年就提出的那种又有集中又有民主，又有纪律又有自由，又有统一意志又有个人心情舒畅、生动活泼的政治局面，在去年逐渐地形成了。这个情况，特别集中地体现在我们党刚刚开过的

* 这是邓小平同志在全国政协举行的座谈讨论《全国人民代表大会常务委员会告台湾同胞书》的会议上的讲话。

中央工作会议和十一届三中全会上。这种风气和局面概括起来就叫作生动活泼的政治局面。我们要把这种风气和局面在全国发扬开来、坚持下去，在党、政、军、民各方面发扬开来、坚持下去。这是实现四个现代化的政治基础。没有这样的政治局面，四个现代化是不可能实现的。我们在过去一个相当长的时间里，在民主和集中的关系上搞得不好，民主少了一些，因此，我们更要发扬民主。

过去的一年里，我们在国际事务中取得了许多重大的成就，集中反映在中日和平友好条约〔76〕的签订和中美关系正常化上。台湾归回祖国、完成祖国统一大业的事情能提到具体日程上来，也是由于在国内和国际的工作中取得重大成就的结果。在这个不平凡的日子里，我们也应当清醒地看到，实现四个现代化的任务是十分繁重的。我们还有很多东西没有认识，缺乏经验，需要好好学习，加倍努力。我们还要看到，在有些事情上不可避免地会犯错误，某些方面还会有困难。但是，只要全国人民万众一心，善于学习，巩固和发展安定团结的局面，坚持民主集中制，我们的事业就会蓬蓬勃勃地发展起来。

去年在国际事务中我们遵循的根本政策是毛主席和周总理生前制定的，但他们来不及实现就去世了。我们实现了他们遗愿的一部分。中日和平友好条约的签订和中美关系正常化，有利于世界的和平和稳定，有利于国际反霸事业的发展。当前，我们面临的问题很多，我们还要继续努力。我们要在国际事务中继续巩固和扩大已经取得的大好局面。我相信，在座的各位委员对当前形势是高兴的和乐观的，也是乐意做出自己的贡献的。

搞建设要利用外资和发挥原工商业者的作用*

（一九七九年一月十七日）

听说你们对如何搞好经济建设有很好的意见和建议，我们很高兴。今天就谈谈这个问题。

现在经济建设的摊子铺得大了，感到知识不够，资金也不足。党的十一届三中全会决定把工作重点转移到社会主义现代化建设上来。过去耽误的时间太久了，不搞快点不行。但是怎样做到既要搞得快点，又要不重犯一九五八年的错误〔77〕，这是个必须解决的问题。现在搞建设，门路要多一点，可以利用外国的资金和技术，华侨、华裔也可以回来办工厂。吸收外资可以采取补偿贸易的方法，也可以搞合营，先选择资金周转快的行业做起。当然，利用外资一定要考虑偿还能力。

要发挥原工商业者的作用，有真才实学的人应该使用起来，能干的人就当干部。对这方面的情况，你们比较熟悉，可以多做工作。比如说旅游业，你们可以推荐有本领的人当公司经理，有的可以先当顾问。还要请你们推荐有技术专长、有管理经验的人管理企业，特别是新行业的企业。不仅是国内的人，

---

* 这是邓小平同志同胡厥文、胡子昂、荣毅仁等工商界领导人谈话的摘要。

还有在国外的人，都可以用，条件起码是爱国的，事业心强的，有能力的。

要落实对原工商业者的政策，这也包括他们的子孙后辈。他们早已不拿定息〔78〕了，只要没有继续剥削，资本家的帽子为什么不摘掉？落实政策以后，工商界还有钱，有的人可以搞一两个工厂，也可以投资到旅游业赚取外汇，手里的钱闲起来不好。你们可以有选择地搞。总之，钱要用起来，人要用起来。

荣毅仁〔79〕同志，希望你减少一些其他工作，多搞些对外开放和经济工作。形式你自己考虑。你主持的单位，要规定一条：给你的任务，你认为合理的就接受，不合理的就拒绝，由你全权负责处理。处理错了也不怪你。要用经济方法管理经济，从商业角度考虑签订合同，有利润、能创汇的就签，否则就不签。应该排除行政干扰。所谓全权负责，包括用人权。只要是把社会主义建设事业搞好，就不要犹豫。

坚持四项基本原则*

（一九七九年三月三十日）

同志们：

党的理论工作务虚会已经开了一段时间了。在会议临近结束的时候，我受党中央的委托来向大家讲几点意见。

一 形势和任务

这次会议是根据党的十一届三中全会的决定举行的。党的十一届三中全会和全会以前的中央工作会议，肯定了党中央在粉碎“四人帮”以来所进行的巨大工作，认为揭批林彪、“四人帮”的群众运动就全国范围来说已经可以胜利结束，决定把全党的工作的着重点从今年起转移到社会主义现代化建设方面来。三中全会解决了党的历史上所遗留的一系列重大问题，以便团结全党、全军和全国各族人民，向着四个现代化的宏伟目标前进。这两次会议在党的历史上是有重大意义的。在三中全会以后召开的这次理论工作务虚会上，大家敞开思想，各抒己见，提出了不少值得注意、需要研究的问题，总的说

* 这是邓小平同志在党的理论工作务虚会上的讲话。

来开得是有成绩的。我在中央工作会议上讲过，我们要解放思想，开动脑筋，实事求是，团结一致向前看。现在还是要坚定不移地执行这个方针。重要的是，要从实际出发，密切结合当前的形势和任务，进一步宣传和贯彻这个方针。

对于粉碎"四人帮"以来特别是三中全会以来的形势，必须有足够的、全面的估计。粉碎"四人帮"两年半以来，我们已经基本上摧毁了"四人帮"的反革命政治势力，调整和充实了各级领导班子，党、政、军的领导权基本上掌握在人民可以信赖的干部手中，党、政、军的工作也基本上恢复了正常秩序。这是一个非常重大和来之不易的成就。我们已经摆脱了林彪、"四人帮"所造成的十年混乱，获得了一个安定团结的政治局面，这是我们的社会主义现代化建设事业必不可少的条件和保证。我们在座的每一个人，我们全党的党员，尤其是担负领导责任的党员，都要十分注意珍惜和维护这个政治局面。安定团结当然是有原则的。经过对林彪、"四人帮"的揭发批判，特别是经过去年冬天的中央工作会议和三中全会关于思想理论问题的讨论，可以说，在思想政治方向方面，我们已经基本上回到马列主义、毛泽东思想的正确轨道上来，我们将永远沿着这个轨道前进。国民经济状况已经好转，各部门的生产得到迅速恢复。上述的政治和经济形势，使全党有可能把工作着重点从今年起转移到社会主义现代化建设上来。这是我国历史上的一个伟大的转折。虽然过去我们已经进行了多年的社会主义建设，但是我们仍然有足够的理由说，这是一个新的历史发展阶段的开端。三个多月形势的发展，充分证明三中全会的方针是正确的，是受到全党和全国各族人民坚决拥护的。就全国范围来说，安定团结的局面正在继续巩固，党内外生动活泼的民主生活正在继续发展；党的优良传统有了很大恢复，党内外的思想有了很大解放，实事求是的作风日益深入人心；党的各项政策的落实调动了党内外千百万人的积极性；三中全会关于农业的两个文件〔80〕得到广大农民和农村干部的热烈欢迎。我国对越南自卫还击战〔81〕的胜利，大大提高了我国在国际反霸权主义斗争中的威望，也大大提高了人民解放军在全国人民中的威望。经过这次自卫还击战，说明我们的军队仍然不愧是英勇善战的人民解放军，不愧是保卫我们社会主义现代化建设的伟大长城。

还必须着重指出，两年多来我们进行了大量的外交工作，为实现四个现代化争取到了一个很好的国际环境。从这次自卫还击战的国际反应来看，绝大多数人是从心里同情我们的。现在可以看得更清楚，毛泽东同志在他晚年为我们制定的关于划分三个世界〔42〕的战略，关于中国站在第三世界一边，加强同第三世界国家的团结，争取第二世界国家共同反霸，并且同美国、日本建立正常外交关系的决策，是多么英明，多么富有远见。这一国际战略原则，对于团结世界人民反对霸权主义，改变世界政治力量对比，对于打破苏联霸权主义企图在国际上孤立我们的狂妄计划，改善我们的国际环境，提高我国的国际威望，起了不可估量的作用。

总之，从各方面看，我们国家的面貌比之林彪、“四人帮”横行时期已经发生了根本的变化。全党、全军和全国各族人民，在党中央的正确领导下，对于我们伟大社会主义祖国的前途，重新充满了希望和信心。谁要是不充分估计这一切，谁就要犯极大的错误。

另一方面，我们还有困难，而且有些困难是比较严重的。不看到这一点，也会犯大错误。首先，我们对于被林彪、“四人帮”长期破坏的我国的经济状况，要有个清醒的估计，要有个统一的看法。过去十多年来，我们一直没有摆脱经济比例的严重失调，而没有按比例发展就不可能有稳定的、确实可靠的高速度。看来，我们的经济，我们的农业、工业、基建、交通、内外贸易、财政金融，在总的前进的过程中都还需要有一段调整的时间，才能由不同程度的不平衡走向比较平衡。这次调整同六十年代初期的调整不同。这次调整是前进中的调整，是为了给实现四个现代化打好稳固的基础。但是局部的后退是必要的，有些不切实际的和对整个经济害多利少的高指标要坚决降下来，有些管理不善、严重亏损的企业要限期整顿，甚至于停下来整顿。退一步才能进两步。同时，为了有效地实现四个现代化，必须认真解决各种经济体制问题，这也是一种很大规模的很复杂的调整。我们今年能把第一年的调整工作做好，就是一个巨大的前进，就是为工作着重点转移创造良好的开端。

在经济比例失调的条件下，下决心进行必要的正确的调整，是我们的经济走向正常的、稳定的发展的前提。这在全国解放初期和六十年代初期两次调整〔82〕的历史经验已经充分证明了。因此，我们要告诉全国人民，必须这样做才能更好地前进；在调整的过程中，要坚决相信和服从党和政府的安排。我们要看到，这次调整工作同六十年代初期那一次相比，既有许多有利的条件，也有一些困难。那次调整，各级领导力量和党内外的组织性纪律性都比现在好，不像现在这样还存在着某些政治上、思想上的不安定因素。现在，由于林彪、“四人帮”十年捣乱所欠下的帐和留下的毒，各地的负担很重。林彪、“四人帮”的流毒，特别是派性和无政府主义的流毒，同一些怀疑社会主义、怀疑无产阶级专政、怀疑党的领导、怀疑马列主义毛泽东思想的思潮相结合，开始在一小部分人中间蔓延。我们有些干部，面对着崭新的历史任务，思想还不够解放，不善于研究新情况，解决新问题。此外，小生产的习惯势力和官僚主义的习惯势力，还顽强地纠缠着我们。很明显，在这种情况下进行涉及面很广的调整工作，如果没有强有力的集中领导和严格的组织性纪律性，如果不大力加强稳定社会政治秩序的工作和教育，如果不坚决搞好党风，进一步恢复党的实事求是、群众路线和艰苦奋斗的优良传统，就可能出现一些本来可以避免的大大小小的乱子，使我们的现代化建设在刚刚迈出第一步的时候就遇到严重的障碍。现在中央决定，成立财政经济委员会，由陈云〔83〕、李先念〔84〕两同志挂帅，统一管理全国的财政经济工作和目前的调整工作。中央、国务院和各地领导机构已经采取了并将继续采取一系列措施，在坚决发扬民主的同时，大力稳定社会秩序，加强社会主义法制，确保安定团结。中央和各地党的纪律检查委员会已经陆续成立，它们的主要任务就是协助中央和各地党委搞好党风。我们完全有信心克服前进中的暂时的困难，领导全党和全国人民去夺取现代化建设的胜利。

我们当前以及今后相当长一个历史时期的主要任务是什么？一句话，就是搞现代化建设。能否实现四个现代化，决定着我们国家的命运、民族的命运。在中国的现实条件下，搞好社会主义的四个现代化，就是坚持马克思主义，就是高举毛泽东思想伟大旗帜。你不抓住四个现代化，不从这个实际出发，就是脱离马克思主义，就是空谈马克思主义。社会主义现代化建设是我们当前最大的政治，因为它代表着人民的最大的利益、最根本的利益。现在，每一个党员、团员，每一个爱国的公民，都必须在党和政府的统一领导下，克服一切困难，千方百计地为实现四个现代化贡献出一切力量。

二　实现四个现代化必须坚持四项基本原则

要在本世纪内实现四个现代化，把我国建成一个社会主义强国，这是一个非常艰巨的任务。

过去搞民主革命，要适合中国情况，走毛泽东同志开辟的农村包围城市的道路。现在搞建设，也要适合中国情况，走出一条中国式的现代化道路。

要使中国实现四个现代化，至少有两个重要特点是必须看到的：

一个是底子薄。帝国主义、封建主义、官僚资本主义长时期的破坏，使中国成了贫穷落后的国家。建国后我们的经济建设是有伟大成绩的，建立了比较完整的工业体系，培养了一批技术人才。我国工农业从解放以来直到去年的每年平均增长速度，在世界上是比较高的。但是由于底子太薄，现在中国仍然是世界上很贫穷的国家之一。中国的科学技术力量很不足，科学技术水平从总体上看要比世界先进国家落后二三十年。

过去三十年中，我们的经济经过两起两落，特别是林彪、“四人帮”在一九六六年到一九七六年这十年对国民经济的大破坏，后果极其严重。现在我们要调整，也就是为了进一步消除这个严重的后果。

第二条是人口多，耕地少。现在全国人口有九亿多，其中百分之八十是农民。人多有好的一面，也有不利的一面。在生产还不够发展的条件下，吃饭、教育和就业就都成为严重的问题。我们要大力加强计划生育工作，但是即使若干年后人口不再增加，人口多的问题在一段时间内也仍然存在。我们地大物博，这是我们的优越条件。但有很多资源还没有勘探清楚，没有开采和使用，所以还不是现实的生产资料。土地面积广大，但是耕地很少。耕地少，人口多特别是农民多，这种情况不是很容易改变的。这就成为中国现代化建设必须考虑的特点。

中国式的现代化，必须从中国的特点出发。比方说，现代化的生产只需要较少的人就够了，而我们人口这样多，怎样两方面兼顾？不统筹兼顾，我们就会长期面对着一个就业不充分的社会问题。这里问题很多，需要全党做实际工作和理论工作的同志共同研究，我们也一定能找出适当的办法来妥善解决。我今天不说这方面的问题。

我今天要说的是思想政治方面的问题。中央认为，我们要在中国实现四个现代化，必须在思想政治上坚持四项基本原则。这是实现四个现代化的根本前提。这四项是：

第一，必须坚持社会主义道路；

第二，必须坚持无产阶级专政；

第三，必须坚持共产党的领导；

第四，必须坚持马列主义、毛泽东思想。

大家知道，这四项基本原则并不是新的东西，是我们党长期以来所一贯坚持的。粉碎“四人帮”以至三中全会以来，党中央实行的一系列方针政策，一直是坚持这四项基本原则的。

我们从实践上和理论上，都批判了“四人帮”那种以极左面目出现的主张普遍贫穷的假社会主义。我们坚持了社会主义公有制和按劳分配的原则。我们坚持自力更生为主、争取外援为辅、学习和引进外国先进技术发展我国社会主义经济建设的方针。我们努力按照客观经济规律办事。也就是说，我们坚持了科学社会主义。

我们粉碎了“四人帮”的封建法西斯主义，平反了大量冤案，解决了历史上遗留的一系列问题，巩固了无产阶级专政，恢复和发扬了社会主义民主，特别是三中全会以后，出现了毛泽东同志生前多年盼望实现的生动活泼的政治局面。

我们恢复了遭到破坏的党的三大作风〔66〕，健全了党的民主集中制，增强了全党的团结、党和群众的团结，从而大大提高了党的威信，加强了党对国家和社会生活的领导。

我们破除了林彪和“四人帮”所制造的精神枷锁，坚持领袖是人不是神；坚持完整地准确地掌握马列主义、毛泽东思想的科学体系；坚持从实际出发，实事求是。这就恢复了毛泽东思想的本来面目，维护了毛泽东同志作为一个伟大革命家在中国革命史和世界革命史上应当享有的崇高地位。

尽管如此，中央认为今天还是有很大的必要来强调宣传这四项基本原则。因为现在一方面，党内有一部分同志还深受林彪、“四人帮”极左思潮的毒害，有极少数人甚至散布流言蜚语，攻击中央在粉碎“四人帮”以来特别是三中全会以来所实行的一系列方针政策违反马列主义、毛泽东思想；另一方面，社会上有极少数人正在散布怀疑或反对这四项基本原则的思潮，而党内也有个别同志不但不承认这种思潮的危险，甚至直接间接地加以某种程度的支持。虽然这几种人在党内外都是极少数，但是不能因为他们是极少数而忽视他们的作用。事实证明，他们不但可以而且已经对我们的事业造成很大的危害。因此，我们必须一方面继续坚定地肃清“四人帮”的流毒，帮助一部分还在中毒的同志觉悟过来，并且对极少数人所散布的诽谤党中央的反动言论给予痛击；另一方面用巨大的努力同怀疑上面所说的四项基本原则的思潮作坚决的斗争。这两种思潮都是违背马列主义、毛泽东思想的，都是妨碍我们的社会主义现代化建设事业的前进的。关于林彪、“四人帮”所散布的极左思潮（毫无疑问，这种思潮也是反对四项基本原则的，只是从“左”面来反对），我们过去已经进行了大量的批判，今后还需要继续开展这种批判，不能放松。现在，我想着重对从右面来怀疑或反对四项基本原则的思潮进行一些批判。

第一条，我们必须坚持社会主义道路。现在有一些人散布所谓社会主义不如资本主义的言论。一定要彻底驳倒这种言论。首先，只有社会主义才能救中国，这是中国人民从五四运动到现在六十年来的切身体验中得出的不可动摇的历史结论。中国离开社会主义就必然退回到半封建半殖民地。中国绝大多数人决不允许历史倒退。其次，社会主义的中国在经济、技术、文化等方面现在还不如发达的资本主义国家，这是事实。但是这不是社会主义制度造成的，从根本上说，是解放以前的历史造成的，是帝国主义和封建主义造成的。社会主义革命已经使我国大大缩短了同发达资本主义国家在经济发展方面的差距。我们尽管犯过一些错误，但我们还是在三十年间取得了旧中国几百年、几千年所没有取得过的进步。我们的经济建设曾经有过较快的发展速度。现在我们总结了经验，纠正了错误，毫无疑问将来会比任何资本主义国家发展得都快，并且比较稳定而持久。至于国民生产总值按人口平均数赶上和超过发达的资本主义国家，那当然需要相当长的时间。再次，社会主义制度和资本主义制度哪个好？当然是社会主义制度好。社会主义国家所以在某些情况下也犯严重错误，甚至出现林彪、“四人帮”的破坏这种严重曲折，固然有主观的原因，根本上还是旧社会长时期历史遗留的影响造成的，这种影响不可能在一个早上就用扫帚扫光。有长期封建历史的资本主义国家如英、法、德、日、意的发展，也都有过重大的曲折和反复（英、法出现过反革命复辟，德、日、意出现过法西斯统治）。但是，我们依靠社会主义制度，用自己的力量比较顺利地战胜了林彪、“四人帮”，使国家很快又走上了安定团结、健康发展的道路。社会主义的经济是以公有制为基础的，生产是为了最大限度地满足人民的物质、文化需要，而不是为了剥削。由于社会主义制度的这些特点，我国人民能有共同的政治经济社会理想，共同的道德标准。以上这些，资本主义社会永远不可能有。资本主义无论如何不能摆脱百万富翁的超级利润，不能摆脱剥削和掠夺，不能摆脱经济危机，不能形成共同的理想和道德，不能避免各种极端严重的犯罪、堕落、绝望。资本主义已经有了几百年历史，各国人民在资本主义制度下所发展的科学和技术，所积累的各种有益的知识和经验，都是我们必须继承和学习的。我们要有计划、有选择地引进资本主义国家的先进技术和其他对我们有益的东西，但是我们决不学习和引进资本主义制度，决不学习和引进各种丑恶颓废的东西。如果发达的资本主义国家摆脱了资本主义制度，它们的经济文化肯定还会有更大的进步。所以资本主义国家中一切要求社会进步的政治力量也在努力研究和宣传社会主义，努力为消灭资本主义社会的各种不公道、不合理现象直至实现社会主义革命而斗争。我们要向人民特别是青年介绍资本主义国家中进步和有益的东西，批判资本主义国家中反动和腐朽的东西。

第二条，我们必须坚持无产阶级专政。我们已经作了大量的宣传，说明无产阶级专政对于人民来说就是社会主义民主，是工人、农民、知识分子和其他劳动者所共同享受的民主，是历史上最广泛的民主。在民主的实践方面，我们过去作得不够，并且犯过错误。林彪、“四人帮”宣传什么“全面专政”，对人民实行封建法西斯专政，我们已彻底粉碎了这个专政。这与无产阶级专政毫无共同之点，而且完全相反。现在我们已经坚决纠正了过去的错误，并且采取各种措施继续努力扩大党内民主和人民民主。没有民主就没有社会主义，就没有社会主义的现代化。当然，民主化和现代化一样，也要一步一步地前进。社会主义愈发展，民主也愈发展。这是确定无疑的。但是发展社会主义民主，决不是可以不要对敌视社会主义的势力实行无产阶级专政。我们反对把阶级斗争扩大化，不认为党内有一个资产阶级，也不认为在社会主义制度下，在确已消灭了剥削阶级和剥削条件之后还会产生一个资产阶级或其他剥削阶级。

但是我们必须看到，在社会主义社会，仍然有反革命分子，有敌特分子，有各种破坏社会主义秩序的刑事犯罪分子和其他坏分子，有贪污盗窃、投机倒把的新剥削分子，并且这种现象在长时期内不可能完全消灭。同他们的斗争不同于过去历史上的阶级对阶级的斗争（他们不可能形成一个公开的完整的阶级），但仍然是一种特殊形式的阶级斗争，或者说是历史上的阶级斗争在社会主义条件下的特殊形式的遗留。对于这一切反社会主义的分子仍然必须实行专政。不对他们专政，就不可能有社会主义民主。这种专政是国内斗争，有些同时也是国际斗争，两者实际上是不可分的。因此，在阶级斗争存在的条件下，在帝国主义、霸权主义存在的条件下，不可能设想国家的专政职能的消亡，不可能设想常备军、公安机关、法庭、监狱等等的消亡。它们的存在同社会主义国家的民主化并不矛盾，它们的正确有效的工作不是妨碍而是保证社会主义国家的民主化。事实上，没有无产阶级专政，我们就不可能保卫从而也不可能建设社会主义。

第三条，我们必须坚持共产党的领导。自有国际共产主义运动以来，就证明了没有无产阶级的政党就不可能有国际共产主义运动。自从十月革命以来，更证明了没有共产党的领导就不可能有社会主义革命，不可能有无产阶级专政，不可能有社会主义建设。列宁说："无产阶级专政是对旧社会的势力和传统进行的顽强斗争，流血的和不流血的，暴力的和和平的，军事的和经济的，教育的和行政的斗争。……没有铁一般的和在斗争中锻炼出来的党，没有为本阶级全体忠实的人所信赖的党，没有善于考察群众情绪和影响群众情绪的党，要顺利地进行这种斗争是不可能的。”[85]列宁所说的这个真理，现在仍然有效。在中国，在五四运动以来的六十年中，除了中国共产党，根本不存在另外一个像列宁所说的联系广大劳动群众的党。没有中国共产党，就没有社会主义的新中国。林彪、“四人帮”的倒行逆施所以不但引起全党而且引起全国人民的坚决反抗，正是因为他们踢开了久经考验并与人民群众建立了血肉联系的领导者中国共产党。而粉碎“四人帮”以后特别是三中全会以后党的威信在全国人民中所以普遍提高，正是因为全国人民把他们对于前途的一切希望寄托在党的领导上。一九七六年的天安门广场悼念周恩来总理的群众运动[36]，尽管不是党有组织地领导的运动，仍然是一个坚决拥护党的领导而反对“四人帮”的运动，参加这个运动的群众的革命觉悟同党多年来的教育是不可分的，而且他们中间的主要积极分子正是党团员。因此，决不能把天安门广场那个群众运动看成为与党的领导无关的像五四运动那样纯粹自发的运动。事实上，离开了中国共产党的领导，谁来组织社会主义的经济、政治、军事和文化？谁来组织中国的四个现代化？在今天的中国，决不应该离开党的领导而歌颂群众的自发性。党的领导当然不会没有错误，而党如何才能密切联系群众，实施正确的和有效的领导，也还是一个必须认真考虑和努力解决的问题，但是这决不能成为要求削弱和取消党的领导的理由。我们党经历过多次错误，但是我们每一次都依靠党而不是离开党纠正了自己的错误。今天的党中央坚持发扬党的民主和人民民主，并且坚决纠正过去所犯的错误。在这样的情况下，竟然要求削弱甚至取消党的领导，更是广大群众所不能容许的。这事实上只能导致无政府主义，导致社会主义事业的瓦解和覆灭。林彪、“四人帮”踢开党委闹革命，闹出一场什么“革命”，大家都很清楚。今天如果踢开党委闹民主，会闹出一场什么“民主”，难道不同样清楚吗？一九六六年本来是中国经济经过几年调整得到迅速发展的一年，但是林彪、“四人帮”一闹，经济受到了严重破坏。现在中国经济正在党中央和国务院的领导下重新走上健康发展的道路，如果再让有些人到处踢开党委去闹，那就只能把四个现代化吹得精光。这不是危言耸听，而是大量实践所证明了的客观真理。

第四条，我们必须坚持马列主义、毛泽东思想。我们同林彪、“四人帮”斗争的中心内容之一，就是反对他们伪造、篡改、割裂马列主义、毛泽东思想。我们粉碎了“四人帮”，使马列主义、毛泽东思想重新恢复了它的科学面目，成为我们行动的指南。这是全党和全国人民的一个伟大胜利。但是有极少数人不这样想。他们或者公然反对马列主义的基本原理，或者口头上拥护马列主义，但是反对马列主义普遍真理与中国革命实践相结合而产生的毛泽东思想。我们必须反对所有这些错误的思潮。有些同志说，我们只拥护“正确的毛泽东思想”，而不拥护“错误的毛泽东思想”。这种说法也是错误的。我们坚持的和要当作行动指南的是马列主义、毛泽东思想的基本原理，或者说是由这些基本原理构成的科学体系。至于个别的论断，那末，无论马克思、列宁和毛泽东同志，都不免有这样那样的失误。但是这些都不属于马列主义、毛泽东思想的基本原理所构成的科学体系。

现在我着重谈谈毛泽东思想。中国反帝反封建革命经历过无数次悲惨的失败。难道不是毛泽东思想才使约占全人类四分之一的中国人民找到正确的革命道路，并在一九四九年获得全国解放，在一九五六年基本上完成社会主义改造吗？这一系列伟大的胜利不但根本改变了中国的命运，也改变了世界的形势。毛泽东思想在世界上是同反霸权主义的斗争分不开的，而打着社会主义旗号实行霸权主义正是取得了政权的马列主义党背叛社会主义原则的最显著标志。我们在前面说，毛泽东同志在他的晚年还提出了关于三个世界划分的战略思想，并且亲自开创了中美关系和中日关系的新阶段，从而为世界反霸斗争和世界政治前途创造了新的发展条件。我们能在今天的国际环境中着手进行四个现代化建设，不能不铭记毛泽东同志的功绩。毛泽东同志同任何别人一样，也有他的缺点和错误。但是，在他的伟大的一生中的这些错误，怎么能够同他对人民的不朽贡献相比拟呢？在分析他的缺点和错误的时候，我们当然要承认个人的责任，但是更重要的是要分析历史的复杂的背景。只有这样，我们才是公正地、科学地、也就是马克思主义地对待历史，对待历史人物。如果谁在对待这样严肃的问题上离开了马克思主义，那末，他就会受到党和群众的责难。这有什么奇怪呢？

毛泽东思想过去是中国革命的旗帜，今后将永远是中国社会主义事业和反霸权主义事业的旗帜，我们将永远高举毛泽东思想的旗帜前进。

毛泽东同志的事业和思想，都不只是他个人的事业和思想，同时是他的战友、是党、是人民的事业和思想，是半个多世纪中国人民革命斗争经验的结晶。这正如马克思的情况一样。

恩格斯在评价马克思的时候说，现代无产阶级只是依赖马克思才第一次意识到本身的地位和要求，意识到本身的解放条件。这难道是说个人创造了历史吗？历史是人民创造的，但是这丝毫不排斥人民对于杰出的个人的尊敬；而尊敬，当然不是迷信，不是把他当作神。

总之，为了实现四个现代化，我们必须坚持社会主义道路，坚持无产阶级专政，坚持共产党的领导，坚持马列主义、毛泽东思想。中央认为，今天必须反复强调坚持这四项基本原则，因为某些人（哪怕只是极少数人）企图动摇这些基本原则。这是决不许可的。每个共产党员，更不必说每个党的思想理论工作者，决不允许在这个根本立场上有丝毫动摇。如果动摇了这四项基本原则中的任何一项，那就动摇了整个社会主义事业，整个现代化建设事业。

中央这样提出问题，是不是小题大作？不是的。情况的发展使党不能不这样提出问题。

最近一段时间内，在一些地方出现了少数人的闹事现象。有些坏分子不但不接受党和政府的负责人的引导、劝告、解释，并且提出种种在目前不可能实现的或者根本不合理的要求，煽动、诱骗一部分群众冲击党政机关，占领办公室，实行静坐绝食，阻断交通，严重破坏工作秩序、生产秩序和社会秩序。

不但如此，他们还耸人听闻地提出什么“反饥饿”、“要人权”等口号，在这些口号下煽动一部分人游行示威，蓄谋让外国人把他们的言论行动拿到世界上去广为宣传。有个所谓“中国人权小组”，居然贴出大字报，要求美国总统“关怀”中国的人权。这种公然要求外国人干涉中国内政的行为，是我们能够允许的吗？有个所谓“解冻社”，发表了一个宣言，公开反对无产阶级专政，说这是分裂人类的。我们能够允许这种公开反对宪法原则的“言论自由”吗？

上海有个所谓“民主讨论会”，其中有些人诽谤毛泽东同志，打出大幅反革命标语，鼓吹“万恶之源是无产阶级专政”，要“坚决彻底批判中国共产党”。他们认为资本主义比社会主义好，因此中国现在不是搞四个现代化的问题，而是应当实行他们的所谓“社会改革”，也就是搞资本主义那一套。他们公开声言，他们的任务就是要解决“四人帮”没有解决的那些“走资派”。他们中间有的人要求到外国去“政治避难”，有的人甚至秘密同蒋特机构发生联系，策划破坏活动。

很明显，这些人就是要千方百计地破坏我们工作着重点的转移。我们如果对这些严重现象熟视无睹，那我们的各级党政机关都只有被他们困扰得无法进行工作，还有什么可能考虑四个现代化？

这些事件诚然是极少数，并且受到了绝大多数人的抵制，但是值得严重注意。第一，这些人一般都打着所谓民主的幌子，很容易淆惑视听。第二，这些人利用林彪、“四人帮”时期遗留下来的一些社会问题，很容易蒙蔽一部分目前有困难而政府一时还不能完全予以解决的群众。第三，这些人开始结成各种秘密的或者半公开的组织，一面在全国范围内互相串联，一面同台湾以及国外的政治力量相勾结。第四，这些人中还有一部分人同社会上的一些流氓组织以及“四人帮”的一些党羽相勾结，以扩大他们的破坏活动的范围。第五，这些人力图利用我们某些同志的这样或那样的不慎重的言论，作为他们的借口或护身符。以上的情况说明，同这些人的斗争不是很简单的、短时间就可以解决的问题。我们必须努力做好工作，把受他们蒙蔽的群众（其中许多是天真的青年）同这些反革命分子、坏分子分离开来，要按照法律，对这些反革命分子、坏分子进行严肃的处理。同时，我们也必须教育全党同志务必注意提高警惕，照顾大局，在中央的领导下团结一致，既要继续解放思想，坚决发扬民主，调动一切积极因素，又要努力克服一小部分群众特别是一小部分青年中间的思想混乱。

我们一定要向人民和青年着重讲清楚民主问题。社会主义道路、无产阶级专政、共产党的领导、马列主义毛泽东思想，都同民主问题有关。什么是中国人民今天所需要的民主呢？中国人民今天所需要的民主，只能是社会主义民主或称人民民主，而不是资产阶级的个人主义的民主。人民的民主同对敌人的专政分不开，同民主基础上的集中也分不开。我们实行的是民主集中制，这就是民主基础上的集中和集中指导下的民主相结合。民主集中制是社会主义制度的一个不可分的组成部分。在社会主义制度之下，个人利益要服从集体利益，局部利益要服从整体利益，暂时利益要服从长远利益，或者叫做小局服从大局，小道理服从大道理。我们提倡和实行这些原则，决不是说可以不注意个人利益，不注意局部利益，不注意暂时利益，而是因为在社会主义制度之下，归根结底，个人利益和集体利益是统一的，局部利益和整体利益是统一的，暂时利益和长远利益是统一的。我们必须按照统筹兼顾的原则来调节各种利益的相互关系。如果相反，违反集体利益而追求个人利益，违反整体利益而追求局部利益，违反长远利益而追求暂时利益，那末，结果势必两头都受损失。民主和集中的关系，权利和义务的关系，归根结底，就是以上所说的各种利益的相互关系在政治上和法律上的表现。正因为这样，毛泽东同志才说，我们的目标，是想造成一个又有集中又有民主，又有纪律又有自由，又有统一意志、又有个人心情舒畅、生动活泼，那样一种政治局面。这就是社会主义民主的政治局面，这就是我们今天和今后所要努力实现的政治局面。

我们过去对民主宣传得不够，实行得不够，制度上有许多不完善，因此，继续努力发扬民主，是我们全党今后一个长时期的坚定不移的目标。但是我们在宣传民主的时候，一定要把社会主义民主同资产阶级民主、个人主义民主严格地区别开来，一定要把对人民的民主和对敌人的专政结合起来，把民主和集中、民主和法制、民主和纪律、民主和党的领导结合起来。在我们目前经济生活还面临一系列困难，还需要进行一系列调整、整顿和改组的时候，特别要着重宣传个人利益服从集体利益、局部利益服从整体利益、暂时利益服从长远利益的道理。只有党内党外上上下下人人都注意照顾大局，我们才能够顺利地克服困难，争取四个现代化的光明前途。反之，如果离开四项基本原则，抽象地空谈民主，那就必然会造成极端民主化和无政府主义的严重泛滥，造成安定团结政治局面的彻底破坏，造成四个现代化的彻底失败。那样，我们同林彪、“四人帮”的十年斗争就等于白费，中国就将重新陷于混乱、分裂、倒退和黑暗，中国人民就将失去一切希望。这不但是全国各族人民所极为关心的问题，也是全世界一切愿意中国强大的人们，甚至仅仅愿意同中国发展贸易的人们所极为关心的问题。

这里还要提出一个社会风气问题。我们建国以后的十多年中，由于党和政府的正确领导，社会风气是健康的。在党的教育下成长起来的青少年，绝大多数怀抱崇高理想，热爱社会主义祖国，积极响应党和政府的号召，捍卫人民利益，维护社会秩序，处处表现良好的献身精神和守纪律精神。青少年的这种风气和整个社会的风气互相影响，互相促进，受到全国人民和各国人士的赞许。但是过去的十来年中，林彪、"四人帮"把我们的党和政府搞乱了，把我们的社会搞乱了，也把不少青少年毒害了，社会主义的道德风尚受到了严重的损害。粉碎"四人帮"以后，情况有了很大的好转，但是他们的流毒在某些范围内还不能低估。这种情况，同全党工作着重点转移的需要极端不相适应。我们提倡中国人和外国人发展正常交往，这对于加强我国和各国人民的了解和友谊是必要的，对于引进国外技术和资金也是必要的，今后这种交往还会日益增多。但是由于对少数青少年的教育和管理不够，也出现了一些不健康的现象。一些青年男女盲目地羡慕资本主义国家，有些人在同外国人交往中甚至不顾自己的国格和人格。这种情况必须引起我们的认真注意。我们一定要教育好我们的后一代，一定要从各方面采取有效的措施，搞好我们的社会风气，打击那些严重败坏社会风气的恶劣行为。

为了促进社会风气的进步，首先必须搞好党风，特别是要求党的各级领导同志以身作则。党是整个社会的表率，党的各级领导同志又是全党的表率。如果党的组织把群众的意见和利害放在一边，不闻不问，怎么能要求群众信任和爱戴这样的党组织的领导呢？如果党的领导干部自己不严格要求自己，不遵守党纪国法，违反党的原则，闹派性，搞特殊化，走后门，铺张浪费，损公利私，不与群众同甘苦，不实行吃苦在先、享受在后，不服从组织决定，不接受群众监督，甚至对批评自己的人实行打击报复，怎么能指望他们改造社会风气呢！在目前的历史转变时期，问题堆积成山，工作百端待举，加强党的领导，端正党的作风，具有决定的意义。毛泽东同志说："只要我们党的作风完全正派了，全国人民就会跟我们学。党外有这种不良风气的人，只要他们是善良的，就会跟我们学，改正他们的错误，这样就会影响全民族。"〔86〕只有搞好党风，才能转变社会风气，才能坚持四项基本原则。

以上所说的，同三中全会的精神有没有不一致的地方？没有。这里所说的一切，都是为贯彻执行三中全会各项方针政策所必须采取的措施。再说一遍，不采取这些措施，三中全会的方针政策就要落空，工作着重点的转移就要落空，四个现代化建设就要落空，党内外民主生活的发展也要落空。因此，有人把中央的方针说成是"收"了，说中央把发扬民主的方针改变了，这是完全错误的。只有坚持我们党历来坚持的四项基本原则，坚决克服妨碍实现三中全会方针政策的不良倾向，我们才能坚定地向着我们的宏伟目标胜利前进。

三　思想理论工作的任务

中央和各省、市、自治区的理论工作务虚会提出的问题很多，我现在不能一一解答。我今天想就思想理论工作的任务，讲下面两个问题。我了解的情况不多，尤其对于地方的情况了解更少，讲得是否完全恰当，请同志们考虑。

第一，对当前思想理论工作的一些要求。

马克思主义的思想理论工作是不能离开现实政治的。我这里说的政治，是国内外阶级斗争的大局，是中国人民和世界人民在现实斗争中的根本利害。不能设想，离开政治的大局，不研究政治的大局，不估计革命斗争的实际发展，能成为一个马克思主义的思想家、理论家。如果那样，我们在去年用大半年时间讨论实践是检验真理的标准的问题，还有什么意义呢？科学社会主义是在实际斗争中发展着，马列主义、毛泽东思想是在实际斗争中发展着。我们当然不会由科学的社会主义退回到空想的社会主义，也不会让马克思主义停留在几十年或一百多年前的个别论断的水平上。所以我们反复说，解放思想，就是要运用马列主义、毛泽东思想的基本原理，研究新情况，解决新问题。

什么是我国今天最重要的新情况，最重要的新问题呢？当然就是实现四个现代化，或者像我在前面说的，实现中国式的现代化。我们已经说过，深入研究中国实现四个现代化所遇到的新情况、新问题，并且作出有重大指导意义的答案，这将是我们思想理论工作者对马克思主义的重大贡献，对毛泽东思想旗帜的真正高举。当然这决不是说，凡是同实现四个现代化没有直接关系的思想理论问题就可以不去认真深入地研究。哲学、社会科学同自然科学一样，决不能忽视基础理论的研究，这些研究是理论工作的任何巨大前进所不可缺少的。

我在讲话的第二部分提出的实现四个现代化所必须坚持的四项基本原则，虽然我已经说过都不是什么新问题，但是这些原则在目前的新形势下却都有新的意义，都需要根据新的丰富的事实作出新的有充分说服力的论证。这样才能够教育全国人民，全国青年，全国工人，解放军全体指战员，也才能够说服那些向今天的中国寻求真理的人们。这是一项十分重大的任务，既是重大的政治任务，又是重大的理论任务。这决不是改头换面地抄袭旧书本所能完成的工作，而是要费尽革命思想家心血的崇高的创造性的科学工作。由于林彪、“四人帮”的十年捣乱，思想战线上长期间充满了胡言乱语，以至人们对于从事政治教育工作的许多干部和教师失掉了信任。这不是政治教育工作者的过错。现在这些同志十分苦恼，许多家长、老工人、老战士也都十分苦恼。这也是目前极少数敌对分子所以能够兴风作浪的一个重要条件。我们思想理论战线的同志们一定要赶快组织力量，定好计划，在尽可能短的时间里陆续写出并印出一批有新内容、新思想、新语言的有分量的论文、书籍、读本、教科书来，填补这个空白。我提议中央宣传部把对这项工作的领导责任担当起来，并且提议，对于确实写得好的著作，经过评审，应该由党和国家发给奖金，以便给这项看来似乎平凡实则很艰苦的工作以应有的荣誉。

实现四个现代化是一项多方面的复杂繁重的任务，思想理论工作者的任务当然不能限于讨论它的一些基本原则。我们面前有大量的经济理论问题，包括基本理论问题、工业理论问题、农业理论问题、商业理论问题、管理理论问题等等。列宁号召多谈些经济，少谈些政治。我想，对于这两方面理论工作的比例来说，这句话今天仍然适用。不过我并不认为政治方面已经没有问题需要研究，政治学、法学、社会学以及世界政治的研究，我们过去多年忽视了，现在也需要赶快补课。我们绝大多数思想理论工作者都应该钻研一门到几门专业，凡是能学外国语的都要学外国语，要学到能毫无困难地阅读外国的重要社会科学著作。我们已经承认自然科学比外国落后了，现在也应该承认社会科学的研究工作（就可比的方面说）比外国落后了。我们的水平很低，好多年连统计数字都没有，这样的情况当然使认真的社会科学的研究遇到极大的困难。因此，我们的思想理论工作者必须下定决心，急起直追，一定要深入专业，深入实际，调查研究，知彼知己，力戒空谈。四个现代化靠空谈是化不出来的。毛泽东同志指出的骄傲自满、故步自封、夜郎自大的毛病，我们的思想理论工作者同样要竭力避免。承认落后才能克服落后。应该指出，所以形成这种落后状况，责任首先在于中央和各级党委对于思想理论工作的领导方法不对，禁区太多，关心和支持太少。今天我代表中央向大家作自我批评。今后要求从中央起，各级党委一定要把思想理论工作放在正确轨道和重要地位上。我们是一个马克思主义的大党，我们自己不重视马克思主义的研究，不按照实践的发展来推动马克思主义的前进，我们的工作还能够做得好吗？我们讲高举马列主义、毛泽东思想的旗帜，不就成了说空话吗？

第二，对几个理论问题的看法。

在近几个月理论工作者的讨论中，提出的问题很多。许多问题还需要继续研究。现在我只就几个比较迫切的问题说一点看法。

（一）社会主义社会的基本矛盾和目前时期的主要矛盾。关于基本矛盾，我想现在还是按照毛泽东同志在《关于正确处理人民内部矛盾的问题》一文中的提法比较好。毛泽东同志说:“在社会主义社会中,基本的矛盾仍然是生产关系和生产力之间的矛盾,上层建筑和经济基础之间的矛盾。”他在这里说了很长的一段话,现在不重复。当然,指出这些基本矛盾,并不就完全解决了问题,还需要就此作深入的具体的研究。但是从二十多年的实践看来,这个提法比其他的一些提法妥当。至于什么是目前时期的主要矛盾,也就是目前时期全党和全国人民所必须解决的主要问题或中心任务,由于三中全会决定把工作重点转移到社会主义现代化建设方面来,实际上已经解决了。我们的生产力发展水平很低,远远不能满足人民和国家的需要,这就是我们目前时期的主要矛盾,解决这个主要矛盾就是我们的中心任务。

(二)社会主义社会的阶级斗争。这个问题,我在前面讲无产阶级专政的时候已经说到一些。社会主义社会中的阶级斗争是一个客观存在,不应该缩小,也不应该夸大。实践证明,无论缩小或者夸大,两者都要犯严重的错误。至于整个社会主义社会历史时期是否始终存在某种阶级斗争,这里包括许多理论上和实践上复杂和困难的问题,不是只靠引证前人的书本所能够解决的,大家可以继续研究。总之,社会主义社会目前和今后的阶级斗争,显然不同于过去历史上阶级社会的阶级斗争,这也是客观的事实,我们不能否认,否认了也要犯严重的错误。

(三)无产阶级专政下继续革命。这个提法,如果按照提出的当时的解释,即所谓“向走资派夺权”,也就是撇开党委闹革命,打倒一切,那么实践已经证明是错误的。至于作出新的解释，可以在党内继续研究。

（四）涉及党的十一大[52]路线一些提法的问题是否可以讨论？党的路线同党的一切决议一样，总是要在实践中受检验的，这是毛泽东同志讲过多次的道理。不能说一种提法一经党的代表大会通过，就不能对它的正确性作任何讨论，否则下次代表大会怎么会提出新的提法呢？党的历届代表大会的决议，在下届代表大会之前，中央根据实际情况的变化而不得不作出必要的修改，是常有的事。党的十一大制定的路线，也由于实际情况的变化和对于实际情况认识的变化，由历届中央全会特别是三中全会作了一些必要的调整，今后也还可能作某些必要的调整。这是完全正常的。但是按照党的纪律，对于涉及十一大路线一些提法的讨论，除了中央已经正式决定的以外，应该限于党的适当的会议，不应该超出这个范围。

无论如何，思想理论问题的研究和讨论，一定要坚决执行百花齐放、百家争鸣的方针，一定要坚决执行不抓辫子、不戴帽子、不打棍子的“三不主义”的方针，一定要坚决执行解放思想、破除迷信、一切从实际出发的方针。这些都是三中全会决定了的，现在重申一遍，不允许有丝毫动摇。

同志们！目前这个时期是我们党和我们国家的历史上的一个重大转折时期。我们党已经领导全国人民胜利地渡过了“四人帮”给我们设下的重重难关，把一个混乱的国家变成了一个有秩序的、进步很快的国家。实现四个现代化的伟大前景激动着、鼓舞着、引导着我们全党、全军和全国各族人民。广大干部、群众都在争着为这个光明前途贡献力量。在这个时期，思想理论工作战线的任务特别重大。我们党的思想理论队伍在粉碎“四人帮”以后已经作出了巨大的成绩，在三中全会以后也作出了重要的成绩，对这些成绩的任何估计不足都是错误的。但是形势在迅速发展，我们的工作也需要迅速发展。我希望这次重要的会议能使党的思想理论工作者对形势、任务、党的方针政策和自己的工作的认识提高一步，更紧密地团结在党中央的周围，并且通过你们的卓有成效的工作，把全国各族人民更紧密地团结在中国共产党的周围。让我们同心同德，为坚定不移地贯彻执行三中全会的方针，实现党的工作着重点的转移，克服一切困难，取得实现四个现代化的伟大胜利而奋斗！

新时期的统一战线和人民政协的任务*

（一九七九年六月十五日）

各位委员，各位同志：

中国人民政治协商会议第五届全国委员会第二次会议现在开幕。

我们这次会议，是在中共中央决定把党和国家的工作重点转移到社会主义现代化建设上来以后召开的。这次会议的目的，就是要进一步动员、团结全国各族人民和一切爱国力量，促进社会主义现代化建设的发展。

今年是伟大的中华人民共和国建国三十周年，也是中国人民政治协商会议成立三十周年。我们的国家进入了以实现四个现代化为中心任务的新的历史时期，我们的革命统一战线也进入了一个新的历史发展阶段。

在这三十年中，我国的社会阶级状况发生了根本的变化。我国工人阶级的地位已经大大加强，我国农民已经是有二十多年历史的集体农民。工农联盟将在社会主义现代化建设的

* 这是邓小平同志在中国人民政治协商会议第五届全国委员会第二次会议上的开幕词。

新的基础上更加巩固和发展。我国广大的知识分子，包括从旧社会过来的老知识分子的绝大多数，已经成为工人阶级的一部分，正在努力自觉地为社会主义事业服务。

我国各兄弟民族经过民主改革和社会主义改造，早已陆续走上社会主义道路，结成了社会主义的团结友爱、互助合作的新型民族关系。各民族的不同宗教的爱国人士有了很大的进步。在实现四个现代化进程中，各民族的社会主义一致性将更加发展，各民族的大团结将更加巩固。

我国的资本家阶级原来占有的生产资料早已转到国家手中，定息〔78〕也已停止十三年之久。他们中有劳动能力的绝大多数人已经改造成为社会主义社会中的自食其力的劳动者。我国资本主义工商业社会主义改造的胜利完成，是我国和世界社会主义历史上最光辉的胜利之一。这个胜利的取得，是由于中国共产党领导全体工人阶级执行了毛泽东同志根据我国情况制定的马克思主义政策，同时，资本家阶级中的进步分子和大多数人在接受改造方面也起了有益的配合作用。现在，他们作为劳动者，正在为社会主义现代化建设事业贡献力量。

我国各民主党派在民主革命中有过光荣的历史，在社会主义改造中也作了重要的贡献。这些都是中国人民所不会忘记的。现在它们都已经成为各自所联系的一部分社会主义劳动者和一部分拥护社会主义的爱国者的政治联盟，都是在中国共产党领导下为社会主义服务的政治力量。

台湾同胞、港澳同胞和国外侨胞心向祖国，爱国主义觉悟不断提高，他们在实现统一祖国大业、支援祖国现代化建设和加强国际反霸斗争方面，日益发挥着重要的积极作用。

上述各个方面的变化表明，我国的统一战线已经成为工人阶级领导的、工农联盟为基础的社会主义劳动者和拥护社会主义的爱国者的广泛联盟。新时期统一战线和人民政协的任务，就是要调动一切积极因素，努力化消极因素为积极因素，团结一切可以团结的力量，同心同德，群策群力，维护和发展安定团结的政治局面，为把我国建设成为现代化的社会主义强国而奋斗。

为了实现四个现代化，必须发扬社会主义民主和加强社会主义法制。人民政协是发扬人民民主、联系各方面人民群众的一个重要组织。中国的社会主义现代化建设事业，继续需要政协就有关国家的大政方针、政治生活和四个现代化建设中的各项社会经济问题，进行协商、讨论，实行互相监督，发挥对宪法和法律实施的监督作用。我们要广开言路，广开才路，坚持不抓辫子、不扣帽子、不打棍子的“三不主义”，让各方面的意见、要求、批评和建议充分反映出来，以利于政府集中正确的意见，及时发现和纠正工作中的缺点、错误，把我们的各项事业推向前进。

为了实现四个现代化，在坚持对极少数反社会主义分子实行无产阶级专政的同时，需要在人民内部广泛地加强思想政治教育。政协在这一工作中无疑将继续发挥重要作用。统一战线和人民政协要发扬自我教育、自我改造的传统，按照团结、批评、团结的公式，继续进行思想改造的工作，帮助各方面的人士和群众在为社会主义服务的共同基础上不断增强团结，取得新的进步。

目前国际国内形势对实现祖国统一大业十分有利，我国政府已经明确宣布了对台湾归回祖国的大政方针。人民政协应当积极开展工作,发展爱国统一战线,促进台湾早日归回祖国,实现祖国统一大业。同时,要积极开展人民外交活动,加强同国际朋友的友好往来,为发展国际反侵略扩张的统一战线作出自己的努力。

在新的历史时期,人民政协作为统一战线组织,任务是十分光荣的,工作是大有可为的。让我们在马列主义、毛泽东思想的旗帜下,在中共中央的领导下,沿着社会主义的道路,为实现四个现代化的宏伟目标团结前进!

预祝大会圆满成功!

民主和法制两手都不能削弱*

（一九七九年六月二十八日）

民主和法制，这两个方面都应该加强，过去我们都不足。要加强民主就要加强法制。没有广泛的民主是不行的，没有健全的法制也是不行的。我们吃够了动乱的苦头。前一段时间上海发生冲击领导机关的事，那是不能允许的。这实际上是属于“四人帮”打砸抢、武斗的思想体系。

我们好多年实际上没有法，没有可遵循的东西。这次全国人大开会制定了七个法律。有的实际上部分地修改了我们的宪法，比如取消革命委员会〔87〕，恢复原来的行政体制。这是建立安定团结政治局面的必要保障。没有安定团结生动活泼的政治局面，搞四个现代化就不行。这次会议以后，要接着制定一系列的法律。我们的民法还没有，要制定；经济方面的很多法律，比如工厂法等等，也要制定。我们的法律是太少了，成百个法律总要有的，这方面有很多工作要做，现在只是开端。民主要坚持下去，法制要坚持下去。这好像两只手，任何一只手削弱都不行。

---

* 摘自邓小平同志会见以竹入义胜委员长为团长的日本公明党第八次访华团时的谈话。

思想路线政治路线的实现要靠组织路线来保证*

（一九七九年七月二十九日）

就全国范围来说，就大的方面来说，通过实践是检验真理唯一标准和“两个凡是”〔18〕的争论，已经比较明确地解决了我们的思想路线问题，重新恢复和发展了毛泽东同志倡导的实事求是、理论联系实际、一切从实际出发的思想路线。这是很重要的。关于真理标准问题，《光明日报》登了一篇文章〔88〕，一下子引起那么大的反应，说是“砍旗”，这倒进一步引起我的兴趣和注意。最早是林彪〔1〕搞乱了我们党的思想路线，他搞了那个语录本，把毛泽东思想庸俗化，搞得支离破碎，而不是让人们准确地完整地学习和运用毛泽东思想来思考问题、提出问题、解决问题。我是不赞成“两个凡是”的。“两个凡是”不是马列主义、毛泽东思想。因此，我提出要准确地完整地学习和运用毛泽东思想，以后又解释什么是准确地完整地学习和运用毛泽东思想。对于实践是检验真理的唯一标准的论点，开始的时候反对的人不少，但全国绝大多数干部群众还是逐步接受了的。这个争论还没有完，海军现在考虑补课，这很

* 这是邓小平同志接见中共海军委员会常委扩大会议全体同志时的讲话。

重要。真理标准问题的讨论是基本建设，不解决思想路线问题，不解放思想，正确的政治路线就制定不出来，制定了也贯彻不下去。我们的政治路线就是搞社会主义现代化建设。“四人帮”提出宁要穷的社会主义，不要富的资本主义，社会主义如果老是穷的，它就站不住。我们在国际阶级斗争中要坚持马克思主义，坚持社会主义，就要表现出马克思主义的思想优越于其他的思想，社会主义制度优越于资本主义制度。不解放思想，不实事求是，不从实际出发，理论与实践不相结合，不可能有现在的一套方针、政策，不可能把人民的积极性统统调动起来，也就不可能搞好现代化建设，显示出社会主义制度的优越性。昨天，山东的同志说，有一个原来很落后的县，就是因为解放思想，因地制宜地发展生产，才由老大难变为先进。思想路线不是小问题，这是确定政治路线的基础。正确的政治路线能不能贯彻实行，关键是思想路线对不对头。所以，不要小看实践是检验真理的唯一标准的争论。这场争论的意义太大了，它的实质就在于是不是坚持马列主义、毛泽东思想。

党的思想路线和政治路线，尽管有人不通，但总是已经确立了。现在我们还没有解决的问题是什么呢？是组织路线问题。这是一个很重要的问题。政治路线确立了，要由人来具体地贯彻执行。由什么样的人来执行，是由赞成党的政治路线的人，还是由不赞成的人，或者是由持中间态度的人来执行，结果不一样。这就提出了一个要什么人来接班的问题。

粉碎林彪、“四人帮”以后，特别是最近一年多来，我们把许多冤案、假案、错案处理了，好多老同志回到原来的工作岗位或担负相当原来职务的工作，这在前一段是必要的。但现在各级领导班子岁数太大，精力不够。军队也存在这个问题。现在摆在老同志面前的任务，就是要有意识地选拔年轻人，选一些年轻的身体好的同志来接班。要趁着我们在的时候解决这个问题，我们不在了，将来很难解决。我们现在对于人们的思想状况、政治状况比较清楚，能够看出来哪些人是拥护党的路线的，哪些人是不搞派性、讲党性的。党性也包括联系群众、艰苦朴素、实事求是等等。选干部，标准有好多条，主要是两条，一条是拥护三中全会的政治路线和思想路线，一条是讲党性，不搞派性。

我们要注意，现在反对党的政治路线、思想路线的，还大有人在。他们基本上是林彪、“四人帮”那样一种思想体系，认为中央现在搞的是倒退，是右倾机会主义。他们打着拥护毛泽东同志的旗帜，搞“两个凡是”，实际上是换个面貌来坚持林彪、“四人帮”那一套。这些人大体上都是文化大革命中提起来的，是既得利益的。他们感到现在的一套对他们益处不大，所以对过去很留恋。经过工作，其中有些人可能转变过来，但不一定都能转过来。如果让转不过来的人掌权，这些人能听党的话吗？他们一遇机会就会出来翻腾的。一九七五年我主持中央工作，王洪文〔43〕就说，十年后再看。现在也有十年后再看的问题。我们对林彪、“四人帮”的影响不能低估，不能想得太天真了。要想得远一点。一定要趁着我们在的时候挑选好接班人，把那些表现好的同志用起来，培养几年，亲自看他们成长起来。选不准的，还可以换嘛。解决组织路线问题，最大的问题，也是最难、最迫切的问题，是选好接班人。当然，组织路线方面还有其他的问题，如机关臃肿怎样解决，退休制度问题怎样解决等等。庙只有那么大，菩萨只能要那么多，老的不退出来，新的进不去，这是很简单的道理。因此，老同志要有意识地退让。要从大处着眼，小道理要服从大道理，不要一涉及到自己的具体问题就不通了。我们将来要建立退休制度。但是，最重要的还是选拔培养接班人。现在有些地方对选进领导班子的年轻人，还是论资排辈，发挥不了他们的作用。我们的人才是有的，关键是要解放思想，打破框框。只要我们敢于把他们提起来，让他们在其位，谋其政，经过一两年就能干起来了。我经常讲，进军西南的时候，地方干部少，有排长当县委书记的，有连指导员当县委书记的，也有营团干部当县委书记的。那些连排干部（当然都是挑选好的）经过几年锻炼，和营团干部一样胜任，都是很好的县委书记。

组织路线是保证政治路线贯彻落实的。解决组织路线问题已经提到我们议事日程上来了。这个问题解决不了，我们见不了马克思。老同志在，问题比较好解决，如果我们不在了问题还没有解决，就要天下大乱。你们不要以为中国乱不起来，林彪、“四人帮”帮派体系的人，就是不听党的指挥，他们唯恐天下不乱。中国的稳定，四个现代化的实现，要有正确的组织路线来保证，要有真正坚持马克思列宁主义、毛泽东思想和党性强的人来接班才能保证。

关于经济工作的几点意见*

（一九七九年十月四日）

这次座谈会，重点谈经济工作。我对当前和今后经济工作中的若干问题，讲几点意见。

一、经济工作是当前最大的政治，经济问题是压倒一切的政治问题。不只是当前，恐怕今后长期的工作重点都要放在经济工作上面。

所谓政治，就是四个现代化。我们开了大口，本世纪末实现四个现代化。后来改了个口，叫中国式的现代化，就是把标准放低一点。特别是国民生产总值，按人口平均来说不会很高。据澳大利亚的一个统计材料说，一九七七年，美国的国民生产总值按人口平均为八千七百多美元，占世界第五位。第一位是科威特，一万一千多美元。第二位是瑞士，一万美元。第三位是瑞典，九千四百多美元。第四位是挪威，八千八百多美元。我们到本世纪末国民生产总值能不能达到人均上千美元？前一时期我讲了一个意见，等到人均达到一千美元的时候，我们的日子可能就比较好过了，就能花多一点力量来援助第三

* 这是邓小平同志在中共省、市、自治区委员会第一书记座谈会上讲话的一部分。

世界的穷国。现在我们力量不行。现在我们的国民生产总值人均大概不到三百美元，要提高两三倍不容易。我们还是要艰苦奋斗。就是降低原来的设想，完成低的目标，也得很好地抓紧工作，要全力以赴，抓得很细，很具体，很有效。四个现代化这个目标，讲空话是达不到的。这是各级党委的中心工作。

各级党委除了抓经济工作，还有很多其他工作，但很多问题都涉及经济方面。比如思想路线问题要深入讨论，这个工作不能搞运动，要插到经常工作主要是经济工作里面去做。真理标准问题，结合实际来讨论，恐怕效果好一点，免得搞形式主义。一个生产队怎样提高生产力，怎样利用每一个山头，每一片水面，每一块耕地，每一处边角；一个工厂如何发展生产，增加品种，提高质量，如何改革经营管理方法，打开市场，如何解决职工的困难，如何避免走后门，这样来讨论问题，解放思想，效果会好得多。现在要提倡一种方法，就是要每一个生产队，每一个工厂，每一个学校，具体地解决自己的实际问题。我们过去搞的一些运动，比如学理论，学来学去，就是不结合实际，结果大家厌烦了。当然，不是说政治工作不做了。现在有人认为取消政治部就是不做政治工作了。党是搞什么的？工会是搞什么的？共青团是搞什么的？妇联是搞什么的？还不都是做政治工作的？政治工作是要做的，而且是要好好地做。但是，政治工作要落实到经济上面，政治问题要从经济的角度来解决。比如落实政策问题，就业问题，上山下乡知识青年回城市问题，这些都是社会、政治问题，主要还是从经济角度来解决。经济不发展，这些问题永远不能解决。所谓政策，也主要是经济方面的政策。现在北京、天津、上海搞集体所有制，解决就业问题，还不是经济的办法？这是用经济政策来解决政治问题。解决这类问题，要想得宽一点，政策上应该灵活一点。总之，要用经济办法解决政治问题、社会问题。要广开门路，多想办法，千方百计，解决问题。我们定下了一个雄心壮志，定下了一个奋斗目标，就要去实现，不能讲空话。还是以前的老话，经济工作要越做越细。

二、我赞成劲可鼓不可泄。但是要强调一点，我们需要的是鼓实劲，不是鼓虚劲。就是说，我们的工作要扎实，效果要实实在在。所谓鼓实劲，不鼓虚劲，拿科学的语言来说，就是按客观规律办事。经济工作要按经济规律办事，不能弄虚作假，不能空喊口号，要有一套科学的办法。

按经济规律办事，就要培养一批能按经济规律办事的人。我们需要一些专家、懂行的人，现在不懂行的人太多了，“万金油”干部太多了。我们的干部有一千八百万，缺少的是专业干部，技术人员、管理人员和其他各种专业人员。如果能增加一百万司法干部，增加两百万合格的教员，有五百万科学研究人员，再有两百万会做生意的人，那就比较好了。现在的干部结构不合理，不对路。改变这个状况，是一项相当长期的工作。现在就要着手，不然，有好机器、好设备，也发挥不了作用。我们要相信，我们是能够培养这样一批人才出来的。方毅〔89〕同志告诉我，冶金部有些司局长很不错，年龄在四十到五十岁之间，都是六十年代或五十年代毕业的大学生，知识分子。这些人很有干劲，而且业务非常熟悉，对外谈判也是能手。我相信各部门都会有这样的人。为什么这些人不能提起来？什么东西障碍我们？要消除障碍。当然，这样的事说起来容易，做起来是要有步骤的。但是不从现在开始,不从部分开始,我们的事业就会拖下去,就没有希望了。组织路线是个很大的问题。我们不是没有人才,而是被按住了。与此相关联的,在人事制度方面,可以考虑把退休制度建立起来。全国各个部门和单位设立专门机构,管理退休的、当顾问的人,负责他们的政治待遇、生活福利方面的事情。把退休人员的问题处理好,便于我们选拔人才。这需要做很多的工作,但是不做不行。

真正鼓实劲,不鼓虚劲,还要求我们的干劲是对头的。比如完成的指标是没有水分的指标,产品是合格的对路的产品。不对路的产品,生产那么多干什么?没有原材料,你搞什么?材料不合格,你怎么干?真正鼓干劲,就是要解放思想,实事求是地解决问题。一九七五年整顿铁路时,遇到一个解决铁路工人主要是火车司机洗澡的问题。工人下工一身脏,要洗个澡,那么大的企业,搞些喷头有什么困难?但是没有人管。这样的例子,我相信全国可能有不少。事在人为,只要有人做,就会有效果。一摊子事,索性不解决,那也是一种态度,结果是一事无成。

三、讲一讲调整。八字方针,核心是调整。调整是为了什么?我觉得,是不是可以这样说,是为了创造条件,使得在调整过程中,特别是调整以后,能够有一个比较好的又比较快的发展速度。最近在发展速度上,发生一个明后两年工农业总产值是增长百分之八还是百分之六的问题。我的意见,增长百分之六也可以,但一定是不加水分的百分之六,扎扎实实的百分之六,不在乎这两年的速度是高一点还是低一点。文化大革命中公布的数字就有虚假,有重复计算的问题,有产品不对路、质量很差的问题。知道这一点对我们今天考虑问题有好处。以后要求的速度、数字是扎扎实实的,没有水分的,产品要讲质量的,真正能体现我们生产的发展。如果做到这一点,其他的作风也都会变,管理水平、技术水平也会提高,实际得到的利益多得多。还要考虑到,如果到一九八二年、一九八三年,我们的速度不能够更快一点,我看交不了帐。这就要提前做一些准备。因此,现在的调整还要包括一些准备工作。现在不着手,到时候就形成不了新的生产能力。一个矿井的建设要五六年,一个电站也要五年左右。有些项目真正用钱不是在开头,是在两三年以后,如果现在不着手,那个时候急也没有用。类似这样的事很多,企业的改造革新,新技术的采用,包括技术骨干的培养,现在不着手,到时来不及。我们要瞻前顾后,看远一点。我们的经济工作,只考虑到一九八二年还不行。从一九八三年开始,我们要有比较相应的速度,这不是临时能够办到的,从现在起就要考虑,包括具体的项目。这就要求我们搞计划、考虑问题,面要宽一点,要照顾到三年以后。

四、我提议充分研究一下怎样利用外资的问题。我赞成陈云〔83〕同志那个分析,外资是两种,一种叫自由外汇,一种叫设备贷款。不管哪一种,我们都要利用,因为这个机会太难得了,这个条件不用太可惜了。第二次世界大战以后,一些破坏得很厉害的国家,包括欧洲、日本,都是采用贷款的方式搞起来的,不过它们主要是引进技术、专利。我们现在如果条件利用得好,外资数目可能更大一些。问题是怎样善于使用,怎样使每个项目都能够比较快地见效,包括解决好偿付能力问题。利用外资是一个很大的政策,我认为应该坚持。至于用的办法,主要的方式是合营,某些方面采取补偿贸易的方式,包括外资设厂的方式,我们都采取。我到新加坡去,了解他们利用外资的一些情况。外国人在新加坡设厂,新加坡得到几个好处,一个是外资企业利润的百分之三十五要用来交税,这一部分国家得了;一个是劳务收入,工人得了;还有一个是带动了它的服务行业,这都是收入。我们要下这么个决心,权衡利弊、算清帐,略微吃点亏也干,总归是在中国形成了生产能力,还会带动我们一些企业。我认为,现在研究财经问题,有一个立足点要放在充分利用、善于利用外资上,不利用太可惜了。现在我们有这个条件。外国人为什么要来,他们判断,中国确实有偿付能力。我们有稀有金属,有各种矿藏,有油水。如果没有偿付能力,他不会干的。我们引进每一个项目都要做到必须具有偿付能力。可以先干两件事再说。陈云同志的意见是一个项目一个项目地研究,我赞成这个意见,应该这样来研究。人家来做生意,就是要赚钱,我们应该使得他们比到别的地方投资得利多,这样才有竞争力。我们的劳动力比较便宜,有这个优越条件。但是,特别吃亏的我们不干。我们干几件事,慢慢就懂了。还有,引进项目必须是能够带动我们自己的。就是说,引进的项目里有好多东西我们能自己干的,都用我们自己的,有些则用它的图纸,用它的规格,由我们来制造。这样,引进一个项目,可以带动一些行业的发展。引进的技术我们掌握了,就能够用到其他方面。

五、体制问题。究竟我们现在是集中多了,还是分散多了?我看,集中也不够,分散也不够。中央现在手上直接掌握的收入只有那么一点,这算集中?财政体制,总的来说,我们是比较集中的。有些需要下放的,需要给地方上一些,使地方财权多一点，活动余地大一点，总的方针应该是这样。但是也有集中不够的。什么东西该更加集中，什么东西必须下放，具体意见我提不出来，请大家敞开议一下。我肯定，扩大企业自主权，这一条无论如何要坚持，这有利于发展生产。过去我们统得太死，很不利于发展经济。有些肯定是我们的制度卡得过死，特别是外贸。好多制度不利于发展对外贸易，对增加外汇收入不利。比如，武钢的产品可以出口，但是按照现在的国际价格，每一吨要亏损四十元。为什么国家不可以每吨补贴四十元出口呢？它能创汇嘛。好多国家都有出口补贴。这是上层建筑里面的问题，是制度、政策上的问题。我们应该鼓励能够出口的东西出口，能搞到外汇就了不起嘛。现在对财政、银行，有很多反映。有的好项目只花几十万元，就能立即见效，但是财政制度或者是银行制度不允许，一下子就卡死了。这样的事情恐怕是大量的，不是小量的。卡得死死的，动都动不了，怎么行呢？当然也有成千万元的项目，那就必须慎重一点了，但是成千万元的项目也有很快见效的，财政、银行应该支持，这样就活起来了。这不是个简单的财政集中分散的问题。必须把银行真正办成银行。现在每个省市都积压了许多不对路的产品，为什么？一个原因就是过去我们的制度是采取拨款的形式，而不是银行贷款的形式。这个制度必须改革。任何单位要取得物资，要从银行贷款，都要付利息。

有些情况下面可能不大了解。我想，地方同志提出的意见绝大多数是好的。但是有一条，中央如果不掌握一定数额的资金，好多应该办的地方无力办的大事情，就办不了，一些关键性的只能由中央投资的项目会受到影响。现在全国的企业，包括一些主要企业,很多都下放了,中央掌握的企业收入很有限。这个问题值得研究。现在一提就是中央集中过多下放太少,没有考虑该集中的必须集中的问题。中央必须保证某些集中。

总之,大家对经济问题的看法不一致,这是很自然的。我们这么大一个国家,我们有了这么大一个雄心壮志,究竟怎么搞比较顺,比较能够经得起风险,比较能够克服困难,克服障碍,求得比较快的发展,这个问题只能靠大家的集体智慧来解决。所以,这次会议大家要充分地把矛盾摆出来。我主张采取辩论的方法,面对面,不要背靠背,好好辩论辩论。真理就是辩出来的。有同志已提出这个意见,希望能够把中央各部门的设想,各省市同志的设想都摆出来,这次会议不一定完全能够解决,把这些问题摆出来以后,梳几个辫子,权衡利弊,该怎么办就怎么办。切不要以为我们原来脑子里考虑的就是完全对的。地方同志对中央部门提了不少意见,也有很尖锐的,但毕竟是从一个角度,从那个省,那个市,那件事,那个问题考虑的,就那个问题的本身来说,无可厚非,可能是很对的,但是从全局来说,有可能办不到。现在我们需要统一的是全局怎么办。这次会议放开把问题摆出来,然后由中央,特别是财经委员会,再来梳辫子,得出比较好的办法。只能说比较好,要说完全正确,我看办不到,万应灵药我们不可能找到,还要看以后的实践。还是实践是检验真理的标准,还要过一两年,修修补补。但是,现在不拿出个统一的东西不行,那样更难办,结果就是画圈圈过日子,等待过日子,你等过去,我等过来,应该快办的事情办慢了,应该解决的问题得不到解决。现在我们需要把思想认识统一一下。思想认识统一了，大家就一致行动。

六、抓紧增产节约。抓紧这一条，我们的速度可能不只是百分之六。文章要经常做在这上面。增产节约不只是今年的事，也不只是明年的事。这两年来，基本建设增加了生产能力，但更主要的是，要把原有的生产能力用好。要讲实在的，真正扎扎实实把品种质量抓上去，特别是抓质量。抓质量，这是调整里面最大的一个问题。如果把这一点抓住了，我们将来得到的益处大，基础就更扎实了。

各民主党派和工商联是为社会主义服务的政治力量*

（一九七九年十月十九日）

在我国新的历史时期，我们的革命的爱国的统一战线也进入了一个新的历史发展阶段。统一战线仍然是一个重要法宝，不是可以削弱，而是应该加强，不是可以缩小，而是应该扩大。它已经发展成为全体社会主义劳动者、拥护社会主义的爱国者和拥护祖国统一的爱国者的最广泛的联盟。新时期统一战线的任务，就是要调动一切积极因素，团结一切可以团结的力量，为在本世纪内把我国建设成为现代化的社会主义强国而共同奋斗，还要为促进台湾归回祖国，完成祖国统一大业而共同努力。

各民主党派和工商联，都是我国革命的爱国的统一战线的重要组成部分。各民主党派和工商联同我们党有过长期合作、共同战斗的历史，是我们党的亲密朋友。在争取新民主主义革命胜利和建立中华人民共和国的斗争中，各民主党派都发挥了重要的作用。新中国成立以后，各民主党派和工商联推

* 这是邓小平同志在全国政协、中共中央统战部宴请出席各民主党派和全国工商联代表大会代表时讲话的节录。

动和帮助各自的成员以及所联系的人们，接受社会主义改造，参加社会主义建设，参加反对国内外敌人的斗争，也都作出了宝贵的贡献。在万恶的林彪、“四人帮”横行的十年里，各民主党派和工商联被迫停止活动，很多成员遭到了残酷迫害，绝大多数人经受住了这场严峻的政治考验，仍然坚信共产党的领导，没有动摇走社会主义道路的决心，这是难能可贵的。现在，各民主党派和工商联已经成为各自联系的一部分社会主义劳动者和拥护社会主义的爱国者的政治联盟和人民团体，成为进一步为社会主义服务的政治力量。建设和发展社会主义事业，已成为各民主党派、工商联和我们党的共同利益和共同愿望。在新的历史时期中，各民主党派和工商联仍然具有重要的地位和不容忽视的作用。我们相信，各民主党派和工商联一定能够在巩固和发展安定团结的局面，促进社会主义现代化建设，发扬民主，加强法制，进行自我教育和促进祖国统一等方面，作出新的更大的贡献。

各民主党派和工商联的成员以及他们所联系的人们中，有大量的知识分子，其中不少同志有较高的文化科学水平，有丰富的实践经验，不少同志是学有专长的专门家，他们都是现代化建设中不可缺少的重要力量。原工商业者中不少人有比较丰富的管理、经营企业和做经济工作的经验，在调整国民经济、搞好现代化建设中可以发挥积极作用。原国民党军政人员以及其他爱国人士也能够利用自己的专长和社会关系，在现代化建设事业和统一祖国的大业中作出自己的有益贡献。目前，在调动和发挥各方面的知识分子、专家以及其他人士的积极作用上，还存在不少问题。他们在工作和生活上，还有一些困难，需要经过调查研究，采取有效措施，逐步予以解决。希望各民主党派协同党和政府，共同努力，把这项工作做好。

在中国共产党的领导下，实行多党派的合作〔90〕，这是我国具体历史条件和现实条件所决定的，也是我国政治制度中的一个特点和优点。一九五六年我国社会主义制度基本确立以后，党中央、毛泽东同志又进一步提出了同各民主党派实行“长期共存、互相监督”的方针，这是一项长期不变的方针。在当前新的长征中，在四项基本原则的指引下，实行互相监督，充分发扬社会主义民主，加强社会主义法制，对于增强和维护安定团结，共同搞好国家大事，是十分重要的。在国家政治生活和各项事业中，由于中国共产党居于领导的地位，党的路线、方针、政策正确与否，工作做得好坏，关系着国家的前途和社会主义事业的成败；同时，由于我们党的执政党的地位，我们的一些同志很容易沾染上主观主义、官僚主义和宗派主义的习气。因此，对于我们党来说，更加需要听取来自各个方面包括各民主党派的不同意见，需要接受各个方面的批评和监督，以利于集思广益，取长补短，克服缺点，减少错误。我们热诚地希望各民主党派和工商联都以主人翁的态度，关心国家大事，热心社会主义事业，就国家的大政方针和各方面的工作，勇敢地、负责地发表意见，提出建议和批评，做我们党的诤友，共同把国家的事情办好。

实现台湾归回祖国，完成统一大业，是全中国人民包括台湾广大骨肉同胞在内的共同愿望，也是我们革命的爱国的统一战线所面临的一项光荣的神圣的任务。我国政府公布的对台湾归回祖国的大政方针，充分考虑了台湾当局和台湾人民的处境、利益和前途，是完全公平合理的。爱国一家，走祖国统一的道路，就有功于民族，有益于人民。我们和国民党曾有过两次合作的历史。现在，完成祖国的统一大业，是顺应历史潮流，合乎人民要求的大事。我们希望同台湾当局共同为祖国的统一携手迈进。台湾同胞富有爱国传统，一定能为祖国统一大业作出宝贵贡献。各民主党派和工商联在台湾同胞、港澳同胞和国外侨胞中有广泛的联系和影响，希望你们在促进台湾归回祖国的事业中，积极贡献力量。

我们正处在承前启后的伟大时代，正在做我们前人所没有做过的伟大事业。在前进的道路上，我们还会遇到困难和阻力，但是，只要我们坚持在四项基本原则的基础上，加强全国各族人民的大团结，不断发展和壮大革命的爱国的统一战线，任何困难都挡不住我们前进，任何阻力都将被我们打破。我们的事业一定要胜利，我们的目标一定能够达到。让我们在马克思列宁主义、毛泽东思想的伟大旗帜下，努力做解放思想的促进派，做安定团结的促进派，做实现四化的促进派，做完成祖国统一大业的促进派，为把我国建设成为社会主义的现代化强国，共同奋斗！

在中国文学艺术工作者第四次代表大会上的祝词

（一九七九年十月三十日）

各位代表，各位同志：

今天，我国各民族的文学家、戏剧家、美术家、音乐家、表演艺术家、电影工作者和其他文艺工作者的代表欢聚一堂，共同总结三十年来文艺工作的基本经验，发扬成绩，克服缺点，商讨在新的历史时期如何繁荣文艺事业，这是一件有重要历史意义的事情。我代表中共中央、国务院，向大会表示热烈的祝贺！

参加这次大会的，有“五四”时期就投入新文化运动的老一辈文艺家；有“五四”以后，在我国革命的不同阶段，为人民解放事业做出贡献的文艺家；有建国以后成长起来的文艺家；也有在同林彪、“四人帮”的斗争中涌现出来的文艺家。参加这次大会的，还有台湾同胞、港澳同胞中的文艺家。这次大会，标志着全国文艺工作者的空前团结。

文化大革命前的十七年，我们的文艺路线基本上是正确的，文艺工作的成绩是显著的。所谓“黑线专政”〔35〕，完全是林彪、“四人帮”的诬蔑。在林彪、“四人帮”猖獗作乱的十年里，大批优秀作品遭到禁锢，广大文艺工作者受到诬陷和迫害。在那个时期，文艺界的许多同志和朋友，正气凛然地对他们进行了抵制和斗争。在我们党和人民战胜林彪、“四人帮”的斗争中，文艺工作者做出了令人钦佩的、不可磨灭的贡献。我在这里，向大家表示亲切的慰问。

粉碎“四人帮”以后，在党中央的领导下，文艺界已经和正在落实党的知识分子政策，过去受到人民欢迎的一大批文艺作品重新和人民见面。文艺工作者心情舒畅，创作热情高涨。短短几年里，通过清算林彪、“四人帮”的罪行和谬论，已经出现了许多优秀的小说、诗歌、戏剧、电影、曲艺、报告文学以及音乐、舞蹈、摄影、美术等作品。这些作品，对于打破林彪、“四人帮”设置的精神枷锁，肃清他们的流毒和影响，对于解放思想，振奋精神，鼓舞人民同心同德，向四个现代化进军，起了积极的作用。回顾三年来的工作，我认为，文艺界是很有成绩的部门之一。文艺工作者理应受到党和人民的信赖、爱护和尊敬。斗争风雨的严峻考验证明，从总体来看，我们的文艺队伍是好的。有这样一支文艺队伍，我们党和人民是感到十分高兴的。

代表们，同志们！

我们的国家已经进入社会主义现代化建设的新时期。我们要在大幅度提高社会生产力的同时，改革和完善社会主义的经济制度和政治制度，发展高度的社会主义民主和完备的社会主义法制。我们要在建设高度物质文明的同时，提高全民族的科学文化水平，发展高尚的丰富多彩的文化生活，建设高度的社会主义精神文明。

同心同德地实现四个现代化，是今后一个相当长的时期内全国人民压倒一切的中心任务,是决定祖国命运的千秋大业。各条战线上的群众和干部,都要做解放思想的促进派,安定团结的促进派,维护祖国统一的促进派,实现四个现代化的促进派。对实现四个现代化是有利还是有害,应当成为衡量一切工作的最根本的是非标准。文艺工作者,要同教育工作者、理论工作者、新闻工作者、政治工作者以及其他有关同志相互合作,在意识形态领域中,同各种妨害四个现代化的思想习惯进行长期的、有效的斗争。要批判剥削阶级思想和小生产守旧狭隘心理的影响,批判无政府主义、极端个人主义,克服官僚主义。要恢复和发扬我们党和人民的革命传统,培养和树立优良的道德风尚,为建设高度发展的社会主义精神文明做出积极的贡献。

在这个崇高的事业中,文艺发展的天地十分广阔。不论是对于满足人民精神生活多方面的需要,对于培养社会主义新人,对于提高整个社会的思想、文化、道德水平,文艺工作都负有其他部门所不能代替的重要责任。

我们的文艺属于人民。我们的人民勤劳勇敢,坚韧不拔,有智慧,有理想,热爱祖国,热爱社会主义,顾大局,守纪律。几千年来,特别是五四运动以后的半个多世纪来,他们满怀信心,艰苦奋斗,排除一切阻力,一次又一次地写下了我国历史上光辉灿烂的篇章。任何强大的敌人都没有把他们压倒。任何严重的困难都没有把他们挡住。文艺创作必须充分表现我们人民的优秀品质,赞美人民在革命和建设中、在同各种敌人和各种困难的斗争中所取得的伟大胜利。

我们的文艺,应当在描写和培养社会主义新人方面付出更大的努力，取得更丰硕的成果。要塑造四个现代化建设的创业者，表现他们那种有革命理想和科学态度、有高尚情操和创造能力、有宽阔眼界和求实精神的崭新面貌。要通过这些新人的形象，来激发广大群众的社会主义积极性，推动他们从事四个现代化建设的历史性创造活动。

我们的社会主义文艺，要通过有血有肉、生动感人的艺术形象，真实地反映丰富的社会生活，反映人们在各种社会关系中的本质，表现时代前进的要求和历史发展的趋势，并且努力用社会主义思想教育人民，给他们以积极进取、奋发图强的精神。

我国历史悠久，地域辽阔，人口众多，不同民族、不同职业、不同年龄、不同经历和不同教育程度的人们，有多样的生活习俗、文化传统和艺术爱好。雄伟和细腻，严肃和诙谐，抒情和哲理，只要能够使人们得到教育和启发，得到娱乐和美的享受，都应当在我们的文艺园地里占有自己的位置。英雄人物的业绩和普通人们的劳动、斗争和悲欢离合，现代人的生活和古代人的生活，都应当在文艺中得到反映。我国古代的和外国的文艺作品、表演艺术中一切进步的和优秀的东西，都应当借鉴和学习。

我们要继续坚持毛泽东同志提出的文艺为最广大的人民群众、首先为工农兵服务的方向，坚持百花齐放、推陈出新、洋为中用、古为今用的方针，在艺术创作上提倡不同形式和风格的自由发展，在艺术理论上提倡不同观点和学派的自由讨论。列宁说过，在文学事业中，“绝对必须保证有个人创造性和个人爱好的广阔天地，有思想和幻想、形式和内容的广阔天地”[91]。围绕着实现四个现代化的共同目标，文艺的路子要越走越宽，在正确的创作思想的指导下，文艺题材和表现手法要日益丰富多彩，敢于创新。要防止和克服单调刻板、机械划一的公式化概念化倾向。

对人民负责的文艺工作者，要始终不渝地面向广大群众，在艺术上精益求精，力戒粗制滥造，认真严肃地考虑自己作品的社会效果，力求把最好的精神食粮贡献给人民。林彪、“四人帮”过去用反动的、腐朽的剥削阶级思想腐蚀人们灵魂，毒化社会空气，使我们的革命传统和优良风尚遭到极大的破坏。我们的文艺工作者，要通过自己的创作提高人民的精神境界，继续同林彪、“四人帮”的恶劣影响进行坚决斗争。对于来自“左”的和右的，总想用各种形式搞动乱，破坏安定团结局面，违背绝大多数人利益和意愿的错误倾向，要保持清醒的头脑；要运用文艺创作，同意识形态领域的其他工作紧密配合，造成全社会范围的强大舆论，引导人民提高觉悟，认识这些倾向的危害性，团结起来，抵制、谴责和反对这些错误倾向。

文艺工作者要努力学习马列主义、毛泽东思想，提高自己认识生活、分析生活、透过现象抓住事物本质的能力。我们希望，文艺工作者中间有越来越多的同志成为名副其实的人类灵魂工程师。要教育人民，必须自己先受教育。要给人民以营养，必须自己先吸收营养。由谁来教育文艺工作者，给他们以营养呢？马克思主义的回答只能是：人民。人民是文艺工作者的母亲。一切进步文艺工作者的艺术生命，就在于他们同人民之间的血肉联系。忘记、忽略或是割断这种联系，艺术生命就会枯竭。人民需要艺术，艺术更需要人民。自觉地在人民的生活中汲取题材、主题、情节、语言、诗情和画意，用人民创造历史的奋发精神来哺育自己，这就是我们社会主义文艺事业兴旺发达的根本道路。我们相信，我们的文艺工作者一定会坚定不移地沿着这条道路不断前进。

文艺工作者还要不断丰富和提高自己的艺术表现能力。所有文艺工作者，都应当认真钻研、吸收、融化和发展古今中外艺术技巧中一切好的东西，创造出具有民族风格和时代特色的完美的艺术形式。只有不畏艰难、勤学苦练、勇于探索的文艺工作者，才能攀登上艺术的高峰。

我们衷心祝愿文艺队伍更加团结壮大。不论是专业的或是业余的文艺工作者，一切社会主义的和爱国的文艺工作者，一切维护祖国统一的文艺工作者，都要更好地互相帮助、互相学习，把全部精力集中于文艺的创作、研究或评论。作品的思想成就和艺术成就，应当由人民来评定。虚心倾听各方面的批评，接受有益的意见，常常是艺术家不断进步、不断提高的动力。在文艺队伍内部，在各种类、各流派的文艺工作者之间，在从事创作与从事文艺批评的同志之间，在文艺家与广大读者之间，都要提倡同志式的、友好的讨论，提倡摆事实、讲道理。允许批评，允许反批评；要坚持真理，修正错误。

老一代文艺工作者，在发现和培养青年文艺工作者方面负有重要的责任。青年文艺工作者年富力强，思想敏锐，是我们文艺事业的未来。应当热情帮助并严格要求他们，使他们既不脱离生活，又能在思想上、艺术上不断进步。中年文艺工作者是我们文艺队伍的骨干力量，要充分发挥他们的作用。

必须十分重视文艺人才的培养。在一个九亿多人口的大国里，杰出的文艺家实在太少了。这种状况与我们的时代很不相称。我们不仅要从思想上，而且要从工作制度上创造有利于杰出人才涌现和成长的必要条件。

各级党委都要领导好文艺工作。党对文艺工作的领导，不是发号施令，不是要求文学艺术从属于临时的、具体的、直接的政治任务，而是根据文学艺术的特征和发展规律，帮助文艺工作者获得条件来不断繁荣文学艺术事业，提高文学艺术水平，创作出无愧于我们伟大人民、伟大时代的优秀的文学艺术作品和表演艺术成果。当前，要着重帮助文艺工作者继续解放思想，打破林彪、“四人帮”设置的精神枷锁，坚持正确的政治方向，从各个方面，包括物质条件方面，保证文艺工作者充分发挥自己的聪明才智。我们提倡领导者同文艺工作者平等地交换意见；党员作家应当以自己的创作成就起模范作用，团结和吸引广大文艺工作者一道前进。衙门作风必须抛弃。在文艺创作、文艺批评领域的行政命令必须废止。如果把这类东西看作是坚持党的领导，其结果，只能走向事情的反面。要坚持辩证唯物主义的思想路线，从三十年来文艺发展的历史中，分析正反两方面的经验，摆脱各种条条框框的束缚，根据我国历史新时期的特点，研究新情况，解决新问题。林彪、“四人帮”那一套荒谬做法，破坏了党对文艺工作的领导，扼杀了文艺的生机。文艺这种复杂的精神劳动，非常需要文艺家发挥个人的创造精神。写什么和怎样写，只能由文艺家在艺术实践中去探索和逐步求得解决。在这方面，不要横加干涉。

各位代表，各位同志！

毛泽东同志早在开国的时候就指出：“随着经济建设的高

潮的到来,不可避免地将要出现一个文化建设的高潮。”〔92〕经过艰苦的斗争,克服重重困难,我们粉碎了“四人帮”,扫除了前进道路上的最大障碍。现在,我们可以满怀信心地说,这种形势的出现已经为期不远;真正实现百花齐放、百家争鸣这个马克思主义方针的条件,也在日益成熟。我国文学艺术蓬勃繁荣、争奇斗艳的新阶段,必将通过广大文艺工作者的辛勤劳动,展现在我们面前。

这次大会,是全国文艺工作者在新长征中的第一次盛会。同志们是带着自己的丰硕成果来出席大会的。我们相信,大会以后,同志们一定会拿出越来越多、越来越好的艺术成果,向祖国和人民汇报。

谨祝大会完满成功!

高级干部要带头发扬党的优良传统*

（一九七九年十一月二日）

今天我想对我们高级干部讲几个问题。

第一个问题　高级干部的生活待遇

中央和国务院准备下发的《关于高级干部生活待遇的若干规定》这个文件，是以中央纪律检查委员会为主，由有关方面参加起草的，还准备根据在座同志讨论的意见作必要的修改。我看了大家讨论的意见很高兴，因为大家都赞成作这样的规定，而且要求规定得更严格一点，更具体一点。这反映了我们高级干部的绝大多数是关心我们党和国家的全局的，对全局的情况是有所了解的。这个文件经政治局讨论通过以后，准备先在内部发下去试行，然后再正式公布。这个规定基本上是重申文化大革命以前的一些有关规定，没有很多的新章程，有的比那个时候还放宽了一点。如房子问题，就比那个时候放宽了一点。文件规定每人只能有一处房子，但这个一处就有大有

＊ 这是邓小平同志在中央党、政、军机关副部长以上干部会上的报告。

小。现在有极少数人有两三处啊！不只是在高级干部中有这种情况，下面的干部也有啊！文件规定，不管你占的房子面积有多大，除了办公的、会客的公用部分外，都要交房租。文化大革命以前也是这样办的，我们都交了。其他好多规定，如坐小汽车办私事要交费，文化大革命以前也是交费的。现在，基本上还是把我们的老章程恢复起来，没有更多新的苛刻的规定。所以我说这个规定可以行得通，因为文化大革命以前就实行通了嘛。

看来，作出这个规定稍迟了些，实在是因为顾不上。但现在再不作这样的规定，我们就无法向人民交代了。大家知道，最近一个时期，人民群众当中主要议论之一，就是反对干部特殊化。要讲特殊化，恐怕首先表现在高级干部身上。当然，我不是说所有的高级干部都是这样，我们的许多高级干部是很艰苦朴素的，但确实有些人特殊化比较厉害。这种情况，在中下层干部中也有。如某些公社党委书记，某些县委书记，某些厂矿企业的同志，他们那个特殊化也比较厉害。应该看到，这不单是一个党风问题，而且形成了一种社会风气，成了一个社会问题。现在，我们先从对高级干部的生活待遇作出规定开始，再逐步地作出关于各级干部的生活待遇问题的一些规定，克服特殊化。只要高级干部带头，这个事情就好办了。人民群众反对特殊化，下面干部反对特殊化，首先是对着我们这些高级干部的。但是，不只是对着高级干部，还有中下层干部。人民群众对干部特殊化是很不满意的。

现在，广大群众最为关切的有三大问题：一个是物价涨，一个是干部特殊化，还有一个是房子紧张。人民群众（包括党员、干部）普遍地对特殊化现象（包括走后门）不满意，一些别有用心的人利用这个问题闹事。“西单墙”〔93〕和混在上访人员中的少数坏人就是利用这个东西。我们确实要冷静地想一想，有些现象是不像话呀！有的人追求舒适生活，房子越住越宽敞，越漂亮，越高级。有的人为了自己的方便，可以做出各种违反规章制度的事情。这使我们脱离群众，脱离干部，把风气搞坏了。人们对这些现象很敏感。

我们必须恢复和发扬党的艰苦朴素、密切联系群众的优良传统。我们大家都是从苦里过来的，经历过不少困难的时期，土地革命时期，抗日战争时期，解放战争时期。抗美援朝〔3〕的时候也是很苦的啊！为什么过去很困难的局面我们都能渡过？根本的问题是我们的干部、党员同人民群众一块苦。回想一九五八年、一九五九年我们犯了那么“左”的错误，使国民经济遇到很大困难，不得不把国家基本建设投资由近三百亿元减到五十多亿元，还下放了两千万职工，关了一些企业。那个时候为什么能这样做？那一次调整国民经济进行得比较顺利，是什么原因呢？就是因为党和群众的关系密切，党的威信比较高，把困难摆到人民面前，对群众讲清道理，做了大量的工作。单单两千万人下放这一件事情，就不容易呀。如果党和政府没有很高的威信是办不到的。另外，那个时候整个风气也不同，我们的干部比较接近群众，所以能够很快渡过困难。应该说，现在的物质条件比那个时候好一些，人民的生活除了住房以外，都比那个时候好一些。既然这样，为什么群众对我们还有那么多意见？这确实同我们脱离群众，特别是同高级干部脱离群众有直接关系。当然，这也同我们的工作，包括宣传工作、教育工作都做得不够有关系。我们没有把问题摆到群众面前，取得共同的认识，同群众一起商量解决问题。

我们脱离群众，干部特殊化是一个重要的原因。干部搞特殊化必然脱离群众。我们的同志如果对个人的、家庭的利益关心得太多了，就没有多大的心思和精力去关心群众了，顶多只能在形式上搞一些不能不办一办的事情。现在有少数人就是做官当老爷，有些事情实在不像话！脱离群众，脱离干部，上行下效，把社会风气也带坏了。过去我们一个党委书记，比如一个县委书记、一个公社党委书记，有现在这么大的权力吗？没有啊！现在有极少数人拿着这个权力侵占群众利益，搞生活特殊化，甚至横行霸道，为非作歹，还好像是理所当然。近来上访人员很多，其中确实有少数坏人；也有一部分人反映的问题有道理或有一定道理，但由于当前条件的限制，一时难以解决；还有相当一部分人反映的许多问题，按照党和政府的现行政策，是应该和能够解决的。但是，我们有少数同志对于这些应该而又能够解决的问题，却采取官僚主义态度，漠不关心，久拖不决，个别人甚至违法乱纪，搞打击报复。这就是非常错误和不能允许的了。如果我们高级干部首先把这方面存在的问题解决了，就能理直气壮地去解决全国在其他方面存在的这类问题。上面的问题不解决，我们就没有讲话的权利，人们会问，你们自己怎样呢？总之，搞这个生活待遇的规定现在是时候了。

我还要说一说，我们有些高级干部不仅自己搞特殊化，而且影响到自己的亲属和子女，把他们都带坏了。有少数同志在本单位、在其他地方，反映都不大好，很多是由于子女干了坏事，家长背了黑锅。比如文化大革命以前，我们党的、国家的机密保守得比较好，很少泄露出去。现在有些干部的子女可以随便看机密文件，出去随意扩散，个别的甚至向外国人卖情报，送情报。这是我们现在许多事情保不了密的一个重要原因。顺便说一下，我们现行的有些做法非改不行。过去规定，机密文件不能出办公室，保密员带文件出差要两个人同行，不能一个人出去。现在却有人把机密文件随便放在自己皮包里，随便带到什么地方去。文件个人保管，喜欢放在哪里就放在哪里，这样不行！应该有章程嘛。现在没有办公制度，有些高级干部习惯于在家里办公。我不是说少数年老体弱的同志不可以在家里办公，但是一般的不应该这样做。好多事情，集体办公一下就解决了，为什么非把文件传过来传过去，尽画圈，这不是官僚主义？有的事画圈画了半年还解决不了，究竟是赞成还是反对，也不知道。

为了整顿党风，搞好民风，先要从我们高级干部整起。实行《关于高级干部生活待遇的若干规定》会带来很多好处，首先官僚主义自然而然会减少一些。当然，我们的生活会没有过去那么舒服，但比一般干部和人民群众还是不知要好多少。有时也会有些不方便，比如坐小汽车去看电影，就要出点钱。你不愿意花那个钱，不看就是了，有什么了不起？这个规定一经中央和国务院下达，就要当作法律一样，坚决执行，通也要执行，不通也要执行。

文化大革命以前，我们曾经提出过，怎样使高级干部同下面干部和人民群众的生活比较接近一点，我们曾经把高级干部的工资标准降低了三次，并且明确规定高级干部的工资标准不再增加，以后只能在发展生产的基础上逐步提高广大干部和职工的工资，改善群众的生活。考虑到高级干部在工作上的某些需要，今后他们的工资标准不再降低，但也不能同一般干部和职工差距太大，不能同群众的生活差距太大。不要享受那些特殊的待遇，那些特殊的待遇往往比工资还多。我们的高级干部现在并不是工资太高，而是其他方面的待遇太宽了。这样就要脱离群众，脱离干部，甚至腐蚀自己的子女和家庭，把风气带坏了，官僚主义也无法克服。所以，对于实行这个规定，从我们中央政治局的同志起，大家都要有足够的思想准备。有困难要忍耐一下。只有这样，我们大家才有发言权。

这个文件中央政治局还没有正式讨论通过，但是中央下决心要解决这个问题。下这个决心是不容易的，是知道要得罪人的。会有少数人思想不通，我们就先得罪这少数人。一般来讲，大家原则上都会赞成，具体执行起来思想就可能有些不通了，一接触到每一个人的具体事情就可能有些不通了。要想通这个问题。不但自己要自觉遵守这个规定，而且要做好自己的亲属和子女的工作，做好有关人员的工作。大家应该想想过去，现在比过去好得多了嘛。

第二个问题　认真选拔接班人

解决干部生活待遇方面存在的问题首先要从高级干部着手，选拔接班人更和高级干部有直接的关系。

现在我们国家面临的一个严重问题，不是四个现代化的路线、方针对不对，而是缺少一大批实现这个路线、方针的人才。道理很简单，任何事情都是人干的，没有大批的人才，我们的事业就不能成功。所以，现在我们搞四个现代化，急需培养、选拔一大批合格的人才。这是一个新课题，也是对老同志和高级干部提出的一个责任，就是要认真选好接班人。老干部现在大体上都是六十岁左右的人了，六十岁出头的恐怕还占多数，精力毕竟不够了，不然为什么有些同志在家里办公呢？为什么不能在办公室顶八小时呢？我们在座的同志中能在办公室蹲八小时的确实有，是不是占一半，我怀疑。我们老同志的经验是丰富的，但是在精力这个问题上应该有自知之明。就以我来说，精力就比过去差得多了，一天上下午安排两场活动还可以，晚上还安排就感到不行了。这是自然规律，没有办法。粉碎"四人帮"以来，我们把老同志都陆续请回来了，并且大体上恢复了原来的或者相当于原来的职务。这样，我们的干部就多起来了。把老同志请回来是完全必要的，是非常正确的。现在我们面临的问题，是缺少一批年富力强的、有专业知识的干部。而没有这样一批干部，四个现代化就搞不起来。我们老同志要清醒地看到，选拔接班人这件事情不能拖。否则，搞四个现代化就会变成一句空话。我想同志们都会听到和看到这方面很多事实的。

我们老干部的责任就是要认真选好接班人。我前不久出去，一路上都谈这个问题。这次叶剑英〔24〕同志的国庆讲话里面也讲了。这件事要由老同志和高级干部亲自来做，搞调查研究，找人谈话，听群众意见，准备交班。现在任何一个老同志和高级干部，合乎不合乎党员标准和干部标准，就看他能不能认真选好合格的接班人。我们要求三几年内调整、安排好各级领导班子(包括党支部)的一、二、三把手。高级一点的机关,可以考虑先解决选拔较年轻的同志当二、三把手的问题,老同志继续坐镇一段时间,还当第一把手;下面的机关能够选到好的青年人当第一把手,就直接选。如果我们不能在三几年内从上到下解决这个问题,将来就更难办了。对青年人我们要具体分析,有少数青年人受“四人帮”的思想体系的毒害很深,至今还不悔悟,我们决不能选这种人当接班人。如果我们现在不注意这个问题,将来我们都不在了,或者管不了事了,会有大批这样的人上来接班,会给我们党、我们国家带来灾难。现在我们不是把林彪、“四人帮”横行时期的好多案都翻过来了吗?如果让那些人来接班、掌权,他们还是要翻了回去的。

现在我们提出选拔接班人,有个好的条件,就是人们的政治面貌清楚了。叶剑英同志在国庆讲话里,提出了三条标准:一是坚决拥护党的政治路线和思想路线;二是大公无私,严守法纪,坚持党性,根绝派性;三是有强烈的革命事业心和政治责任心,有胜任工作的业务能力。另外,从精力上说,能够顶着干八小时工作,这一点切不要忽略。做四个现代化的闯将,没有专业知识是不行的,没有干劲是不行的,没有精力是不行的。不管你的见解多么高明,如果没有精力,要做好工作是很困难的。我们一定要认识到,认真选好接班人,这是一个战略问题,是关系到我们党和国家长远利益的大问题。如果我们在三几年内不解决好这个问题,十年后不晓得会出什么事。要忧国、忧民、忧党啊!要看到这是个带根本性质的问题。我们有正确的思想路线,有正确的政治路线,如果组织问题不解决好,正确的政治路线的实行就无法保证,我们向党和人民就交不了帐。

我们的高级干部一定要亲自负责去选合乎上面讲的三个条件的干部做接班人。首先我们自己的思想要通，要积极主动去做，不能只靠中央组织部，因为他们不懂各行各业，也不会熟悉所有的干部。选拔接班人要越快越好，现在我们工作中真正的骨干大都是四十岁左右的人，三十岁左右的骨干还很少，我们应该把这层骨干大胆地提拔起来。在座的同志过去负重要责任的时候年龄都不大，当团长、当师长的，有的当军长的，也只是二十几岁，难道现在的年轻人比那个时候的年轻人蠢？不是。是因为被我们这些人盖住了，是论资排辈的习惯势力使得这些年轻人起不来。好多同志在他们没有到领导岗位以前好像不行，其实把他们一提起来，帮助他们一下，很快就行了嘛。

我们军队的高级机关，比如大军区，也要选一点比较年轻的干部。军队有它的特殊性，干部还是要一个台阶一个台阶地来提，但是也要打破老框框才行。地方和军队不同，企业单位和军队也不同，学校、科研单位和军队更不同，选拔人才可以破格。有些省、市、自治区党委也提了一两个稍微年轻一点的干部，但所谓年轻，也是四十多、五十岁左右了，而且名字总是排在尾巴上，这也说明没有完全打破框框。还有一个问题，就是领导班子的成员太多，一个党委常委往往有十五六个，十七八个，甚至更多。现在，我们就是要认真选拔比较年轻的、年富力强的同志，当中下级领导机关的一、二把手，当高级领导机关的二、三把手。并且准备再过两三年、四五年由他们来接替一把手。如果选错了，那就换嘛，也来得及。

关于学校和科学研究单位培养、选拔人才的问题，我昨天在中国科学院成立三十周年纪念会上讲了，要建立学位制度，也要搞学术和技术职称。现在有几个年轻的科学家国内国际都出了名了，为什么不能够提为教授，提为研究员？在学术上，只要有创造，有贡献，就应该评给相应的学术职称，不能论资排辈。在工厂，总要选业务能力和管理水平比较高的人当厂长，不管他年龄大小，辈数高低，不能讲这个。告诉大家一个情况，我们搞的那个选举车间主任和班组长的制度，在有些单位试行的效果很好，重要的一条是把办好企业同工人的切身利益结合起来了。凡是工人民主选举的人，都是他们认定可以把企业办好的人，因为办好企业工人有奖金，对国家的贡献也大。现在只解决了选举车间主任和班组长的问题，将来厂长、经理怎么选拔，很值得研究。

总之，要抓紧培养、选拔专业人才，才能搞好四个现代化。在学校里面，应该有教授（一级教授、二级教授、三级教授）、副教授、讲师、助教这样的职称。在科学研究单位，应该有研究员（一级研究员、二级研究员、三级研究员）、副研究员、助理研究员、研究实习员这样的职称。在企业单位，应该有高级工程师、工程师，总会计师、会计师等职称。凡是合乎这些标准的人，就应该授予他相应的职称，享受相应的工资待遇。现在工资规定低一点也可以，但不能太低，不能搞平均主义，不能吃大锅饭。在一个研究所里，好的研究员的工资可以比所长高。在一个学校里，好的教授的工资可以比校长高。这样才能鼓励上进，才能出人才。我们就是要建立这样一套制度，使那些有专业知识的、年富力强的人，被选拔到能够发挥他们才干的工作岗位上来。这里我还要说一下，对科学家一般不要用行政事务干扰他们，要尽量使他们能够集中主要精力去钻研业务，搞好科研工作。

我们要特别注意选拔中年干部。也许再过五年，大学毕业生里会出现一批人才，他们的年龄都在三十岁以下，对这些人我们要注意提拔。但是从现在的状况来说，重点应该放在选拔中年干部，要选拔他们当中合乎三个条件的人接班，老同志要让路。我们要破格选拔人才，不要按老规矩办事，要想到这是百年大计。先不说百年大计，十年大计首先要想嘛。一九七五年我就想到过这个问题，那个时候毛主席要我来主持中央工作，王洪文〔43〕就跑到上海去跟人说，十年后再看。当时我跟李先念〔84〕同志谈过这个事情，十年后我们这些人变成什么样子了？从年龄来说，我们斗不过他们呀，在座的同志也斗不过他们。如果坚持“四人帮”思想体系的人将来掌权，你们也斗不过他们，你们能活多久啊？即使生命还在，脑袋也不管用了，这是自然规律。

我们说资本主义社会不好，但它在发现人才、使用人才方面是非常大胆的。它有个特点，不论资排辈，凡是合格的人就使用，并且认为这是理所当然的。从这方面来看，我们选拔干部的制度是落后的。论资排辈是一种习惯势力，是一种落后的习惯势力。

选拔干部，选拔人才，只要选得好，选得准，我们的事业就大有希望。道理很明显，只是确定了正确的思想路线和政治路线，确定了实现四个现代化的目标还不够，还需要有人干。谁来干？反正靠我们坐在办公室画圈圈不行，没有希望。现在真正干实际工作的还是那些年轻人。既然这样，为什么不可以把他们提到领导岗位上来？有人说他们压不住台，帮他们压嘛。现在庙也太多了，我们最近考虑，国务院的部委分得那样多好不好？部委下面有没有必要设那么多司局？军队是不是需要搞那么多兵种？可不可以适当改革一下？我认为，把我们地方的领导机关和军队的指挥机关搞得这样庞大、这样臃肿是不行啊！现在到处都可以看到，我们的官僚主义、官僚机构、官僚制度的害处极大。现在的庙很多，每个庙里的菩萨也很多，老同志盖住了，年轻人上不来。所以，我们要改革现行的干部工作制度，建立有利于提拔年轻干部的制度。

前几年，我提出搞顾问制度，但并没有完全行通，许多人不愿意当顾问。现在看来，要真正解决问题不能只靠顾问制度，重要的是要建立退休制度。这个问题，同我们每个人都有密切关系，请同志们好好地考虑一下。不建立这个制度，我们的机构臃肿、人浮于事的状况，以及青年人上不来的问题，都无法解决。有了退休制度，对各个部门、各级职务的干部的退休年龄有了明白规定，就可以使人人都知道自己到哪一年该退休。文化大革命以前，我们曾经考虑过建立干部退休制度，但当时感到不那么迫切，当时在座的同志大多是四十七八岁。一九六六年到现在十三年，在座的同志大多是六十岁左右了，这个问题迫切了，到了解决的时候了。实行退休制度是不是看不起哪个同志？不是看得起看不起哪个人的问题。这是关系到我们党和国家兴旺发达、朝气蓬勃的一个大问题。看来，顾问制度还是一个出路，应该保留，但更重要的是要建立退休制度。不少同志提出这个意见，我们还没有正式讨论，今天我先发个议论吧。

老同志现在的责任很多，第一位的责任是什么？就是认真选拔好接班人。选得合格，选得好，我们就交了帐了，这一辈子的事情就差不多了。其他的日常工作，是第二位、第三位、第四位、第五位、第六位的事情。第一位的事情是要认真选拔好接班人。

我今天讲的话，对高级干部来说不是那么愉快的。你看，现在老干部倒了霉了，对生活待遇作了规定，要受到一些限制，特殊化基本上是不能搞了，又提到退休的问题，提到庙里的菩萨让出来、新的菩萨去坐位的问题，等等。这不是矛头都对着老家伙了？我看，不能这样认识，在这个问题上我们要自觉。我自己就有这个想法，如果党允许我今天退休，我马上就退休。这是真话，不是假话。从整个事业看，我现在还不可能退休，我想大家也不会赞成。但是，就我个人的心情来说，确实感到这个问题太重要了。我们要向前看，我们这个事业是千秋万代的事业啊！我们现在提出的、面临的是十年内必然或者可能遇到的一些重大问题。如果再想远一点，二十年后，还可能遇到什么问题，会不会发生什么事情啊？二十年后，在座的同志还能有几个人在？当然，希望大家长寿，但是自然规律不可抗拒。现在我们不想远一点，看远一点，不从我们党和国家的根本利益来考虑这个问题，我们就得不出正确结论，好多问题就下不了决心，处理不下去。

第三个问题 切实关心群众生活

我们党同人民群众的关系过去是很好的。密切联系群众，是我们党的一个优良传统。林彪、“四人帮”极大地破坏了我们党的这个优良传统。但是，把脱离群众这个问题统统归到林彪、“四人帮”身上也不合乎实际，我们自己也有责任。一些脱离群众的制度，包括那些特殊待遇在内，文化大革命前有的已经有了，但远没有现在这样厉害。当时大家都能自我约束，对群众比较关心，现在不同了。过去领导同志到一个单位去，首先到厨房去看看，还要看看厕所，看看洗澡的地方。现在这样做的人还有，但是不多了。很多同志根本不去同群众接触，一个学校的负责人，不去跟学生谈话，甚至于跟教员都不大接触。我们的历史经验是，越是困难的时候，越要关心群众。只要你关心群众，同群众打成一片，不仅不搞特殊化，而且同群众一块吃苦，任何问题都容易解决，任何困难都能够克服。

顺便说一说宣传教育工作。我们的宣传教育工作是很重要的，也有很大的成绩。但是，最近在有些问题的宣传上，确有考虑不周和片面性的地方，使我们下面工作的同志遇到一些困难。举例来说，《人民日报》对上访问题发表过两篇文章〔94〕，时间相隔不久。第一篇是九月十七日，文章一出去，上访人员呼噜呼噜地都上来了；第二篇是十月二十二日，文章把道理讲清楚了，上访人员很快就减少了。这说明什么呢？说明单单是报纸的舆论就可以发生这样大的影响。如果我们各个单位真正把国家面临的问题给群众讲清楚，甚至把今天的困难同一九六二年的困难[95]做个比较，还把我们现在采取了什么办法来克服困难，都向群众讲清楚，群众的情绪、群众的反映肯定不同。只要我们密切联系群众，深入地做工作，把道理向群众讲清楚，就能得到群众的同情和谅解，再大的困难也是能够克服的。

现在出现的一些问题，反映我们较长时间以来相当地脱离群众。我们要向群众做细致的思想工作，包括对那些经常在“西单墙”贴大字报、发表演讲的人，也要做细致的思想工作。当然，对极少数坏人也要打击一下。对他们要有两手，不能只有一手，应该把教育分化当作主要的一手。我们提出经济工作调整、改革、整顿、提高的八字方针，是完全正确的，调整经济越看越必要。但是由于我们工作没跟上，有相当一些人把八字方针错误地看作“泄气”方针。再加上提高物价，他们就感到四个现代化没希望了。所以，我们的工作一定要跟上，包括我们的舆论工具也要跟上。每个地方、每个单位遇到任何问题，都应该主动向群众宣传和解释，做好工作。要注意听取群众的呼声，同群众商量办事，共同克服困难。有的学校学生提出生活问题，说厨房没有人管，菠菜就切这么一下，连沙子都煮到锅里面去了。你切细一点，把沙子淘干净，这总可以办得到吧，这并不要增加经费。可是，工作不深入，不跟群众接近，不跟下面干部接近，就不能解决这些问题。现在发生的许多问题，有许多群众上访，往往是由于我们工作跟不上，没有做好工作引起的。当然，上访人员里边的一些坏人搞违法乱纪的事，那就不能说是我们的工作问题了。

现在需要全国的干部，首先是高级干部起模范带头作用，把我们党的艰苦朴素、密切联系群众的传统作风很好地恢复起来，坚持下去。我们搞四个现代化，因为经验不足，会面临多方面的困难。例如管理人员缺乏，技术人员缺乏，就是困难。又如改造一个企业就要减人，减下的人怎么安置，这也是困难。又如我们要建立退休制度，这是很正确的，但是也会有很多人思想抵触，这也是很大的困难。这些问题，归根到底，只有相信群众，依靠群众，充分走群众路线，才能够得到解决。发扬党的密切联系群众的传统作风，要靠我们老干部起模范带头作用。要培养、选拔一批年轻干部到各级领导岗位上来，老干部对他们要传帮带，要给他们树立一个好的作风，要使他们能够继承和发扬党的艰苦朴素、密切联系群众等优良作风。要使他们懂得，不只是年轻就能解决问题，不只是有了业务知识就能解决问题，还要有好的作风。密切联系群众，这是最根本的一条。不要“做官当老爷”，要反对“衙门作风”，这是毛泽东同志的一些根本的思想观点，现在我们还是应该按照这些思想观点去办事。

同志们！我们的高级干部都是长期受党的培养教育、久经考验的老同志，绝大多数都是坚决听党的话、按党的指示办事的，是对林彪、“四人帮”进行了抵制和斗争的，是忠心耿耿、全心全意为党和人民的事业努力工作的，是保持了党的优良传统和作风的。我们相信，在新的历史条件下，在实现四化的新长征道路上，大家一定会积极响应党的号召，模范地带头发扬党的艰苦朴素、密切联系群众的优良传统，自觉地遵守有关规定，坚决反对特殊化，纠正一切不正之风，一定会认真选拔、培养好接班人，逐步地做好交班工作，完成自己的光荣使命。

社会主义也可以搞市场经济*

（一九七九年十一月二十六日）

吉布尼：我们想，中国这样一个国家多少年来，对美国来说是关闭的，现在要这样高速度实现现代化，真是一个了不起的大挑战，确实像重新开展一场革命似的。

邓小平：确实是一场新的大革命。我们革命的目的就是解放生产力，发展生产力。离开了生产力的发展、国家的富强、人民生活的改善，革命就是空的。我们反对旧社会、旧制度，就是因为它是压迫人民的，是束缚社会生产力发展的。这个问题现在是比较清楚了。过去"四人帮"提出宁要贫穷的社会主义，也不要富裕的资本主义，那是荒谬的。

当然我们不要资本主义，但是我们也不要贫穷的社会主义，我们要发达的、生产力发展的、使国家富强的社会主义。我们相信社会主义比资本主义的制度优越。它的优越性应该表现在比资本主义有更好的条件发展社会生产力。这本来是可能的，但过去人们有不同的理解，于是我们发展社会生产力的进程推迟了，特别是耽误了十年。中国六十年代初期同世界上

---

* 这是邓小平同志会见美国不列颠百科全书出版公司编委会副主席吉布尼和加拿大麦吉尔大学东亚研究所主任林达光等谈话的一部分。

有差距，但不太大。六十年代末期到七十年代这十一二年，我们同世界的差距拉得太大了。这十多年，正是世界蓬勃发展的时期，世界经济和科技的进步，不是按年来计算，甚至于不是按月来计算，而是按天来计算。我们建国以来长期处于同世界隔绝的状态。这在相当长一个时期不是我们自己的原因，国际上反对中国的势力，反对中国社会主义的势力，迫使我们处于隔绝、孤立状态。六十年代我们有了同国际上加强交往合作的条件，但是我们自己孤立自己。现在我们算是学会利用这个国际条件了。

我们要实现四个现代化。定了这个目标，要靠我们的努力，靠我们的方针政策对头，靠具体的措施有力，才能实现。现在人们怀疑，中国能不能实现现代化目标，问我们提出这个目标有什么根据。我们的根据可以讲有四条。

第一条，我们有丰富的资源。中国地方大，在能源方面，在矿藏方面，无论是黑色金属、有色金属还是稀有金属，中国没有的很少。这些资源要是开发出来，就是了不起的力量。

第二条，三十年来，不管我们做了多少蠢事，我们毕竟在工农业和科学技术方面打下了一个初步的基础，也就是说，有了一个向四个现代化前进的阵地。我们现在有二百多万台机床，石油年产量超过一亿吨，煤炭超过六亿吨，只有钢才三千多万吨。总之，我们还是建立了实现四个现代化的物质基础。

第三条，我们相信中国人不笨。有十来年，林彪、“四人帮”的精神枷锁束缚了人们的思想，限制了人们充分发挥智慧和创造性。现在，我们提倡解放思想，重申毛泽东主席提出的“百花齐放、百家争鸣”的方针，目的就是创造条件调动全民的积极性，使中国人的聪明智慧充分地发挥出来。我们现在加强民主、发展民主也是为了这个目的。我们发展民主，有人误解是提倡无政府主义。实际上林彪、“四人帮”的时候才是搞无政府主义。在无政府主义状况下不可能搞建设。你们如果是五十年代、六十年代初来，可以看到中国的社会风尚是非常好的。在艰难的时候，人们都很守纪律，照顾大局，把个人利益放在集体利益当中，放在国家利益、社会利益当中，自觉地同国家一道来渡过困难。一九五九年开始的三年困难时期就是这样渡过的。林彪、“四人帮”把这种社会风气彻底破坏了。现在北京有个“西单墙”〔93〕，就是那些不劳动的人，经常闹事的人，“四人帮”思想体系中毒很深的人在那里活动，有的还搞特务活动。其中也有一部分人尽管有错误，还是好意的，但是，里面实际上是“四人帮”思想体系统治着。他们搞极端个人主义、无政府主义。这种青年是极少数，但是能量比较大。我们对这些人采取严肃的态度，是为了教育年青一代。所以我们提出在加强民主的同时，要加强社会主义法制。我们要解放思想，也要恢复我们长期已有的好的社会风尚。我们说充分调动人们的积极性来实现四个现代化，也有个条件，就是要实现安定团结这样一种社会政治局面。我们还要注意一点，就是培养人才的问题。多年来我们放松了科学研究和教育，这方面损失是很大的。我们要加强科学教育事业，要发现人才，很好地使用人才。归根到底，就是要发挥积极性，只要把人们的聪明才智调动起来，我们还是有希望的。

第四条，实现四个现代化必须有一个正确的开放的对外政策。我们实现四个现代化主要依靠自己的努力，自己的资源，自己的基础，但是，离开了国际的合作是不可能的。应该充分利用世界的先进的成果，包括利用世界上可能提供的资金，来加速四个现代化的建设。这个条件过去没有，后来有了，但一段时期没有利用，现在应该利用起来。

四个现代化建设的方针和目标是毛泽东主席和周恩来总理生前提出的，由于“四人帮”的干扰，实际上没有真正地做起来。粉碎“四人帮”之后，要花很大的精力处理“四人帮”干扰造成的许多问题。去年开始我们才真正地把重点转到四个现代化建设上来。就我们国内来说，什么是中国最大的政治？四个现代化就是中国最大的政治。我们搞四个现代化一定会有许多复杂的问题需要解决，还会不断地遇到困难。比如，我们现在机构臃肿，人浮于事。比如，我们要掌握现代科学技术，可是人才不够。比如，我们需要有一个安定团结的政治局面，我们现在基本上有了，但还存在不少的问题。比如，我们参加国际合作，在充分吸收外国的先进科学技术和资金方面，也还要摸索经验。尽管有这样那样的困难和问题，但是我相信我们现在走的路是正确的。这些障碍，这些困难，这些不足，我们相信是可以逐步解决，逐步克服的。这三两年内可能看不出突出的成绩，过几年面貌会看得更清楚。现在尽管人们还有怀疑，但是中国的领导人、中国的绝大多数人是有信心的，是相信这个事业能够成功的。

吉：美国犯了一个很大的错误，就是看社会主义中国的时候，把它看成和苏联的社会主义是一模一样的。那末中国开始的时候是否确实也有这方面的思想混乱，即完全模仿和学习了苏联社会主义的道路，而不是采取一种中国式的社会主义道路？

邓：中国的社会主义道路与苏联不完全一样，一开始就有区别，中国建国以来就有自己的特点。我们对资本家的社会主义改造，是采取赎买的政策，不是剥夺的政策。所以中国消灭资产阶级，搞社会主义改造，非常顺利，整个国民经济没有受任何影响。毛泽东主席提出的中国要形成既有集中又有民主，既有纪律又有自由，既有统一意志又有个人心情舒畅、生动活泼的政治局面，也与苏联不同。但是，我们有些经济制度，特别是企业的管理、企业的组织这些方面，受苏联影响比较大。这些方面资本主义国家先进的经营方法、管理方法、发展科学的方法，我们社会主义应该继承。在这些方面我们改革起来还有许多困难。

吉：我看到中国人民的积极性正在被调动起来，是很了不起的，但是不是可能在将来某个时候，虽然中国仍是个社会主义国家，但在中国社会主义制度范围之内，在继续中国社会主义经济的同时，也发展某种形式的市场经济？

邓：这个只能是表现在外资这一方面。就我们国内来说，不存在这个问题。我们国内还是全民所有制，或者集体所有制。也还可能包括一部分华侨的投资，这部分也可能是资本主义经济的形式，但是绝大多数华侨都是带着爱护和发展社会主义祖国这个愿望来的，与纯粹的外国投资不同。人们有这样的怀疑，中国这样搞四化会不会走资本主义道路。我们肯定地说，不会。现在，我们国内的资产阶级已经不存在了。过去的资本家还有，他们的成分已经改变了。外资是资本主义经济，在中国占有它的地位。但是外资所占的份额也是有限的，改变不了中国的社会制度。社会主义特征是搞集体富裕，它不产生剥削阶级。

林达光：您是不是认为过去中国犯了一个错误，过早地限制了非资本主义的市场经济，这方面限制得太快，现在就需要在社会主义计划经济的指引之下，扩大非资本主义的市场经济作用？

邓：说市场经济只存在于资本主义社会，只有资本主义的市场经济，这肯定是不正确的。社会主义为什么不可以搞市场经济，这个不能说是资本主义。我们是计划经济为主，也结合市场经济，但这是社会主义的市场经济。虽然方法上基本上和资本主义社会的相似，但也有不同，是全民所有制之间的关系，当然也有同集体所有制之间的关系，也有同外国资本主义的关系，但是归根到底是社会主义的，是社会主义社会的。市场经济不能说只是资本主义的。市场经济，在封建社会时期就有了萌芽。社会主义也可以搞市场经济。同样地，学习资本主义国家的某些好东西，包括经营管理方法，也不等于实行资本主义。这是社会主义利用这种方法来发展社会生产力。把这当作方法，不会影响整个社会主义，不会重新回到资本主义。

中国本世纪的目标是实现小康*

（一九七九年十二月六日）

四个现代化这个目标是毛主席、周总理在世时确定的。所谓四个现代化，就是要改变中国贫穷落后的面貌，不但使人民生活水平逐步有所提高，也要使中国在国际事务中能够恢复符合自己情况的地位，对人类作出比较多一点的贡献。落后是要受人欺负的。

我们要实现的四个现代化，是中国式的四个现代化。我们的四个现代化的概念，不是像你们那样的现代化的概念，而是“小康之家”。到本世纪末，中国的四个现代化即使达到了某种目标，我们的国民生产总值人均水平也还是很低的。要达到第三世界中比较富裕一点的国家的水平，比如国民生产总值人均一千美元，也还得付出很大的努力。就算达到那样的水平，同西方来比，也还是落后的。所以，我只能说，中国到那时也还是一个小康的状态。当然，比现在毕竟要好得多了。到了那个时候，我们有可能对第三世界的贫穷国家提供更多一点的帮助。那个时候，中国国内市场比较大了，相应的，与国外的经济

---

* 这是邓小平同志会见日本首相大平正芳时谈话的节录。

交往,包括发展贸易,前景就更加宽广了。

有人担心,如果中国那时候稍微富一点了,会不会在国际的竞争中起很大的作用?既然中国只是一个小康的国家,就不会发生这样的问题。坦率地说,现在我们的对外贸易总额还不如台湾多。我们发展到台湾现在的国民生产总值人均水平,也不会对国际市场产生什么威胁,因为自己的需要多了。

目前的形势和任务*

（一九八〇年一月十六日）

同志们，元旦我在政协讲了大概一刻钟的话，胡耀邦[96]同志和其他的同志要我向更多的同志谈一谈，作为对大家一年工作的希望。现在在我们党内和人民当中，也确实有一些问题需要得到解答。当然，今天的讲话不可能什么问题都谈到，有些问题也不一定能谈得很好。既然大家希望讲一讲，我就讲一讲。

我想讲三个部分。第一部分，讲一讲八十年代我们要做的三件大事和我们进入八十年代的形势，主要是讲国内形势。第二部分，讲一讲实现四个现代化必须解决的四个问题，或者说必须具备的四个前提。第三部分，讲一讲坚持党的领导，改善党的领导。

第一部分，讲讲我们在八十年代要做的三件大事和进入八十年代的国内形势。

先从我们八十年代究竟主要要做些什么事说起。八十年代我们要做的主要是三件事。

第一件事，是在国际事务中反对霸权主义，维护世界和

* 这是邓小平同志在中共中央召集的干部会议上的讲话。

平。全世界都估计到，八十年代是个危险的年代。反对霸权主义这个任务，每天都摆在我们的议事日程上。八十年代的开端就不好，发生了阿富汗事件[97]，还有伊朗问题[98]，更不用说早一点的越南问题[99]、中东问题[100]。这样的问题以后还会很多。总之，反对霸权主义的斗争，始终是作为一项严重的任务摆到我们国家和全国人民的日程上面就是了。

第二件事，是台湾归回祖国，实现祖国统一。我们要力争八十年代达到这个目标，即使中间还有这样那样的曲折，也始终是摆在我们日程上面的一个重大问题。

第三件事，要加紧经济建设，就是加紧四个现代化建设。四个现代化，集中起来讲就是经济建设。国防建设，没有一定的经济基础不行。科学技术主要是为经济建设服务的。

三件事的核心是现代化建设。这是我们解决国际问题、国内问题的最主要的条件。一切决定于我们自己的事情干得好不好。我们在国际事务中起的作用的大小，要看我们自己经济建设成就的大小。如果我们国家发展了，更加兴旺发达了，我们在国际事务中的作用就会大。现在我们在国际事务中起的作用并不小，但是，如果我们的物质基础、物质力量强大起来，起的作用就会更大。台湾归回祖国、祖国统一的实现，归根到底还是要我们把自己的事情搞好。我们政治上和经济制度上比台湾优越，经济发展上也要比台湾有一定程度的优越，没有这一点不行。四个现代化搞好了，经济发展了，我们实现统一的力量就不同了。所以，在国际事务中反对霸权主义，台湾归回祖国、实现祖国统一，归根到底，都要求我们的经济建设搞好。当然，其他许多事情都要搞好，但是主要是必须把经济建设搞好。

今天是一九八〇年一月十六日，进入八十年代十六天了。八十年代无论对于国际国内，都是十分重要的年代。国际上很难预料会发生什么问题，但是，可以说是非常动荡、充满危机的年代。当然，我们有信心，如果反霸权主义斗争搞得好，可以延缓战争的爆发，争取更长一点时间的和平。这是可能的，我们也正是这样努力的。不仅世界人民，我们自己也确确实实需要一个和平的环境。所以，我们的对外政策，就本国来说，是要寻求一个和平的环境来实现四个现代化。这不是假话，是真话。这不仅是符合中国人民的利益，也是符合世界人民利益的一件大事。

我们要在本世纪实现四个现代化，从今年元旦起，只有二十年，就是八十年代和九十年代。如果四个现代化不在八十年代做出决定性的成绩，那它就等于遭到了挫折。所以，对于我们的建设事业说来，八十年代是很重要的，是决定性的。这个十年把基础搞好了，加上下一个十年，在今后二十年内实现中国式的四个现代化，就可靠，就真正有希望。二十年，时间看起来长，一晃就过去了。所以，我们从八十年代的第一年开始，就必须一天也不耽误，专心致志地、聚精会神地搞四个现代化建设。搞四个现代化建设这个总任务，我们是定下来了，决不允许再分散精力。

进入八十年代，我们国内的形势怎么样呢？我们的目标提出来了，任务提出来了，需要把我们的形势观察一下，估计一下。有些群众，有些党员，甚至有些干部，对于我们粉碎“四人帮”以后，究竟做了多少事情，不大清楚。他们感到进度太慢，不满足;因为不满足,就对我们所制定的政治路线能不能实现,四个现代化能不能实现,觉得把握不大。当然,对现在我们的思想路线、政治路线和组织路线抱有敌视态度的人还有,我不讲那些人的问题。我想主要针对一些觉得我们的前途还不够明朗,心里还不够踏实的同志,讲一些意见。

应该说,我们的形势是很有利的。这里首先要看到,打倒"四人帮"以后三年零三个月,特别是三中全会以后一年多来,全国形势发展非常快,超过了全党的预料。粉碎"四人帮"以后三年的前两年,做了很多工作,没有那两年的准备,三中全会明确地确立我们党的思想路线、政治路线,是不可能的。所以,前两年是为三中全会做了准备。三中全会不但解决了文化大革命十年的问题,也在很大程度上解决了二十多年的问题。大家可以回顾一下,经过这三年的工作,我们党的状况是不是发生了根本的转变,领导班子是不是发生了根本的转变,思想路线是不是发生了根本的转变。不是说所有的问题统统解决了,但是发生了一个根本的转变,这是最重要的事实。问题当然还很多,都要解决,现在也正在逐步地解决,以后还要继续解决。总之,决不能怀疑这种根本转变。三年来拨乱反正,做了大量工作,成绩是非常巨大的,估计不足是错误的。

我们现在从政治方面、经济方面、外交方面来回顾一下我们做的主要工作。

我们说,政治状况发生了根本转变,有些什么根据呢?首先,我们清查了"四人帮",在全国范围内展开了对"四人帮"帮派体系和他们的罪行的清算,基本上整顿了全国各级组织的领导班子。这是我们三年来取得各项成就的政治保证。其次,国内和党内的民主生活,已经开始走上了轨道。民主制度一年比一年健全,民主生活一年比一年扩大。尽管许多重要问题还要深入研究,还要努力兴利除弊,但要看到主流,看到实质。在建国以来的二十九年中,我们连一个刑法都没有,过去反反复复搞了多少次,三十几稿,但是毕竟没有拿出来。现在刑法和刑事诉讼法都通过和公布了,开始实行了。全国人民都看到了严格实行社会主义法制的希望。这不是一件小事情啊！第三,这三年内,特别是最近一年,中央和全国各地都平反了一大批冤假错案。已经得到平反的,据不完全的统计,总数已经有二百九十万人。没有立案审查而得到平反的,比这个数字还要大得多。我们平反了天安门事件〔36〕,平反了包括彭德怀、张闻天、陶铸、薄一波、彭真、习仲勋、王任重、黄克诚、杨尚昆、陆定一、周扬等同志在内的一大批同志的冤假错案,并且不久就要为刘少奇同志恢复名誉。我们还改正了一九五七年一大批被错划为右派分子的案件。这里我要顺便说一说,一九五七年的反右〔101〕是必要的,没有错。同志们可以回想一下,一九五七年的问题是个什么问题呢?一九四九年到一九五七年,我们用八年时间基本上完成了农业、手工业和资本主义工商业的社会主义改造,进入社会主义。这个时候出来一股思潮,它的核心是反对社会主义,反对党的领导。有些人是杀气腾腾的啊！当时不反击这种思潮是不行的。问题出在哪里呢?问题是随着运动的发展,扩大化了,打击面宽了,打击的分量也太重。大批的人确实处理得不适当,太重,他们多年受了委屈,不能为人民发挥他们的聪明才智,这不但是他们个人的损失,也是整个国家的损失。所以,给右派分子全部摘掉帽子,改正对其中大多数人的处理，并给他们分配适当的工作，就是一件很必要的、重大的政治措施。但是不能由此得出结论，说一九五七年不存在反对社会主义的思潮，或者对这种思潮不应该反击。总之，一九五七年的反右本身没有错，问题是扩大化了。第四，我们摘掉了知识分子“臭老九”〔10〕的帽子，摘掉了全国绝大多数地主、富农、资本家的帽子。这不是全国人民政治生活中的大事情吗？第五，我们基本上总结了文化大革命和三十年的经验教训，恢复了党的第八次全国代表大会〔102〕的名誉和传统。叶剑英〔24〕同志代表党中央发表的国庆讲话，不单是带有总结文化大革命的意义，实际上总结了、或者说基本上总结了建国以来三十年的经验教训。大概我们的党史就要根据这个调子来写了，太细恐怕也不妥当。我们不是说解决过去的问题要粗一点，不要太细吗？今后也还是要掌握这个分寸。评价人物和历史，都要提倡全面的科学的观点，防止片面性和感情用事，这才符合马克思主义，也才符合全国人民的利益和愿望。可能年内我们还要对若干历史问题作出正式的决议。第六，在这三年的时间内，我们对毛泽东思想作出了正确的解释，恢复了毛泽东思想的本来面目，这是大家知道的。我们通过实践是检验真理标准问题的讨论，确立了我们党的思想路线，或者说恢复了马克思列宁主义、毛泽东思想的思想路线。因为这样，毛泽东同志多年提倡的正确区别和处理两类不同性质的矛盾的方针、“双百”方针〔74〕、“三不主义”〔103〕，也得到了认真的正确的实行。第七，我们的教育、科学、文化工作，开始走上了正轨。第八，我们的公安、检察、司法工作，民族工作，统一战线工作，工人、青年、妇女工作，以及其他许多工作，都开始走上了正轨。我并没有举全，就举这么一些事情。这么多的问题，在这样短的时间内得到解决，确实不容易，在三年以前是难于想象的。解决了这些问题，我们的党和国家就改变了面貌，政治局面就转入了安定团结、生动活泼。这样我们才能够转移工作着重点，安下心来集中力量搞社会主义现代化建设，否则就根本不可能。事实证明，我们三年来在政治方面确是做了大量的紧张的工作，取得了伟大的成绩。

在经济方面，三年中也有不小的成绩。我们经常说，我们的经济工作受到林彪、“四人帮”的十年干扰破坏，而且这十年以前也存在着许多混乱。经过三年的努力，恢复到现在的状况，这是一个重大的成绩。过去二十多年，工作重心一直没有认真转到经济建设方面来，经济工作中积累的问题很多。现在有人议论、责怪我们过去的经济工作。好多事情我们过去没有经验，已经取得的好经验也没有条理化、制度化，还有很多问题始终没有得到很好的解决，特别是文化大革命期间，林彪、“四人帮”的十年横行，把一切都搞乱了。因此，说句公道话，我们过去的经济工作没有搞好，首先不能责怪经济部门，除了林彪、“四人帮”的破坏以外，责任首先在中央。当然，经济部门的工作也有缺点，应该总结经验教训。现在大家都要着重向前看，提出积极的建议，不要埋怨、责备。这三年中，我们要看到，一方面，从上到下，在经济部门担负各级领导工作的同志，做了大量的工作。另一方面，有不少同志过去靠边站，一靠边就是好多年，对情况的了解中断了，重新回到工作岗位上来还不久，就是原来在岗位上的同志，也面临新的问题，一下子还不熟悉，摸不透，对于国内外的情况不很了解，工作中有这样那样的缺点是难免的。只要大家都虚心研究新情况、新问题,工作就会不断改进。

经过两年多的工作以后,我们对国民经济提出了调整、改革、整顿、提高的八字方针。这个八字方针不是偶然提出的,是总结了过去的经验,分析了当前的情况,为了今后的工作发展得更好、更快而提出的。今天看得越来越清楚,提出这个八字方针是完全必要,完全正确的。

三中全会在农村工作方面,作出了两个决议〔80〕,规定了一系列政策措施,决定提高粮食和其他农产品的收购价格。三中全会以后,提了职工工资,开辟了相当规模的多种多样的就业门路,去年一年就安排了社会待业人员七百万人以上,今年还要继续安排。同时,加强了轻纺工业,缩短了基本建设战线,实行了企业自主权的试点。财政体制在逐步改变,其他体制也决定了逐步改变的试行办法。我们要解决的问题还很多,今后还要继续调整,还要继续改革。但是应该说,我们在经济方面,这三年,特别是近一年来,成绩是巨大的。我们看看农村。我们这个国家的特点,现在还是百分之八十的人在农村。现在全国绝大部分农村面貌一新,农民心情相当舒畅。这不是我们党的政策、国家的政策在发生作用吗?城市方面的情况比较复杂,特别是物价方面有些混乱,但是大多数工厂企业的生产秩序有了很大的进步,人民生活由于工资调整、就业增加、住房增加,也开始逐步有所改善。以上这些,都是我们做了大量工作的结果。

我们在发展经济方面,正在寻求一条合乎中国实际的,能够快一点、省一点的道路,其中包括扩大企业自主权和民主管理,发展专业化和协作,计划调节和市场调节相结合[104],先进技术和中等技术相结合,合理地利用外国资金、外国技术等等。我们付了学费,也吃了一些亏,但是重要的是,我们正在积累本领,而且已经开始取得效果。现在需要总结经验,搞快一点、好一点,需要制订经济体制改革的原则,需要制订长远规划。这些都是大事,我们不能急躁,也不能耽误时间。中央希望经济战线上做实际工作和做理论工作的同志,和衷共济,通力协作,取长补短,调查研究,反复讨论,少说空话,年内共同拿出几个切实可行的方案来,拿出一个长远规划来,提给中央。

就外交方面来说,这三年期间,我们实现了中美建交,缔结了中日和平友好条约[76],对日美两国进行了国事访问;华国锋[23]同志访问了朝鲜、罗马尼亚、南斯拉夫,访问了欧洲四国;李先念[84]同志和我访问了亚洲、非洲一些国家;还有大量各种级别的外事访问,去了五大洲的几十个国家。我们的副总理差不多都出去过,副委员长好多都出去过。这三年,特别是去年一年,我们外事出访空前多,外国领导人员来访也几乎每月不断。这些活动,奠定了我国外交上的新格局,使我们实现四个现代化有了比较好的国际条件,在反对霸权主义的斗争中也扩大了阵容。我们同第三世界国家的合作继续增强。对越自卫还击战[81],在军事上、政治上都得到了胜利,不仅对于稳定东南亚局势,而且对于国际反霸斗争,已经起了重大的作用,将来还会起作用。

我从政治、经济、外交方面,大致谈了这三年、特别是三中全会以后的一年,我们做了一些什么工作。应该看到我们的成绩。应该看到，我们用了三年的时间，在各个领域，在国内的政治和经济方面，在国际事务方面，为进入八十年代打下了一个很好的基础。

总之，我们进入八十年代的形势是好的。我们从各个方面准备了胜利前进的阵地。我们是满怀信心进入八十年代的。对于国内的形势和四个现代化的前途抱怀疑态度，是完全错误、没有根据的。当然，因为林彪、“四人帮”十年横行，一部分群众受害中毒，也因为我们所进行的教育不够，他们对许多情况不了解，以至有些人一时对党和社会主义有某些失望情绪，是可以理解的。我们应该有耐心、有信心，逐步去改变他们的精神状态。但是我们的干部，特别是高级干部，必须有充分的觉悟，在根本问题上毫不动摇。只有这样，我们才能够去团结、教育全党和全国人民，使大家都充满信心地进入八十年代。

第二部分，讲讲实现四个现代化所必须解决的四个问题，或者说必须具备的四个前提。

这个讲法是在政协提出来的，大家觉得这样讲法还可以。这四个问题是：第一，要有一条坚定不移的、贯彻始终的政治路线；第二，要有一个安定团结的政治局面；第三，要有一股艰苦奋斗的创业精神；第四，要有一支坚持走社会主义道路的、具有专业知识和能力的干部队伍。当然，这四条不能包括一切，但是它大体概括了我们主要应该做些什么事，指出了当前努力的方向。

第一，要有一条坚定不移的、贯彻始终的政治路线。

这条路线我们已经制定出来了。叶剑英同志的国庆讲话，这样表述我们的这个总任务，或者叫总路线：团结全国各族人民，调动一切积极因素，同心同德，鼓足干劲，力争上游，多快好省地建设现代化的社会主义强国。这是第一次比较完整地表述了我们现在的总路线。这就是当前最大的政治。总路线还不是最大的政治？这是一个长期的任务。如果发生大规模战争，要打仗，只好停一停了。除了发生这种情况，我们一定要按照这条路线专心致志地、始终如一地干下去。近三十年来，经过几次波折，始终没有把我们的工作着重点转到社会主义建设这方面来，所以，社会主义优越性发挥得太少，社会生产力的发展不快、不稳、不协调，人民的生活没有得到多大的改善。十年的文化大革命，更使我们吃了很大的苦头，造成很大的灾难。现在要横下心来，除了爆发大规模战争外，就要始终如一地、贯彻始终地搞这件事，一切围绕着这件事，不受任何干扰。就是爆发大规模战争，打仗以后也要继续干，或者重新干。我们全党全民要把这个雄心壮志牢固地树立起来，扭着不放，"顽固"一点，毫不动摇。如果过去没有"左"的干扰，没有一九五八年的波折〔77〕，尤其是没有文化大革命，不要说像我们现在这样吸收世界先进经验，不要说好多的雄心壮志，只要老老实实按部就班地干，我们的工农业生产和科学、教育一定有了很大发展，人民的生活一定有了较大的改善。拿钢来说，平平稳稳地发展，起码也可以生产五千万吨到六千万吨，而且合用。我们现在有很好的国际条件，全党同志、全国人民真正做到同心同德，坚决地按照中央制定的政治路线走下去，可以充满信心地说，我们是很有希望的。

为了建设现代化的社会主义强国，任务很多，需要做的事情很多，各种任务之间又有相互依存的关系，如像经济与教育、科学，经济与政治、法律等等，都有相互依存的关系，不能顾此失彼。我们过去长期搞计划，有一个很大的缺点，就是没有安排好各种比例关系。农业和工业比例失调，农林牧副渔之间和轻重工业之间比例失调，煤电油运和其他工业比例失调，“骨头”和“肉”（就是工业和住宅建设、交通市政建设、商业服务业建设等）比例失调，积累和消费比例失调。今年的计划好了一些，但要根本扭转这种状况，还要经过很大努力。除了这些比例以外，还有一个重要的比例，就是经济发展和教育、科学、文化、卫生发展的比例失调，教科文卫的费用太少，不成比例。甚至有些第三世界的国家，在这方面也比我们重视得多。印度在教育方面花的钱就比我们多。像埃及这样的国家，人口只有四千万，按人口平均计算，他们在教育方面花的钱，也比我们多几倍。总之，我们非要大力增加教科文卫的费用不可。今年因为财政困难，只能首先照顾到重点，但是，从明年、至迟从后年开始，无论如何要逐年加重这方面，否则现代化就化不了。现代化建设的任务是多方面的，各个方面需要综合平衡，不能单打一。但是说到最后，还是要把经济建设当作中心。离开了经济建设这个中心，就有丧失物质基础的危险。其他一切任务都要服从这个中心，围绕这个中心，决不能干扰它，冲击它。过去二十多年，我们在这方面的教训太沉痛了。

现在，特别是在青年当中，有人怀疑社会主义制度，说什么社会主义不如资本主义，这种思想一定要大力纠正。社会主义制度并不等于建设社会主义的具体做法。苏联搞社会主义，从一九一七年十月革命算起，已经六十三年了，但是怎么搞社会主义，它也吹不起牛皮。我们确实还缺乏经验，也许现在我们才认真地探索一条比较好的道路。但不管怎么样，社会主义制度的优越性已经得到了证明，不过还要证明得更多更好更有力。我们一定要、也一定能拿今后的大量事实来证明，社会主义制度优于资本主义制度。这要表现在许多方面，但首先要表现在经济发展的速度和效果方面。没有这一条，再吹牛也没有用。要取得这样的成果，就必须坚定不移地、毫不动摇地始终贯彻执行我们的政治路线。

第二，要有一个安定团结的政治局面。

没有一个安定团结的政治局面，就不能安下心来搞建设。过去二十多年的经验证明了这一点。去年一年的经验也证明了这一点。现在我们有了、或者说基本上有了一个安定团结的政治局面。这个安定团结的政治局面来之不易，现在还很不巩固，还有来自不同方面的不安定因素。在各个岗位上工作的同志，一定要共同负起责任，维护、保障和发展这个安定团结的政治局面。

要安定团结，也要生动活泼。生动活泼也来之不易，但它是随着安定团结发展起来的。在我们的社会主义制度下，这两者是统一的，从根本上说，它们没有矛盾，也不应该有矛盾。如果在某些时候、某些问题上生动活泼和安定团结竟然发生了矛盾怎么办？那就一定要在不妨碍安定团结的条件下实现生动活泼。现在，我们有些同志在这个问题上思想有点混乱，好像把我们吃过的苦头忘记了。我们过去在社会主义改造完成以后，仍然搞这个运动、那个运动，一次运动耽误多少事情，伤害多少人。发挥社会主义的优越性，归根到底是要大幅度发展社会生产力，逐步改善、提高人民的物质生活和精神生活。如果没有一个安定团结的政治局面，这一切都不可能，连生动活泼也不可能。

现在有一些社会思潮，特别是一些年轻人中的思潮，需要认真注意。例如去年“西单墙”〔93〕的许多东西，能叫它生动活泼？如果让它漫无限制地搞下去，会出现什么事情？世界上的例子有的是，中国的例子也有的是。不要以为这样搞就不会出乱子，可以掉以轻心。少数人可以破坏我们的大事业。所以生动活泼和安定团结如果发生矛盾，只有在不妨碍安定团结的条件下实现生动活泼，才能让大家有秩序地前进。文化大革命的经验已经证明，动乱不能前进，只能后退，要有秩序才能前进。在我国目前的情况下，可以说，没有安定团结，就没有一切，包括民主、“双百”方针等等，统统谈不上。过去我们已经吃了十来年的苦头，再乱，人民吃不消，人民也不答应。反之，我们在社会主义安定团结的基础上，就一定能够有计划、有步骤地实现可能实现的一切，最大限度地满足人民的要求。

我们已经说过，现在还有不安定的因素。“四人帮”组织上和思想上的残余还存在。我们不能低估这些残余的能量，否则就要犯错误。派性分子还存在。新生的打砸抢分子也有的是。还有各种流氓集团、刑事犯罪分子。还有同外国势力和台湾特务机关联系进行地下活动的反革命分子。还有公然反对社会主义制度和共产党领导的所谓“民主派”，以及那些别有用心的人。对这些人也不能低估。他们那个旗帜是相当鲜明的。尽管有时也说拥护毛主席，拥护共产党，实质上是要反对共产党的领导，反对社会主义。这批人，其真实思想就是认为社会主义不如资本主义，大陆不如台湾。当然，他们也并不了解什么是资本主义，台湾的真情实况如何，不少人是误入歧途的，需要教育挽救。但是对这些所谓“民主派”的总的倾向和真正目的是什么，一定要认识清楚，不要天真。还有破坏社会秩序的无政府主义分子和极端个人主义分子等等。这些都是不安定的因素。尽管这几种人的性质不同，但是在一定的情况下，他们完全可以纠合在一起，成为一股破坏势力，可以造成不小的动乱和损失。这种情况去年就发生过，今后还可能发生。有人说，剥削阶级作为阶级消灭了，怎么还会有阶级斗争？现在我们看到，这两方面都是客观事实。目前我们同各种反革命分子、严重破坏分子、严重犯罪分子、严重犯罪集团的斗争，虽然不都是阶级斗争，但是包含阶级斗争。当然，我们必须坚决划清两类不同性质的矛盾的界限，对于绝大多数破坏社会秩序的人应该采取教育的办法，凡能教育的都要教育，但是不能教育或教育无效的时候，就应该对各种罪犯坚决采取法律措施，不能手软。现在还有少数地方、少数同志对这些人手软。一部分地方对这些人采取措施很不得力，下不了手。容忍这些人，容忍这些“四人帮”残余、反革命分子和其他刑事犯罪分子，人民对我们很不满意。我们最近采取了一些措施，对犯罪分子打击了一下，但还只是初步收效，还要对各种犯罪分子继续坚决打击，努力保障和巩固健全的、安定的社会秩序。我们要学会使用和用好法律武器。对违法犯罪分子手软，只能危害大多数人民的利益，危害现代化建设的大局。

共产党员，党的干部，尤其是高级干部，在这场反对各种犯罪分子的斗争中必须立场坚定，旗帜鲜明。绝不允许宣传什么包括反革命分子在内的言论出版自由、集会结社自由；绝不允许任何人背着党同这些人发生联系。这里所说的，是指对他们抱同情态度的那种联系，至于有的同志是为做他们的工作才去发生的联系，当然不在此列。对他们抱同情态度的那种联系，的确是有的。举例说，有些秘密刊物印得那么漂亮，哪儿来的纸？哪个印刷厂印的？他们那些人总没有印刷厂吧。印这些东西的印刷厂里边有没有共产党员？支持那些人活动的有一些就是共产党员，甚至于还是不小的干部。对这些党员要讲清楚，他们的立场是非常错误、非常危险的，如果不立即彻底改正，就必须受到党的纪律处分。总之，在对反革命分子、破坏分子和各种犯罪分子作斗争的问题上，各级党组织直到每个支部的态度都要十分坚定，不能有任何游移不定、含糊不清的表现。

也许有人会说，这是不是又在“收”了？在这样的问题上，我们从来就没有“放”，当然也谈不上“收”。什么时候我们说过要容忍反革命分子和各种破坏分子的活动？什么时候我们说过要取消无产阶级专政？老实说，对于这样一些活动，现在应该从重处理，不是从轻，乱得太不像话了。国家不管是不行的。对这类分子的法律措施要从严，从严了才可以教育过来一批青年。要讲法制，真正使人人懂得法律，使越来越多的人不仅不犯法，而且能积极维护法律。现在我们严肃处理这样一批人，不但对绝大多数犯罪分子是一种教育，对全党、全国人民也是一种教育。我们要在全国坚决实行这样一些原则：有法必依，执法必严，违法必究，在法律面前人人平等。

真正要巩固安定团结，主要地当然还是要依靠积极的、根本的措施，还是要依靠发展经济、发展教育，同时也要依靠完备法制。经济搞好了，教育搞好了，同时法制完备起来，司法工作完善起来，可以在很大程度上保障整个社会有秩序地前进。但是法制要在执行中间逐步完备起来，不能等。现在这样一大批犯罪分子不严肃处理，那还说什么法制？对于各种破坏安定团结的人，都要分别情况，严肃对待。

为了实现安定团结，宣传、教育、理论、文艺部门的同志们，要从各方面来共同努力。毫无疑问，这些方面的工作搞好了，可以在保障、维护和发展安定团结的政治局面方面起非常大的作用。但是如果出了大的偏差，也可以助长不安定因素的发展。我们希望报刊上对安定团结的必要性进行更多的思想理论上的解释，这就是说，要大力宣传社会主义的优越性，宣传马克思列宁主义、毛泽东思想的正确性，宣传党的领导、党和人民群众团结一致的威力，宣传社会主义中国的巨大成就和无限前途，宣传为社会主义中国的前途而奋斗是当代青年的最崇高的使命和荣誉。总之，要使我们党的报刊成为全国安定团结的思想上的中心。报刊、广播、电视都要把促进安定团结，提高青年的社会主义觉悟，作为自己的一项经常性的、基本的任务。报刊、广播、电视三年来都有很大的成绩，总的来说是好的，但是也有不足之处。在这些部门工作的同志，也需要经常倾听来自各方面的不同意见，分析和改进自己的工作。文艺界刚开了文代会，我们讲，对写什么，怎么写，不要横加干涉，这就加重了文艺工作者的责任和对自己工作的要求。我们坚持“双百”方针和“三不主义”，不继续提文艺从属于政治这样的口号，因为这个口号容易成为对文艺横加干涉的理论根据，长期的实践证明它对文艺的发展利少害多。但是，这当然不是说文艺可以脱离政治。文艺是不可能脱离政治的。任何进步的、革命的文艺工作者都不能不考虑作品的社会影响，不能不考虑人民的利益、国家的利益、党的利益。培养社会主义新人就是政治。社会主义新人当然要努力去实现人民的利益，捍卫社会主义祖国的荣誉，为社会主义祖国的前途而英勇献身。文艺工作对人民特别是青年的思想倾向有很大影响，对社会的安定团结有很大影响。我们衷心地希望，文艺界所有的同志，以及从事教育、新闻、理论工作和其他意识形态工作的同志，都经常地、自觉地以大局为重，为提高人民和青年的社会主义觉悟奋斗不懈。

要求安定团结，是不是会妨碍百花齐放呢？不会。我们要永远坚持百花齐放、百家争鸣的方针。但是，这不是说百花齐放、百家争鸣可以不利于安定团结的大局。如果说百花齐放、百家争鸣可以不顾安定团结，那就是对于这个方针的误解和滥用。我们实行的是社会主义民主，不是资本主义民主。所以，我们坚持安定团结，坚持四项基本原则，同坚持"双百"方针，是完全一致的。有人说，三中全会是放，四项基本原则是收。这完全是歪曲。共产党员决不能够容忍这种歪曲，而且必须坚决反对这种歪曲。四项基本原则首先要求坚持社会主义，难道我们能够不坚持社会主义吗？不坚持社会主义，还有什么安定团结，还有什么社会主义的四个现代化？三中全会就要求安定团结，就要求在安定团结的基础上进行社会主义现代化建设。这是全国人民的最大利益。"双百"方针当然要为这个最大利益服务，而决不能反对这个最大利益。

我们坚持发展民主和法制，这是我们党的坚定不移的方针。但是实现民主和法制，同实现四个现代化一样，不能用大跃进的做法，不能用“大鸣大放”的做法。就是说，一定要有步骤，有领导。否则，只能助长动乱，只能妨碍四个现代化，也只能妨碍民主和法制。“四大”，即大鸣、大放、大字报、大辩论，这是载在宪法上的。现在把历史的经验总结一下，不能不承认，这个“四大”的做法，作为一个整体来看，从来没有产生积极的作用。应该让群众有充分的权利和机会，表达他们对领导的负责的批评和积极的建议，但是“大鸣大放”这些做法显然不适宜于达到这个目的。因此，宪法有关“四大”的条文，根据长期实践，根据大多数干部和群众的意见，党中央准备提请人大常委会和全国人大审议，把它取消。

第三，要有一股艰苦奋斗的创业精神。

中国搞四个现代化，要老老实实地艰苦创业。我们穷，底子薄，教育、科学、文化都落后，这就决定了我们还要有一个艰苦奋斗的过程。过去，一些比较小的工资很低的国家和地区，由于有些发达的大国为了自己的利益在资金、技术等方面支持了它们，它们的廉价产品在一定时期的国际市场上也比较容易钻空子。资本家把高额利润分一点给这些地方的劳动者，劳动者的生活就显得改善很快了。中国这样的社会主义大国，不可能走“捷径”。我们要利用外国的资金和技术，也要大力发展对外贸易，但是必然要以自力更生为主。林彪、“四人帮”提倡什么穷社会主义、穷过渡、穷革命，我们反对那些荒谬反动的观点。但是，我们也反对现在要在中国实现所谓福利国家的观点，因为这不可能。我们只能在发展生产的基础上逐步改善生活。发展生产，而不改善生活，是不对的；同样，不发展生产，要改善生活，也是不对的，而且是不可能的。

我们提倡按劳分配，对有特别贡献的个人和单位给予精神奖励和物质奖励；也提倡一部分人和一部分地方由于多劳多得，先富裕起来。这是坚定不移的。但是也要看到一种倾向，就是有的人、有的单位只顾多得，不但不照顾左邻右舍，甚至不顾及整个国家的利益和纪律。比如去年我们疏忽了一点，出了一股滥发奖金风，奖金一项发了约五十亿。其中大部分是发得对的，也有相当部分发得不对，不是小数。有些生产、利润都没有完成计划的单位也发了奖。有些商品乱涨价，也与一些企业追求多得奖金有关。好多地方工人的实际收入成倍地增长，就是由于滥发奖金长上去的。另一方面，好多行业得不到奖金，特别是教育、科学研究机构、政府机关和军队，这就造成不合理的苦乐不均，造成新的社会问题。如果去年少发二十亿奖金，今年大家的日子要好过得多，基本建设的好多项目就可以不下马。这股滥发奖金风，"改善"了少数人的生活，但是增加了全国人民很多的困难。顺便说，我们提高农产品收购价格的措施是非常正确的，确实起了刺激农业生产的巨大作用，但是如果进一步总结经验，也许分两步走，对财政、物价的影响要小一点。在我们的工作中，今后还可能出现类似的问题。因此，必须再一次向干部和群众进行教育，我们是个穷国、大国，一定要艰苦创业。逐步改善人民的生活，提高人民的收入，必须建立在发展生产的基础上。多劳多得，也要照顾整个国家和左邻右舍。解决这类问题，步子一定要稳，要对群众很好地进行引导，千万不能不负责任地许愿鼓动。比如最近有个简报，讲到北京一个电视机厂，去年年产九英寸黑白电视机二万台，平均日产五十多台;后来搞了一条日本的十二英寸黑白电视机生产线,设计能力日产六百台,现在已经日产四百多台。因此人们就议论要多得奖金。如果按照它的劳动生产率的增长倍数来发奖金,那个奖金就发不起。当家作主的劳动人民,不能不给国家创造更多的利润,增加国家的财政收入,来用之于其他方面,用之于扩大再生产,用之于基本建设,进一步加快我们发展经济的速度。多劳应该多得,但是必须照顾整个社会。就这个厂的例子说,只是一条生产线,在本厂也要考虑别的车间。这样的现实问题,越来越多地摆在我们面前,是任何人都不能不考虑的。

我们对于艰苦创业,要有清醒的认识。中国这样的底子,人口这样多,耕地这样少,劳动生产率、财政收支、外贸进出口都不可能一下子大幅度提高,国民收入的增长速度不可能很快。所以,我在跟外国人谈话的时候就说,我们的四个现代化是中国式的。前不久一位外宾同我会谈,他问,你们那个四个现代化究竟意味着什么?我跟他讲,到本世纪末,争取国民生产总值每人平均达到一千美元,算个小康水平。这个回答当然不准确,但也不是随意说的。现在我们只有二百几十美元,如果达到一千美元,就要增加三倍。新加坡、香港都是三千多。我们达到那样的水平不容易,因为地广人多,条件很不一样。但是应该说,如果我们的国民生产总值真正达到每人平均一千美元,那我们的日子比他们要好过得多,比他们两千美元的还要好过。因为我们这里没有剥削阶级,没有剥削制度,国民总收入完全用之于整个社会,相当大一部分直接分配给人民。他们那里贫富悬殊很大,大多数财富是在资本家手上。

我们要经常记住，我们国家大，人口多，底子薄，只有长期奋斗才能赶上发达国家的水平。例如煤产量，一九七八年，美国商品煤五亿九千九百多万吨，苏联原煤七亿二千四百万吨。我们去年的原煤也达到六亿三千多万吨，似乎不算少。但是，按每人平均占有量计算，我们就少多了。又如钢，日本差不多一个人一吨钢，美国和苏联是两个人一吨钢。现在欧洲的许多国家，比如法国、英国、西德，大体上也是两个人一吨钢。如果我们要达到两个人一吨钢，到本世纪末，就算只有十二亿至十三亿人口，也要六亿吨钢。这不可能，也不必要。如果我们达到一亿或两亿吨钢，那我们也是十二个人或六个人一吨钢。总之，我们拥有各种有利条件，一定能够赶上世界上的先进国家；但是也要认识到，为了缩短和消除两三个世纪至少一个多世纪所造成的差距，必须下长期奋斗的决心。在相当长的一段时间里，我们不能不提倡和实行艰苦创业。

艰苦创业，首先要我们党员、干部，特别是高级干部带头。我们不是反对特殊化吗？这是一场严肃的斗争。特殊化不只是部分高级干部，各级都有，各个部门都有。总之，我们一些干部成了老爷就是了。我们的党员、干部，特别是高级干部，一定要努力恢复延安的光荣传统，努力学习周恩来等同志的榜样，在艰苦创业方面起模范作用。中央已经作了一些规定，今后还要作更多更严的规定。对于违反中央规定的党员干部，一定要进行认真的教育，教育无效的就要实行组织措施以至纪律处分。

反对特殊化只是艰苦创业中的一个问题。最大的问题还是要杜绝各种浪费，提高劳动生产率，减少不合社会需要的产品和不合质量要求的废品，降低各种成本，提高资金利用率。要使大家懂得，我们的资金来之不易，我们生产出来的东西来之不易，任何浪费都是犯罪。生产有了发展，还要照顾到以后的发展，要搞基本建设，要实现国民经济的综合平衡，补偿多年来的欠帐。比如，我们的城市需要建设，搞下水道、房屋、交通，办学校。我们的教师、科学工作者的生活有许多困难迫切需要解决；只有几十块钱收入的知识分子，很多很得力的人，能够有稍微好点的工作条件和生活条件，就可以为国家和人民解决好多的问题，创造大量的财富。如此等等。所以无论是在生产建设以前，生产建设过程中间，还是在生产建设得到了产品以后，都不允许有丝毫的大手大脚。去年增产节约有了很大成绩，这很好，但是浪费还是不少。这方面的责任主要在干部，包括刚才说的滥发奖金在内。前不久，国务院有关部门拟定了一个关于奖金问题的新章程，正式下达以后，要严格按照章程办事。现在这样各行其是不行，这样干，四个现代化就没有希望。

第四，要有一支坚持走社会主义道路的、具有专业知识和能力的干部队伍。

我们要在中国社会主义制度下实现四个现代化，理所当然的，我们的干部队伍一定要坚持社会主义道路，要有马列主义的基本观点，要遵守党的纪律和国家的纪律。应该说，我们党内、国内本来就有一些非社会主义思想，由于林彪、“四人帮”十年横行和其他种种原因，加上我们同资本主义国家存在着外交关系、外贸关系，并且还在发展这些方面的关系，所以，资产阶级思想影响的渗透是不可避免的。因此，有必要反复强调，我们的干部队伍，必须坚持社会主义道路。今天重申这一点，有特别重要的意义。绝不允许把我们学习资本主义社会的某些技术和某些管理的经验，变成了崇拜资本主义外国，受资本主义腐蚀，丧失社会主义中国的民族自豪感和民族自信心。最近有一位华裔学者说，希望中国无论如何不要走台湾的道路，不要像台湾那样搞现代化，那里的经济实际上是美国控制的经济。我们选拔干部，必须要注意了解他是不是坚持社会主义道路。不符合这个条件的干部，要加强教育，必要时要调动。我们一定要在全党和全国范围内有领导、有计划地大力提倡社会主义道德风尚，热爱社会主义祖国，提高民族自尊心，还要进行坚持社会主义道路、反对资本主义腐蚀的革命品质教育。现在有一部分青年有忽视政治的倾向，全党必须看到这个问题的严重性，一定要分析原因，找出办法，认真有效地加以解决。

但是，只靠坚持社会主义道路，没有真才实学，还是不能实现四个现代化。无论在什么岗位上，都要有一定的专业知识和专业能力，没有的要学，有的要继续学，实在不能学、不愿学的要调整。我们要按照专业的要求组织整个领导班子，充分发挥专业人才的作用，并且领导广大群众，按照专业的要求，去学习和工作。

这里要说一说红与专的关系。专并不等于红，但是红一定要专。不管你搞哪一行，你不专，你不懂，你去瞎指挥，损害了人民的利益，耽误了生产建设的发展，就谈不上是红。不解决这个问题，不可能实现四个现代化。现在国际国内普遍都感觉到我们人浮于事，官僚主义，办事拖拉，到处靠开会画圈过日子，许多问题一个电话就可以解决的，拖到半年解决不了。这样还搞什么四个现代化！所以好多外国人说，中国这样搞四个现代化没有希望。国内的人民也有这个议论。这是真的，不是假的。办法是什么？就是要改变干部缺少专业知识、专业能力的状态。现在我们的干部是不是多，像我们这么大的国家，各行各业，一千八百万干部，就绝对数字来说，并不算多。问题是干部构成不合理，缺乏专业知识、专业能力的干部太多，具有专业知识、专业能力的干部太少。比如现在我们能担任司法工作的干部，包括法官、律师、审判官、检察官、专业警察，起码缺一百万。可以当律师的，当法官的，学过法律、懂得法律，而且执法公正、品德合格的专业干部很少。又如我们的教师，合格的大中小学教师，全国如果增加二百万、三百万，不算多。我们的学生，中小学生多；大学生很少，在校的不过一百万。拿美国来说，在校大学生一千万，它是二亿二千万人口，二十二个人中就有一个。如果我们有二百万到三百万在校大学生，我们培养的专门人才就会比较多。这就要求增加办学校的人才，增加教师。我们中小学教师也不够，很多教师负担太重，影响到教学水平。我们也需要大量的、合格的学校管理人员，这也是专业人员。比如学校党委的领导同志，应不应该是个专业人员呢？应该是。他可以不是教学人员，但至少应该是懂得教育的有管理学校专长的专业人员，会管某一类学校。总之，目前重要的问题并不是干部太多，而是不对路，懂得各行各业的专业的人太少。办法就是学。一个是办学校、办训练班进行教学，一个是自学。要下苦功夫学。在哪一行的，不管年龄多大，必须力求使自己学会本行。学不会的或者不愿学的，只能调整，没有别的办法，你耽误事业嘛。今后的干部选择，特别要重视专业知识。我们长期都没有重视，现在再不特别重视，就不可能进行现代化建设。没有专业知识，又不认真学习，尽管你抱了很大的热心建设社会主义，结果做不出应有的贡献，起不到应有的作用，甚至还起相反的作用。现在的事情与过去不同了。过去我们相当一个时期常搬战争年代军队的经验。其实我们真正好好研究一下战争年代军队的经验，还是红与专的统一。在座的好多战争年代参加革命的同志，哪一个不专于军事？你不懂打仗就不行。当然，打仗有多种手段，包括后勤，搞后勤也是为了打仗。那个时候，红与专是统一的，也比较容易统一。现在就不同了，搞建设，行业非常多，每一项都需要有专门知识，还要不断增加新知识。就是现在的军队也不同了。过去的军队是小米加步枪，懂得射击、刺杀、扔手榴弹就可以上阵了。现在海军就得有海军的专业知识，空军就得有空军的专业知识。参谋业务也同那个时候不同，知识面要宽得多。现在军队沿用过去的经验是不行的，而这正是我们要努力解决的问题。至于搞经济建设、搞教育、搞科学、搞政法等等，应该说，我们的专业人才太缺乏了。所以，我们需要建立一支坚持社会主义道路的、具有专业知识和能力的干部队伍，而且是一支宏大的队伍。

我们需要有越来越多的专门人才，但是，是不是说，我们现在就没有人才呢？不是，是我们的各级党委，特别是一些老同志，在这方面注意不够，没有去有意识地发现、选拔、培养、帮助一批专业的人才。前几天，在广州开了个粒子物理理论讨论会，有个消息很值得高兴，我们的粒子物理理论的水平，大体上接近国际先进水平。就是说,我们已经有相当先进的水平,而且有一批由我国自己培养出来的取得了成就的年轻人,只是人数比一些先进国家少得多。这就说明,我们并不是没有人。好多人才没有被发现,他们的工作条件太差,待遇太低,他们的作用不能充分地发挥出来。我们一些老同志要有这样的觉悟,不要看不起年轻人,总觉得年轻人不如我们行。其实,我们过去干工作多大岁数?还不是二十几岁就做大工作了。现在的人就比我们蠢一些呀?我看还是要开明一点,要从大局着眼,要从我们事业的前途着眼。有能干的人,我们要积极地去发现,发现了就认真帮。我们要逐渐做到,包括各级党委在内,各级业务机构,都要由有专业知识的人来担任领导。现在特别要注意从四十岁左右的人中间选拔。四十岁左右是一个什么含义?大体上是五十年代进大学的人。建国三十年了,如果说一九六一年到一九六六年毕业,那个时候是二十五岁左右,现在就是四十岁左右到四十五岁左右。当然,选拔干部也要包括五十岁内外的。这批人是我们的重要财富。在座的恐怕这样年龄的不算多,这是一件很遗憾的事情。如果有一天在座听报告的同志中,四十岁左右的占了主导地位,那是我们的事业兴旺发达的标志。我们不能够用我们还可以马马虎虎过得去来安慰自己。我们要看到我们事业的前途。我们的人才本来就少,决不能再浪费人才,我们经不起这个浪费。老同志的最主要的任务,第一位的任务,是提拔年纪比较轻的干部。别的事情搞差一点,这件事情搞好了,我们见马克思还可以交得了帐,否则是交不了帐的。

第三部分,讲讲坚持党的领导,改善党的领导。

上面说的八十年代的三件大事和四个前提，任务都是很繁重的。但是，我认为，只要坚持并且改善党的领导，由此带动其他工作，我们的任务就能够完成。我们坚持四项基本原则，就是坚持社会主义，坚持无产阶级专政，坚持马列主义、毛泽东思想，坚持党的领导，这四个坚持的核心，是坚持党的领导。我们这个党是马列主义、毛泽东思想的党，是领导社会主义事业、领导无产阶级专政的核心力量，是无产阶级的、有社会主义和共产主义觉悟的、有革命纪律的先进队伍。我们党同广大群众的联系，对中国社会主义事业的领导，是六十年的斗争历史形成的。党离不开人民，人民也离不开党，这不是任何力量所能够改变的。确实，在这个问题上，现在也很有些思想混乱。有些青年，迷信资本主义社会的所谓民主。一九五七年就有个"轮流坐庄"的说法，现在那些所谓"民主派"，"西单墙"那批人，也在做这个文章。所以，现在要把这个问题讲清楚。从根本上说，没有党的领导，就没有现代中国的一切。当然也就没有刚才我们说的三件大事和四个前提。没有党的领导，就没有一条正确的政治路线；没有党的领导，就没有安定团结的政治局面；没有党的领导，艰苦创业的精神就提倡不起来；没有党的领导，真正又红又专、特别是有专业知识和专业能力的队伍也建立不起来。这样，社会主义四个现代化建设、祖国的统一、反霸权主义的斗争，也就没有一个力量能够领导进行。这是谁也无法否认的客观事实。那些对此暂时抱有某些怀疑态度的纯洁的青年，只要多经历一些时间，最后还是会同意这一点的。

可以回顾一下我们走过的道路。中国革命，没有中国共产党，能够成功吗？不可能的。不要小视我们的党。最近我看到一个材料，党的四大〔105〕时只有九百多个党员，就那么九百多人的一个党，实现了国共合作，推进了北伐战争。以后革命失败了，只有我们的党才能够经得住十年的血腥恐怖，百万大军的"围剿"，二万五千里的长征。因为有党的领导，中国人民经过千难万苦的奋斗，终于建立了中华人民共和国。我们党也犯过严重错误，但是错误总还是由我们党自己纠正的，不是别的力量来纠正的。就是粉碎"四人帮"，也是由我们党代表人民的利益和要求来实现的。中国一向被称为一盘散沙，但是自从我们党成为执政党，成为全国团结的核心力量，四分五裂、各霸一方的局面就结束了。只要我们党的领导是正确的，那就不仅能够把全党的力量，而且能够把全国人民的力量集合起来，干出轰轰烈烈的事业。资本主义国家的多党制有什么好处？那种多党制是资产阶级互相倾轧的竞争状态所决定的，它们谁也不代表广大劳动人民的利益。在资本主义国家，人们没有也不可能有共同的理想，许多人就没有理想。这种状况是它们的弱点而不是强点，这使它们每个国家的力量不可能完全集中起来，很大一部分力量互相牵制和抵消。我们国家也是多党，但是，中国的其他党，是在承认共产党领导这个前提下面，服务于社会主义事业的。我们全国人民有共同的根本利益和崇高理想，即建设和发展社会主义，并在最后实现共产主义，所以我们能够在共产党的领导下团结一致。我们党同其他几个党长期共存，互相监督，这个方针要坚持下来。但是，中国由共产党领导，中国的社会主义现代化建设事业由共产党领导，这个原则是不能动摇的；动摇了中国就要倒退到分裂和混乱，就不可能实现现代化。

另一方面要看到，为了坚持党的领导，必须努力改善党的领导。林彪、“四人帮”对我们党损害极大，现在应该说，我们党在人民当中的威信不如过去了。过去，我们克服困难，党的一个号召，党中央的一句话，全国照办，非常顶事。一九五九年、一九六〇年、一九六一年那样的严重困难，在党的统一领导下面，很快就克服了。那是很值得回忆的。两千多万职工下放，走群众路线，讲清楚道理，大家并不埋怨。现在就不那么容易了。为什么呢？林彪、“四人帮”横行时期，踢开党委闹“革命”，党被打乱了，“四人帮”实行的是帮领导、帮统治。现在摆在我们面前的迫切问题，是要恢复党的战斗力。党应该是一个战斗的队伍，是无产阶级的先锋队，应该是统一的、有高度觉悟的、有纪律的队伍。只有恢复到这种状态，党才能有战斗力。

这里有几个问题。首先，我们的党员现在有一部分不合格。在文化大革命期间入党的新党员中，有一些因为一直没有受到党的教育，不能成为群众的模范，不合格。我们有些老党员长时期很合格，现在也不能成为群众的模范，不那么合格了。我们提倡党性，反对派性。有些人就是死抱着那个派。派性高于党性的大有人在，包括我们某些老党员在内。这还怎么合格？过去我们党的威力为什么那么大？打仗的时候我们总是说，一个连队有百分之三十的党员，这个连队一定好，战斗力强。为什么？就是党员打仗冲锋在前，退却在后，生活上吃苦在先，享受在后。这样他们就成了群众的模范，群众的核心。就是这么个简单的道理。那个时候当个共产党员不容易。当个共产党的干部，比如当个连长、当个排长，行军时候一个人要背两三支长枪。现在有些共产党员不同了,他们入党是为了享受在先,吃苦在后。我们反对特殊化,其实就是反对一部分共产党员、一部分党员干部特殊化。所以现在我们提出,我们这个党要恢复优良的传统和作风,有一个党员要合格的问题。合不合乎党员的资格,合不合乎党员的条件,这个问题不只是提到新党员面前,也提到一部分老党员面前了。所以,我们党确实存在一个整顿的问题。现在,我们的党员有了三千八百万。如果这三千八百万都合格,那将是一支多么伟大的力量!问题是有一部分党员不合格,要在教育的基础上进行整顿。中央正在考虑修改党章。九大、十大〔106〕搞的党章,实际上不大像党章,党员有些什么权利和义务,究竟怎么样才算个共产党员,不合条件怎么办,都没有规定好,需要修改。对党员的要求一定要严格。我们需要通过讨论党章草案,对全党进行教育,然后在十二大正式通过党章。

我们要改善党的领导,除了改善党的组织状况以外,还要改善党的领导工作状况,改善党的领导制度。这是个复杂的问题。大家知道,刚进城的时候,毛泽东同志就讲过,我们过去熟悉的东西有些快要闲起来了,现在面临的是我们不熟悉的东西。由于很长时间没有认真解决,现在这个问题更迫切更严重了。现在领导一个地区、一个部门,领导一个工厂、一个学校、一支部队,工作都比过去复杂多了,困难多了。比如经济工作,我们当然总还是做了不少好事,但是,我们真正有系统地学会了有计划地建设社会主义的经济没有呢?在全国范围内有计划地建设社会主义经济,这和解放区的经济工作很不同。现在的经济工作,问题比五十年代又复杂得多。条件不同,面临的任务也不同。现在科学技术发展了，国际交流发展了，我们的经济一定要在国际上有竞争力，要拿国际水平的尺度来衡量一下。在不断出现的新问题面前，我们党总是要学，我们共产党人总是要学，我们中国人民总是要学。谁也不能安于落后，落后就不能生存。但是共产党员中具有专业知识的人究竟有多少？特别是我们的领导干部中具有专业知识的有多少？目前的状况不改变行吗？当然，党员就是具有了专业知识，党也不能够代替一切，包办一切，现在尤其不能这样。党应该居于领导的地位，但是，上面说的这些问题必须认真研究解决。我想，我们党的下次代表大会必须着重地研究这些问题，现在就要做准备，大家来讨论，要系统地、切实地解决这些问题。

关于改善党的领导，现在需要解决的问题很多。比如，我们历来说，工厂要实行党委领导下的厂长负责制；军队是党委领导下的首长分工负责制；学校是党委领导下的校长负责制。如果今后继续实行这个制度，那末，工厂的车间是否也要由党总支领导？班组里边是否也要由党支部或者党小组领导？同样，大学的系是否也要由党总支领导？这样是不是有利于工厂和大学的工作？能不能体现党的领导作用？如果这个问题解决得不好，可能损害党的领导，削弱党的领导，而不是加强党的领导。共产党实现领导应该通过什么手段？是用这种组织形式，还是用别的办法，比如共产党员的模范作用，包括努力学习专业知识，成为各种专业的内行，并且吃苦在前，享受在后，比一般人负担更多的工作。一个工厂的党委，总必须保证在产品的数量、质量和成本方面完成计划；保证技术先进、管理先进、管理民主；保证所有管理人员有职有权，能够有效率、有纪律地工作;保证全体职工享受民主权利和合理的劳动条件、生活条件、学习条件;保证能够培养、选拔和选举优秀人才,不管是党员非党员,凡是能干的人就要使他们能充分发挥作用。如果能够保证这些,就是党的领导有效,党的领导得力。这比东一件事情、西一件事情到处干预好得多,党的威信自然就会提高。

总之,怎样改善党的领导,这个重大问题摆在我们的面前。不好好研究这个问题,不解决这个问题,坚持不了党的领导,提高不了党的威信。

为了坚持和改善党的领导,必须加强党的纪律。文化大革命期间,党的纪律废弛了,至今还没有完全恢复,这也是党不能发挥应有作用的一个重要原因。由于纪律相当废弛,许多党员可以自行其是,对党的路线、方针、政策,党的决定,党规定的任务,可以不执行或不完全执行。一个党如果允许它的党员完全按个人的意愿自由发表言论,自由行动,这个党当然就不可能有统一的意志,不可能有战斗力,党的任务就不可能顺利实现。所以,要坚持和改善党的领导,必须严格地维护党的纪律,极大地加强纪律性。个人必须服从组织,少数必须服从多数,下级必须服从上级,全党必须服从中央。必须严格执行这几条。否则,形成不了一个战斗的集体,也就没有资格当先锋队。

这里我要说,这几条里面,最重要的就是全党服从中央。中央犯过错误,这早已由中央自己纠正了,任何人都不允许以此为借口来抵制中央的领导。只有全党严格服从中央,党才能够领导全体党员和全国人民为实现现代化的伟大任务而战斗。任何人如果严重破坏这一条,各级党组织和各级纪律检查委员会就必须对他严格执行纪律处分,因为这是党的最高利益所在,也是全国人民的最高利益所在。我们要坚决发扬党的民主,保障党的民主。党员对于党的决定有意见,可以通过组织发表,可以保留自己的意见,可以通过组织也可以直接向中央提出自己的意见。从中央起,各级党组织都要认真考虑这些意见。但是,中央决定了的东西,党的组织决定了的东西,在没有改变以前,必须服从,必须按照党的决定发表意见,不允许对党中央的路线、方针、政策任意散布不信任、不满和反对的意见。党报党刊一定要无条件地宣传党的主张。对党的工作中的缺点和错误,党员当然有权利进行批评,但是这种批评应该是建设性的批评,应该提出积极的改进意见。现在不是讲什么这样那样的问题可以讨论吗?可以讨论,但是,在什么范围讨论,用什么形式讨论,要合乎党的原则,遵守党的决定。否则,如果人人自行其是,不在行动上执行中央的方针政策和决定,党就要涣散,就不可能统一,不可能有战斗力。因此,必须坚决肃清由“四人帮”带到党内来的无政府主义思潮以及在党内新出现的形形色色的资产阶级自由主义思潮。只有坚决保证党的统一和战斗力,才能完成我们今天所提出的各项任务。

上面所说的几件大事,几个必须实行的原则,归根到底,是说要有一个好的党来领导。我们历来说,中国共产党是伟大的、光荣的、正确的党。由于历史上的曲折,产生了一些差距。但是经过三年来的奋斗,这些差距已经基本上消除了,或者正在努力消除。我们在今后的工作中将力求做得比较正确,或者说力求少犯错误,避免大的曲折,大的错误,有了错误尽快纠正。我完全相信,我们党,我们党的中央,一定能够做到这一步,我们是充满信心的。中国现代化建设需要我们的党,中国在国际反霸权主义斗争和争取人类进步事业中的重要地位,需要我们党。我们一定要坚持党的领导,改善党的领导,加强党的纪律和战斗力,使我们能够胜任对于整个国家和各族人民的巨大领导责任。

坚持党的路线，改进工作方法*

（一九八〇年二月二十九日）

我今天讲三点：一、讲这次会议；二、讲党的政治路线、思想路线和组织路线；三、讲工作方法。

第一个问题，这次全会很重要，开得非常好。党的十一届三中全会、四中全会和这次全会，都是开得好的。我们党的政治生活，多年没有这么活跃了。这次全会，真正做到了大家畅所欲言，真正体现了中央委员会的集体智慧和集体领导，在党的生活中树立了很好的风气。应该在全党各级领导机构中把这种风气推广发扬下去。

这次会议解决的加强党的领导、改善党的领导的问题，包括加强中央常委领导的问题，建立中央书记处的问题，提出党章修改草案和制定党内政治生活的若干准则的问题等，是十分重要的。我们党是执政党。应该说，党的领导在相当一个时期受了损害。恢复我们党在全国各族人民中、在国际上的地位和作用，是摆在我们面前需要解决的非常重要的问题。我认为，这次全会为解决这个问题所通过的几个决定和文件，都是正确的。会议真正体现了我们党的实事求是的作风。刘少奇

---

* 这是邓小平同志在中共十一届五中全会第三次会议上的讲话。

同志的平反是一件很大的事,我们解决得很好。这件事情可不可以早一点办呢?恐怕不行。但是,现在再不解决,就可能犯错误。全会建议全国人民代表大会修改宪法第四十五条,取消其中关于"四大"即大鸣、大放、大字报、大辩论的规定,这在保障国家政治生活的安定方面,也是一个很重要的问题。总之,这次会议提出讨论的问题都非常重要,都解决得很好。

会议的消息和文件公布以后,不仅在党内、在全国各族人民中,而且在国际上,都会引起很大很好的反响。在相当一段时间里,国际上议论纷纷,认为现在中国共产党、中华人民共和国的路线和政策是对的,但是怀疑它的继承性和稳定性。这次全会的文件和全会决定的一系列政治、组织措施,很好地回答了这个问题。我相信,全党全国各族人民对这次全会的决定是满意的。在国际上,肯定会进一步增加国外的同志、朋友和各种程度的合作者对我们的信任。这一点,对于我们实现四个现代化,对于加强国际反霸斗争,都是有利的。

第二个问题,关于坚持党的政治路线、思想路线和组织路线,我想多说几句。

我们从党的十一大〔52〕以来,特别是经过三中全会、四中全会,逐步确定了现阶段党的政治路线。三中全会确立了或者说重申了党的思想路线。三中全会以后,党中央考虑,不进一步解决党的组织路线问题,政治路线、思想路线就得不到可靠的保证。这次会议的一个主要任务就是解决这个问题。当然,党的组织路线的问题,从粉碎"四人帮"以后,中央就已经在着手解决,也做了很多事,比如我和一批人出来工作。但是把它更明确地提出来,还是三中全会以后的事情。这说明我们的工作大大地前进了。

我们党在现阶段的政治路线，概括地说，就是一心一意地搞四个现代化。这件事情，任何时候都不要受干扰，必须坚定不移地、一心一意地干下去。许多问题，不搞四个现代化解决不了。国民经济的发展，国民收入的增加，人民生活的逐步提高，国防相应地得到巩固和加强，都要靠搞四个现代化。全会讨论了党章修改草案。修改党章是要进一步明确党在四个现代化建设中的地位和作用。执政党应该是一个什么样的党，执政党的党员应该怎样才合格，党怎样才叫善于领导？在解决这些问题方面，参加讨论的同志都反映，党章修改草案是有特色的，比较好的。这不是说它已经很完善。也许还要经过几次修改才能完善。修改草案中关于我们党的政治路线的表述中增加了高度民主、高度文明的内容，这比以前的提法更周到些，不过句子还太长。语句简短一点好记。但是不管怎样表述，实质是搞四个现代化，最主要的是搞经济建设，发展国民经济，发展社会生产力。这件事情一定要死扭住不放，一天也不能耽误。请同志们在处理各种繁忙的事务的时候，务必一天也不要放松经济工作。

一心一意地搞四个现代化建设，必须一心一意地维护和发展安定团结、生动活泼的政治局面。这始终是摆在我们面前的一个十分重要的问题。我们建议取消宪法中关于“四大”的规定，就是为了这一点。取消宪法中关于“四大”的规定，并不是说不要发扬社会主义民主，而是由于多年的实践证明，“四大”不是一种好办法，它既不利于安定，也不利于民主。发扬社会主义民主，健全社会主义法制，两方面是统一的。发扬民主可以经过很多渠道来实现。比如党内政治生活的准则就规定，要讲真话，有意见摆到桌面上。我们这次全会就是人人畅所欲言，包括中央常委讲的话，有不妥当的，大家纠正，这很好嘛。哪有什么金口玉言，即席讲几句话就句句准确？我们全会的风气很好，发扬这样的民主风气，就有利于维护和发展安定团结、生动活泼的政治局面。“四大”就决不能做到这一点。

要实现安定团结、生动活泼的政治局面，必须解决历史的遗留问题，弄清大是大非。我们已经解决了大量的这类问题，但是还有相当多的问题需要继续解决。解决历史遗留问题，如三中全会所说，是为了团结一致向前看。不能在旧帐上纠缠，要把大家的思想和目光引到搞四个现代化上面来。如果不能得到团结一致向前看的结果，就说明我们的工作有缺陷。所以我们总是说，重大历史问题的解决宜粗不宜细。我这里不只是讲某一个具体的案子，而是讲总的历史问题，包括将来要写的若干历史问题的决议，太细了不妥当。

为少奇同志平反的决议讲，文化大革命前，党犯过一些错误，少奇同志和其他同志一样，也犯过一些错误。我看这样讲好，符合实际。不要造成一个印象，好像别人都完全正确，唯独一个人不正确。这个话我有资格讲，因为我就犯过错误。一九五七年反右派〔101〕，我们是积极分子，反右派扩大化我就有责任，我是总书记呀。一九五八年大跃进〔77〕，我们头脑也热，在座的老同志恐怕头脑热的也不少。这些问题不是一个人的问题。我们应该承认，不犯错误的人是没有的。拿我来说，能够四六开，百分之六十做的是好事，百分之四十不那么好，就够满意了，大部分好嘛。我们既然说毛泽东同志都会犯错误，少奇同志就没有错误呀？其他同志就不犯错误呀？平反的决议这样评价少奇同志，可以使党内党外、国内国外进一步认识到，中国共产党是实事求是的，是敢于面对现实讲真话的。否则不合乎事实。没有不犯错误的人，只是错误有大小轻重的区别。

历史遗留的问题还要继续解决。比如这次会上提到的瞿秋白〔107〕同志，讲他是叛徒就讲不过去，非改正不可。在处理这些历史问题的时候，要引导大家向前看，不要过分纠缠。有些同志的问题已经实际上解决了，就不必再要求中央发文件，过多地发文件并不好。

其次，谈谈思想路线问题。三中全会确立了，准确地说是重申了党的马克思主义的思想路线。马克思、恩格斯创立了辩证唯物主义和历史唯物主义的思想路线，毛泽东同志用中国语言概括为“实事求是”四个大字。实事求是，一切从实际出发，理论联系实际，坚持实践是检验真理的标准，这就是我们党的思想路线。我们说重申，就是说把这条马克思主义的思想路线恢复起来。这条思想路线，有一段时间被抛开了，给党的事业带来很大的危害，使国家遭到很大的灾难，使党和国家的形象受到很大的损害。但是我们还是应该说，党的这条思想路线是毛泽东同志确立的，他在领导革命的大部分时间内是坚持这条思想路线的。我们贯彻这条思想路线，就要反对教条主义，反对修正主义，坚持四项基本原则。离开坚持四项基本原则，就没有根，没有方向，也就谈不上贯彻党的思想路线。我们提倡的实事求是，是马列主义、毛泽东思想的一个基本组成部分，因此提倡实事求是决不能离开马列主义、毛泽东思想的基本原理，决不能忽视毛泽东同志在这个问题上的伟大功绩。我们任何时候都不能损害毛泽东同志在整个中国革命史上的光辉形象，不能动摇高举毛泽东思想旗帜的原则。我们要有这个觉悟，要有这个认识。这不但是中国共产党的利益所在，中华民族的利益所在，而且是国际共产主义运动的利益所在。

关于真理标准问题的讨论，现在越来越显示出它的重要性。这个讨论是针对"两个凡是"〔18〕的，意思是不要把马列主义、毛泽东思想当作教条。三中全会的提法，叫研究新情况，解决新问题。去年我们说，各地对于这个问题的讨论要结合实际，要结合具体情况解决问题。这就是说，坚持党的思想路线，也同样要求向前看。处理任何问题，都要使全党全国人民的注意力集中于怎样恢复和提高党的威信、加强和改善党的领导，怎样解决现在面临的国际和国内的新问题。

我们搞四个现代化，不开动脑筋，不解放思想不行。什么叫解放思想？我们讲解放思想，是指在马克思主义指导下打破习惯势力和主观偏见的束缚，研究新情况，解决新问题。解放思想决不能够偏离四项基本原则的轨道，不能损害安定团结、生动活泼的政治局面。全党对这个问题要有一个统一的认识。如果像"西单墙"〔93〕的一些人那样，离开四项基本原则去"解放思想"，实际上是把自己放到党和人民的对立面去了。

解放思想必须真正解决问题。我们的思想懒汉不少，讲现话、空话的多。真正仔细地研究新情况，解决新问题，切实地想办法使我们的步伐快一些，使生产力发展快一些，使国民收入增加快一些，把领导工作做得更好一些，这样的同志还不多。比如现在很需要人才，对于一些优秀分子为什么不能上来，怎样解决挡路的问题，就非常需要认真想一想，采取有效的措施。我们这些老同志，包括我在内，要是办不好这件事，交不了帐就是了。还有些事情，有的地方只会照搬，上面没有指示就不敢动，这能叫解放思想？我们多次讲过，就是一个生产队，也应该解放思想，开动脑筋，解决本生产队的具体问题。我看，一个生产队、一个工厂、一个车间、一个班组的党组织，如果能够面对自己单位的具体问题，走群众路线，同群众商量，提出很好的办法，由共产党员起模范作用，真正解决这些问题，那末，那里的党组织对四个现代化就做出了很可贵的贡献。

这次全会在组织路线方面作出了一系列非常重要的决策。但是，就全党来说，没有解决的重要问题还不少，我们要有清醒的估计。例如，我们现在的体制就很不适应四个现代化的需要。不过当前最重要的还是选好接班人。从中央起，我们各级党委，特别是老同志，一定要时刻不忘严肃地对待这个问题，承担起这个庄严的责任。时间紧迫，再不及早妥善解决这个问题不行。一九七五年王洪文〔43〕说：十年后再看。那个时候，我跟先念〔84〕同志还有其他同志谈过这件事。一九七五年我已经七十一岁了，从年龄上我们是斗不过他们的。所以当时我们就想，确实要有比较年轻的同志上来工作。这个问题很实际又很紧迫。五年以后再开中央全会，在座的相当一部分人不能工作了，那时再考虑接班人问题就晚了。

现在的问题有两个方面。一方面，现在确实还有一批帮派人物，奉行林彪、“四人帮”那套思想体系的，打砸抢的，头上长角、身上有刺的，这是造成不安定的一个重要因素。党的路线、方针、政策，在贯彻执行的过程中，总要遇到那么一些人，一下子就给卡住了。如果对林彪、“四人帮”的残余分子,对那些拒绝接受教育、不愿改变立场的分子手软,仍然把他们放在重要的岗位上,我们就要犯大错误。另一方面,我们确实已经有不少比较优秀的年轻人,在经济建设、科学技术、文化教育等各个领域中,都有不少有专业知识、有管理能力、很能干的人。政治思想好、党性强,又有见解、有本领的人,各部门各地方有的是。因此,一方面,对那些帮派体系人物,一定要严肃处理;另一方面,又必须注意从年纪比较轻、身体比较健康、各方面表现都比较好的同志里面选一批接班人。如果能够花三五年时间解决这么一个大问题,我们的事业就越来越有希望。

我想请在座的同志们考虑,下届的中央委员会,是不是可以选五十个五十岁以下的人。代表大会的代表应该有相当数量的五十岁以下的人。如果做不到这两点,我们那个代表大会就不是成功的代表大会。再往后,我们的代表大会代表、中央委员会委员还应当更年轻一些。这是我们事业兴旺发达的重要标志之一。

我们党现在确实存在一个整顿的问题。这个问题,一九七五年就提出来了,现在还没有解决。三千八百万党员,相当一部分不合格。这次全会以后,需要结合讨论党章修改草案和贯彻执行党内生活准则,在全党进行一次教育。老干部都要参加,搞个小整风也好,无非是对照条文看合格不合格嘛。一个人十分之九合格,或者十分之七八合格,这就很好。当然百分之百合格的人也有的是。不合格的就要实行批评和自我批评,要求他们转变。

第三个问题,注意工作方法,克服官僚主义。这也是摆在我们面前的一个迫切问题。克服官僚主义，首先还是要着重研究体制的改革，但是工作方法不改也不行，更不能因为等体制改革就无所作为。工作方法总要适应四个现代化的要求，改得好一点、快一点嘛。

我们要发扬民主，但是同时需要集中。也许现在和以后一个相当时候，更要着重强调该集中的必须认真集中，以便把效率提高一些。我们强调集体领导，这次讲接班也是集体接班，这很好，很重要。但是，同时必须把分工负责的制度建立起来。集体领导解决重大问题；某一件事、某一方面的事归谁负责，必须由他承担责任，责任要专。应该说，过去我们的书记处工作效率不算低，原因之一就是做出决定交给专人分工负责，他确实有很大的权力，可以独立处理问题。现在反正是画圈，事情无人负责，很容易解决的问题，一拖就是半年、一年，有的干脆拖得无影无踪了。办事效率太低，人民很不满意。这样能够搞四个现代化呀？我希望，从重新建立书记处开始，中央和国务院要带头搞集体办公制度，不要再光画圈圈了。书记处和国务院的某些工作，不一定全体成员都参与，有几个人一议，就定了。有些事情可以一面做，一面报告政治局和常委；要上面讨论的事情可以等，备案性质的就不要等。各级都要实行集体领导、分工负责。比如实行党委领导下的厂长负责制，党委只管大的政治问题、原则问题，厂里的生产、行政方面的管理工作，就应该由厂长负责统一指挥，不能事无大小都由党委包起来。厂长和几位副厂长也各有专责，有管技术的，有管科研的，有管财务的，有管后勤的，等等，需要商量的事也可以几个人商量决定。上下都要讲究工作效率。这样做，难免有时要犯一点错误,但这种错误比那种议而不决、决而不行、拖拖沓沓、长期解决不了问题的错误好得多,也容易纠正。

开会要开小会,开短会,不开无准备的会。会上讲短话,话不离题。议这个问题,你就对这个问题发表意见,赞成或反对,讲理由,扼要一点;没有话就把嘴巴一闭。不开空话连篇的会,不发离题万里的议论。即使开短会、集体办公,如果一件事情老是议过去议过来,那也不得了。总之,开会、讲话都要解决问题。

这次会议的效率不算低,几天解决了这么多的问题,而且解决得比较好。中央全会带了个好头,我看我们的事业大有希望。

精简军队，提高战斗力*

（一九八〇年三月十二日）

军队的问题，最近我和一些同志谈过，主要有四个问题：第一是“消肿”，第二是改革体制，第三是训练，第四是加强政治思想工作。

第一，讲“消肿”。

这次会议主要是研究军队“消肿”这个老问题。我们军队有没有战斗力？一旦有事行不行？我讲的不是像对越自卫还击战〔81〕这样的事，这样的事好应付。如果从我们面临的更强大的对手来说，衡量一下我们的战斗力，可靠性怎么样？当然，我们还有很多不利的因素，比如有好多干部没有打过仗，缺乏指挥作战的经验，装备又比较落后，等等。但是经过对越作战可以看出，勇敢这两个字我们还是有的。军队勇敢，这很好。仗打起来，开始可能吃些亏，经过一段时间情况就会变化，有勇敢这一条，我们就能学会打仗。这一点我们是有信心的。然而我们必须清醒地看到，我们存在的一个最大问题，就是军队很臃肿。真正打起仗来，不要说指挥作战，就是疏散也不容易。现在提出“消肿”，主要是要解决军队机构重叠、臃肿，以及由此

---

* 这是邓小平同志在中共中央军委常委扩大会议上的讲话。

带来的各级指挥不灵等问题。这件事在一九七五年我们就提出过，做了一些工作，也见效，后来由于遇到曲折，停了下来。经过这几年，军队的各级机构又加大了，随之官僚主义现象也发展了起来。现在解决问题很难，好多问题一拖就是好长时间。因此，军队要提高战斗力，提高工作效率，不"消肿"不行。还有，我们国家现在支付的军费相当大，这不利于国家建设；军队人员过多，也妨碍军队装备的现代化。减少军队人员，把省下来的钱用于更新装备，这是我们的方针。如果能够节省出一点用到经济建设上就更好了。冷静地判断国际形势，多争取一点时间不打仗还是可能的。在这段时间里，我们应当尽可能地减少军费开支来加强国家建设。总之，搞四个现代化也好，把军队搞精干、提高战斗力也好，都需要"消肿"。

我们这次精简，主要是减少不必要的非战斗人员，减少统率机构、指挥机构人员。最主要的是减少干部。这次的措施比一九七五年更进了一步。比如，各级指挥员人数，过去保留得多一点，这次要力求少一点。很多同志提议，一个团两个副团长、一个副政委就可以了，这个意见好。师也可以这样做嘛！现在领导班子实在太大。这个问题如果不果断处理，再过几年，不晓得问题会变成什么样子！请大家对比一下一九七五年和一九七九年的情况。一九七五年时，军队要包起来的干部已经相当多了，现在，相隔四年之后，要养起来、要退休的人就更多了。如果我们现在还不下决心解决，再过几年，问题会更多、更大，处理起来会更困难。所以不下这个决心不行了。特别还要看到这样一个情况：军区一级、军一级、师一级干部，年龄大体差不多，都相当大了。过几年，统统老了，不但不能到军、师工作，到军区、总部工作也不好办。这是自然规律。在座的同志再过五年怎么样？恐怕到那时不说所有的人，就说大部分人，要坚持工作也困难了。再过七年八年，都七十岁出头了，你还能在战场上见分晓啊？真正打起仗来，三天三夜不睡觉行不行啊？所以，现在的“消肿”也有利于我们干部的更新。我们下面的干部之所以上不来，就是因为上面盖住了。这不只是军队，地方也一样。今天，主要的岗位还只能由老同志来搞，再过几年总不行了嘛！所以，这次精简要把盖子揭一层，包括团级的、营级的、连级的都要揭，为提拔新生力量创造一个条件。

对减下来的干部，我建议组织各种训练班进行训练。训练什么呢？就是准备到哪个行业就专门学习哪一行的业务。地方上没有房子，可以利用军队的营房，教员请地方出。这些干部往哪里安置，可以同国务院有关各部门商量。地方上也有可以容纳的行业。比如，与军队干部的特长比较接近的政法工作，就需要大批干部。现在，警察不够，警官更不够，法院院长、法官、律师、检察官、审判员都缺乏。一般资本主义国家考法官、考警察，条件很严格，我们更应该严格，除了必须通晓各项法律、政策、条例、程序、案例和有关的社会知识以外，特别要求大公无私、作风正派。按道理，军队的干部应该比较合格。这方面军队可输送一大批干部。又比如，我们现在缺乏教员，可以安排一批军队转业干部去教书。当然，转业干部中能当大学教员的，即使有也是极个别的。但是，能当中学、小学教员的还有的是。要说服这些同志去当教员。大家提到，大专学校设军体教员，这方面名额有限。全国大专学校只有几百所，每所学校假定平均用十个人，顶多能容纳几千人、万把人。但对中小学教员的需要是大量的。如果我们培训一批合格的教员，地方上可以容纳。还有，各行各业缺乏管理人员，只要经过训练，条件相宜，也可以安排一批。军队干部指挥部队，也是管理，总有管理知识嘛。为什么世界各国的各行各业都愿意接纳军队的人呢？因为军队人员的科学知识和文化水平比较高，还有管理方面的知识。我们军队转业干部中会管企业的人不多，但是总有管理军队的经验嘛！问题就是需要培训，转到哪一行就学哪一行。训练时间，有的半年，有的一年，有的一年半。经过训练，再转到地方，地方就比较容易安置。过去从军队转业到地方，无非去当政治部主任，搞政治工作或一般工作。现在这些人不缺，还有多余的。所以，要根据地方需要，按专业办训练班、速成学校等培训干部，解决“消肿”后的干部安排问题。

第二，讲改革体制。

体制问题，实际上同“消肿”是一个问题的两方面。要“消肿”，不改革体制不行。现在我们的体制有很多问题。比如，总参谋部、总政治部、总后勤部三大总部为什么机构这样大？过去，每提出一个新的任务都要增加机构，增加人员，从来没有说减少人员。大家对公文旅行、解决问题慢，意见很多，这些也都和体制问题有关。

体制、制度问题中，很重要的是建立军官服役、退役制度。五十年代搞了个军官服役条例，一直没有行通，后来放下了。其实那个条例基本上是个好设想、好办法。如果那个东西执行了，就不会有现在的困难。这次会议后，就要着手研究这个问题。要有退休制度。不仅军队要有，地方也要有，国务院也要办这件事。军队干部的退休年龄要比地方干部小一些，因为军队要打仗。当然规定要切实可行。国家不建立退休制度会影响到整个国家的生气，军队不建立退休制度，也就不能保持自己的生气。有了退休制度，人人都知道自己到哪年该怎么样，这就比较好办。否则一个人一个人地处理问题，处理不下去。军队老同志退休，办法是军队把房子盖好，再转给地方。现在只能这样做，因为地方一下子接管还很难。还有，军队有些方面的工作人员可以改成文职人员、雇佣人员，不穿军服。军事院校的好多教员，也可以用文职人员，不一定用军人。教数理化的为什么一定要军人呢？该当教授就当教授，该当讲师就当讲师。军队医院也可以实行医务人员的制度，定技术职称，搞那么多行政职务干什么？这些问题都要制度化。制度化以后，编制就不会臃肿，该用一个人就是一个人，该用几个人就是几个人。总之，这一套制度要建立起来，要好好地找些人来专门研究。

这次精简，有了一个编制方案。但是还要进一步研究我们的编制、体制。有些同志提了一些很好的意见，很值得我们思考。比如，有的同志提出，根据各战区特点，根据军队装备不断改进的情况，搞些合成军、合成师。这样便于平时合成训练，便于指挥员熟悉特种兵的指挥，就能把平时训练和战时使用结合起来，免得临时配属不习惯。这些问题都要当作制度问题、体制问题提出来，作进一步的研究。研究时可能还要接触到别的体制问题。

第三，讲训练。

一九七五年我们就提出要把训练提高到战略地位，因为不打仗，部队军事素质的提高就得靠训练。这一段时间做了许多工作，但是这个问题还是没有解决好，现在重新提出来，并作为一个制度问题加以解决。

现在打仗，我们的军官没有现代化战争的知识不行。当个连长，不是过去的连长，当个团长，不是过去的团长，要有知识，天上、地下，陆上、水下，包括通信联络都要懂得。要从制度上考虑，从排长起，各级军官都必须经过军官学校的训练。排连干部要初级步兵学校毕业。毕业后，一般的当排长，好的当连长。营团干部要进过中级军官学校。从排长、连长里选好的来学，经过一定时间学习才去当营长、团长。军和师的领导干部也要进过高级军官学校的才能当。这个要制度化。我们现在有条件这样做。过去是在战争中训练，从战争中学习，而且那个学习是最过硬的。但是现在，即使有战争，不经过学校学习也不行，因为装备不同了，指挥现代化战争需要多方面的知识。如果连地图都不认识，那怎么行啊！现在还不是会不会识图的问题，那个还容易解决。现代化战争非常复杂，连通信联络都不容易。一个连作战，配属你几辆坦克、几门火炮，你怎么指挥？你连长没有这个知识是不行的呀！所以非学习不行。军官的晋升也要制度化。每个阶段的晋升都必须经过学习，掌握现代化战争的知识。特种兵也应该如此。徐向前〔108〕同志每次都讲要多办学校，这个意见很好、很对。宁肯少几个兵，少几个机关人员，也要把学校办好，让多一点人进学校。

平时部队的训练，大家也还是在抓，确实也需要抓紧。但是不能总是停留在练射击、刺杀、投手榴弹的水平上，现在单练这些就不够了。怎样对付坦克、飞机等等，每个战士都得学会。怎样把天上地下协同起来，我们也要学会。刚才我说要编组合成军，就是要逐步地把部队合成起来，通过平时训练，使大家熟悉这方面的知识，学会这方面的本领。

最后，讲一讲加强政治思想工作。

同志们在发言中也接触到了这个问题。有人反映现在兵难带，特别是城市兵难带。城市里有的把一些不大守规矩的青年往军队里塞，这个问题以后征兵的时候要注意。但是，不管怎么样，军队里的政治思想工作需要加强。现在这方面的工作有相当的削弱，政治工作人员不懂得做政治思想工作。其实军队的政治思想工作，军队所有的军事人员、政治人员都要做。今天上午我看了清华大学一个报告。清华大学提出一个很重要的问题，就是学生从到学校第一天起，就要对他们进行政治思想工作。学校的党团组织和所有的教员都要做学生的政治思想工作。他们这样做很见效，现在学校风气很好。清华大学的经验，应当引起全国注意。又红又专，那个红是绝对不能丢的。一个学校都如此，我们军队就更应当加强政治思想工作。要从战士入伍第一天起就注意这个问题。

对起草《关于建国以来党的若干历史问题的决议》的意见*

（一九八〇年三月——一九八一年六月）

一

我看了起草小组的提纲，感到铺得太宽了。要避免叙述性的写法，要写得集中一些。对重要问题要加以论断，论断性的语言要多些，当然要准确。

中心的意思应该是三条。

第一，确立毛泽东同志的历史地位，坚持和发展毛泽东思想。这是最核心的一条。不仅今天，而且今后，我们都要高举毛泽东思想的旗帜。十一届五中全会为刘少奇同志平反的决定传达下去以后，一部分人中间思想相当混乱。有的反对给刘少奇同志平反，认为这样做违反了毛泽东思想；有的则认为，既然给刘少奇同志平反，就说明毛泽东思想错了。这两种看法都是不对的。必须澄清这些混乱思想。对毛泽东同志、毛泽东

* 《关于建国以来党的若干历史问题的决议》的起草工作，是在中共中央政治局、中央书记处领导下，由邓小平、胡耀邦同志主持进行的。起草小组主要由胡乔木同志负责。从一九八〇年三月到一九八一年六月中共十一届六中全会，邓小平同志多次谈过对决议稿的起草和修改的意见。这是其中九次谈话的节录。

思想的评价问题，党内党外和国内国外都很关心，不但全党同志，而且各方面的朋友都在注意我们怎么说。

要写毛泽东思想的历史，毛泽东思想形成的过程。延安时期那一段，可以说是毛泽东思想比较完整地形成起来的一段。毛泽东思想中关于新民主主义革命的理论，包括党的建设的理论和处理党内关系的原则，在延安整风前后，都比较完整地形成了。六届七中全会通过的若干历史问题决议，主要是批判三次"左"倾路线〔109〕，对照着讲以毛泽东同志为代表的正确路线，没有专门讲毛泽东思想的全部内容。现在这一次，要正确地评价毛泽东思想，科学地确立毛泽东思想的指导地位，就要把毛泽东思想的主要内容，特别是今后还要继续贯彻执行的内容，用比较概括的语言写出来。"文化大革命"的十年，毛泽东同志是犯了错误的。在讲到毛泽东同志、毛泽东思想的时候，要对这一时期的错误进行实事求是的分析。

第二，对建国三十年来历史上的大事，哪些是正确的，哪些是错误的，要进行实事求是的分析，包括一些负责同志的功过是非，要做出公正的评价。

第三，通过这个决议对过去的事情做个基本的总结。还是过去的话，这个总结宜粗不宜细。总结过去是为了引导大家团结一致向前看。争取在决议通过以后，党内、人民中间思想得到明确，认识得到一致，历史上重大问题的议论到此基本结束。当然，议论过去，将来也难以完全避免，但只是在讨论当前工作的时候，联系着谈谈过去有关的事情。现在要一心一意搞四化，团结一致向前看。做到这点不那么容易。决议要力求做好，能使大家的认识一致，不再发生大的分歧。这样，即使谈到历史，大家也会觉得没有什么不同意见可说了，要说也只是谈谈对决议内容、对过去经验教训的体会。

总的要求，或者说总的原则、总的指导思想，就是这么三条。其中最重要、最根本、最关键的，还是第一条。

过去常说十次路线斗争，现在应该怎么看？

彭德怀同志那一次〔110〕不能算了。刘少奇同志这一次〔111〕也不能算了。这就减去了两次。林彪、江青是反革命集团。陈独秀〔112〕，还有瞿秋白〔107〕同志、李立三〔113〕同志这三个人，不是搞阴谋诡计的。罗章龙〔114〕另立中央，分裂党。张国焘〔115〕是搞阴谋诡计的。高岗〔116〕是搞阴谋诡计的。林彪、江青更不用说了。

揭露高饶的问题没有错。至于是不是叫路线斗争，还可以研究。这个事情，我知道得很清楚。毛泽东同志在一九五三年底提出中央分一线、二线之后，高岗活动得非常积极。他首先得到林彪〔1〕的支持，才敢于放手这么搞。那时东北是他自己，中南是林彪，华东是饶漱石〔117〕。对西南，他用拉拢的办法，正式和我谈判，说刘少奇同志不成熟，要争取我和他一起拱倒刘少奇同志。我明确表示态度，说刘少奇同志在党内的地位是历史形成的，从总的方面讲，刘少奇同志是好的，改变这样一种历史形成的地位不适当。高岗也找陈云〔83〕同志谈判，他说：搞几个副主席，你一个，我一个。这样一来，陈云同志和我才觉得问题严重，立即向毛泽东同志反映，引起他的注意。高岗想把少奇同志推倒，采取搞交易、搞阴谋诡计的办法，是很不正常的。所以反对高岗的斗争还要肯定。高饶问题的处理比较宽。当时没有伤害什么人，还有意识地保护了一批干部。总之，高饶问题不揭露、不处理是不行的。现在看，处理得也是正确的。但是，高岗究竟拿出了一条什么路线？我看，确实没有什么路线。所以，究竟叫不叫路线斗争，也难说。你们再斟酌一下。

一九五七年反右派斗争〔101〕还是要肯定。三大改造〔118〕完成以后，确实有一股势力、一股思潮是反社会主义的，是资产阶级性质的。反击这股思潮是必要的。我多次说过，那时候有的人确实杀气腾腾，想要否定共产党的领导，扭转社会主义的方向，不反击，我们就不能前进。错误在于扩大化。统战部写了个报告给中央，提出错划的都要改正，没有错划的不能改正。但是，对于没有错划的那几个原来民主党派中的著名人士，在他们的结论中也要说几句：在反右派斗争前，特别是在民主革命时期，他们曾经做过好事。对他们的家属应该一视同仁，在生活上、工作上、政治上加以妥善照顾。

你们提纲中最后的几条经验写得不错，还可以考虑再加一两条。

总起来说，对历史问题，还是要粗一点、概括一点，不要搞得太细。对有些同志在有些问题上的错误意见，要硬着头皮顶住。重要的问题要加以论证。要尽快搞出个稿子来。

（一九八〇年三月十九日同中央负责同志的谈话）

二

总起来说，一九五七年以前，毛泽东同志的领导是正确的，一九五七年反右派斗争以后，错误就越来越多了。《论十大关系》是好的。《关于正确处理人民内部矛盾的问题》也是好的。《一九五七年夏季的形势》中还说，必须在我国建立一个现代化的工业基础和现代化的农业基础，这样，我们的社会主义的经济制度和政治制度，才能获得自己的比较充分的物质基础；为了建成社会主义，工人阶级必须有自己的技术干部队伍，必须有自己的教授、教员、科学家、新闻记者、文学家、艺术家和马克思主义理论家的队伍，这是一个宏大的队伍，人少了是不成的；要造成一个又有集中又有民主，又有纪律又有自由，又有统一意志、又有个人心情舒畅、生动活泼，那样一种政治局面。两次郑州会议〔119〕也开得及时。一九五九年上半年，是在纠正"左"的错误。庐山会议〔120〕前期还讨论经济工作。彭德怀同志的信一发下来，就转变风向了。彭德怀同志的意见是正确的，作为政治局委员，向政治局主席写信，也是正常的。尽管彭德怀同志也有缺点，但对彭德怀同志的处理是完全错误的。接着就是困难时期。一九六一年书记处主持搞工业七十条〔12〕，还搞了一个工业问题的决定。当时毛泽东同志对工业七十条很满意，很赞赏。他说，我们终究搞出一些章法来了。在这以前，还搞了农业十二条〔121〕，人民公社六十条〔122〕。看起来，这时候毛泽东同志还是认真纠正"左"倾错误的。他在七千人大会〔123〕上的讲话也是好的。可是到一九六二年七、八月北戴河会议〔124〕，又转回去了，重提阶级斗争，提得更高了。当然，毛泽东同志在八届十中全会的讲话中说，不要因为提阶级斗争又干扰经济调整工作的进行。这是起了好的作用的。但是，十中全会以后，他自己又去抓阶级斗争，搞"四清"〔125〕了。

然后就是两个文艺批示〔126〕,江青〔44〕那一套陆续出来了。到一九六四年底、一九六五年初讨论“四清”,不仅提出走资本主义道路的当权派,还提出北京有两个独立王国。从一九六一年到一九六六年形势的发展可以看出来,调整工作取得了很好的成绩,经济政治形势很好,社会秩序很好。总之,建国后十七年这一段,有曲折,有错误,基本方面还是对的。社会主义革命搞得好,转入社会主义建设以后,毛泽东同志也有好文章、好思想。讲错误,不应该只讲毛泽东同志,中央许多负责同志都有错误。“大跃进”〔77〕,毛泽东同志头脑发热,我们不发热?刘少奇同志、周恩来同志和我都没有反对,陈云同志没有说话。在这些问题上要公正,不要造成一种印象,别的人都正确,只有一个人犯错误。这不符合事实。中央犯错误,不是一个人负责,是集体负责。在这些方面,要运用马列主义结合我们的实际进行分析,有所贡献,有所发展。

提纲中的几条经验,意思都好,看放在什么地方讲。

整个设计,可不可以考虑,先有个前言,回顾一下建国以前新民主主义革命这一段,话不要太多。然后,建国以来十七年一段,“文化大革命”一段,毛泽东思想一段,最后有个结语。结语讲我们党还是伟大的,勇于面对自己的错误,勇于纠正自己的错误。决议中最核心、最根本的问题,还是坚持和发展毛泽东思想。党内党外、国内国外都需要我们对这一问题加以论证,加以阐述,加以概括。

（一九八〇年四月一日同中央负责同志的谈话）

三

决议草稿看了一遍。不行，要重新来。我们一开始就说，要确立毛泽东同志的历史地位，坚持和发展毛泽东思想，现在这个稿子没有很好体现原先的设想。一九五七年以前的几部分，事实差不多，叙述的方法、次序，特别是语调，要重新斟酌、修改。要说清楚关于社会主义革命和社会主义建设，毛泽东同志有哪些贡献。他的思想还在发展中。我们要恢复毛泽东思想，坚持毛泽东思想，以至还要发展毛泽东思想，在这些方面，他都提供了一个基础。要把这些思想充分地表达出来。这段时间他的一些重要文章，如《论十大关系》、《关于正确处理人民内部矛盾的问题》、《一九五七年夏季的形势》等，都要写到。这都是我们今天要继续坚持和发展的。要给人一个很清楚的印象，究竟我们高举毛泽东思想旗帜、坚持毛泽东思想，指的是些什么内容。

整个文件写得太沉闷，不像一个决议。看来要进行修改，工程比较大。重点放在毛泽东思想是什么、毛泽东同志正确的东西是什么这方面。错误的东西要批评，但是要很恰当。单单讲毛泽东同志本人的错误不能解决问题，最重要的是一个制度问题。毛泽东同志说了许多好话，但因为过去一些制度不好，把他推向了反面。毛泽东同志晚年在理论和实践上的错误，要讲，但是要概括一点，要恰当。主要的内容，还是集中讲正确的东西。因为这符合历史。是不是结语写一段我们还要继续发展毛泽东思想。这中间还要批评“两个凡是”〔18〕的观点。毛泽东同志的错误在于违反了他自己正确的东西。“两个凡是”的观点就是想原封不动地把毛泽东同志晚年的错误思想坚持下去。所谓按既定方针办〔127〕，就是按毛泽东同志晚年的错误方针办。封建主义残余影响的问题要讲一讲，也要讲得恰当。毛泽东同志多次不赞成歌功颂德，提出不以个人名字给地方、企业命名，不祝寿、不送礼。我们现在的中央所坚持的这一套，就是毛泽东思想，当然我们也有具体化的内容。

（一九八〇年六月二十七日同中央负责同志的谈话）

四

这次党内四千人参加的讨论还在进行，我看了一些简报，大家畅所欲言，众说纷纭，有些意见很好。决议讨论稿的篇幅还是太长，要压缩。可以不说的去掉，该说的就可以更突出。很多组要求把粉碎“四人帮”以后这段补写上去。看来，这段势必要写。

关于毛泽东同志功过的评价和毛泽东思想，写不写、怎么写，的确是个非常重要的问题。我找警卫局的同志谈了一下，他们说，把我前些日子和意大利记者法拉奇的谈话向战士们宣读了，还组织了讨论，干部、战士都觉得这样讲好，能接受。不提毛泽东思想，对毛泽东同志的功过评价不恰当，老工人通不过，土改时候的贫下中农通不过，同他们相联系的一大批干部也通不过。毛泽东思想这个旗帜丢不得。丢掉了这个旗帜，实际上就否定了我们党的光辉历史。总的来说，我们党的历史还是光辉的历史。虽然我们党在历史上，包括建国以后的三十年中，犯过一些大错误，甚至犯过搞“文化大革命”这样的大错误，但是我们党终究把革命搞成功了。中国在世界上的地位，是在中华人民共和国成立以后才大大提高的。只有中华人民共和国的成立，才使我们这个人口占世界总人口近四分之一的大国，在世界上站起来，而且站住了。还是毛泽东同志那句话：中国人民从此站起来了。国内的人民也罢，国外的华侨也罢，对这点都有亲身感受。也只有在中华人民共和国成立以后，才真正实现了全国（除台湾外）的统一。旧中国军阀混战时期不必说了，就是国民党统治时期，国家也没有真正统一过，像对山西、两广、四川等地，都不能算真正统一。没有中国共产党，不进行新民主主义革命和社会主义革命，不建立社会主义制度，今天我们的国家还会是旧中国的样子。我们能够取得现在这样的成就，都是同中国共产党的领导、同毛泽东同志的领导分不开的。恰恰在这个问题上，我们的许多青年缺乏了解。

对毛泽东同志的评价，对毛泽东思想的阐述，不是仅仅涉及毛泽东同志个人的问题，这同我们党、我们国家的整个历史是分不开的。要看到这个全局。这是我们从决议起草工作开始的时候就反复强调的。决议稿中阐述毛泽东思想的这一部分不能不要。这不只是个理论问题，尤其是个政治问题，是国际国内的很大的政治问题。如果不写或写不好这个部分，整个决议都不如不做。当然，究竟怎么个写法好，还要认真研究大家的意见。

不说毛泽东思想全面地发展了马克思列宁主义，不说它是马克思主义的新阶段，这些都对。但是应该承认，毛泽东思想是马克思列宁主义在中国的运用和发展。我们党在运用马克思列宁主义解决中国实际问题的过程中,的确有很多发展。这是客观的存在,历史的事实。不管怎么写,还是要把毛泽东同志的功过,把毛泽东思想的内容,把毛泽东思想对我们当前及今后工作的指导作用写清楚。三中全会以后,我们就是恢复毛泽东同志的那些正确的东西嘛,就是准确地、完整地学习和运用毛泽东思想嘛。基本点还是那些。从许多方面来说,现在我们还是把毛泽东同志已经提出、但是没有做的事情做起来,把他反对错了的改正过来,把他没有做好的事情做好。今后相当长的时期,还是做这件事。当然,我们也有发展,而且还要继续发展。

七大〔128〕规定毛泽东思想为全党的指导思想。我们党用毛泽东思想教育了整整一代人,使我们赢得了革命战争的胜利,建立了中华人民共和国。"文化大革命"的确是一个大错误。但是我们党还是粉碎了林彪、"四人帮"两个反革命集团,结束了"文化大革命",一直发展到今天。这些事情,还不是毛泽东思想教育的一代人干的?我们现在讲拨乱反正,就是拨林彪、"四人帮"破坏之乱,批评毛泽东同志晚年的错误,回到毛泽东思想的正确轨道上来。总之,不把毛泽东思想,即经过实践检验证明是正确的、应该作为我们今后工作指南的东西,写到决议里去,我们过去和今后进行的革命、建设的分量,它的历史意义,都要削弱。不写或不坚持毛泽东思想,我们要犯历史性的大错误。

现在有些同志把许多问题都归结到毛泽东同志的个人品质上。实际上,不少问题用个人品质是解释不了的。即使是品质很好的人，在有些情况下，也不能避免错误。红军时代中央革命根据地打AB团〔129〕，打AB团的人品质都不好？开始打AB团的时候，毛泽东同志也参加了，只是他比别人觉悟早，很快发现问题，总结经验教训，到延安时候就提出“一个不杀、大部不抓”〔130〕。在那种异常紧张的战争环境中，内部发现坏人，提高警惕是必要的。但是，脑子发热，分析不清，听到一个口供就相信了，这样就难于避免犯错误。从客观上说，环境的确紧张。从主观上说，当然也有个没有经验的问题。

毛泽东同志在“文化大革命”中也不是想把所有老干部都整倒。如对贺龙〔131〕同志，林彪从一开头就是要整的，毛泽东同志确实想过要保。虽然谁不听他的话，他就想整一下，但是整到什么程度，他还是有考虑的。至于后来愈整愈厉害，不能说他没有责任，不过也不能由他一个人负责。有些是林彪、“四人帮”已经造成既成事实，有些是背着他干的。不管怎样，一大批干部被打倒，不能不说是毛泽东同志晚年的一个最大悲剧。

毛泽东同志到了晚年，确实是思想不那么一贯了，有些话是互相矛盾的。比如评价“文化大革命”，说三分错误、七分成绩，三分错误就是打倒一切、全面内战。这八个字和七分成绩怎么能联系起来呢？

对于错误，包括毛泽东同志的错误，一定要毫不含糊地进行批评，但是一定要实事求是，分析各种不同的情况，不能把所有的问题都归结到个人品质上。毛泽东同志不是孤立的个人，他直到去世，一直是我们党的领袖。对于毛泽东同志的错误，不能写过头。写过头，给毛泽东同志抹黑，也就是给我们党、我们国家抹黑。这是违背历史事实的。

（一九八〇年十月二十五日同中央负责同志的谈话）

五

决议稿的轮廓可以定下来了。

建国头七年的成绩是大家一致公认的。我们的社会主义改造是搞得成功的，很了不起。这是毛泽东同志对马克思列宁主义的一个重大贡献。今天我们也还需要从理论上加以阐述。当然缺点也有。从工作来看，有时候在有的问题上是急了一些。

“文化大革命”前的十年，应当肯定，总的是好的，基本上是在健康的道路上发展的。这中间有过曲折，犯过错误，但成绩是主要的。那个时候，党和群众心连心，党在群众中的威信比较高，社会风尚好，广大干部群众精神振作。所以，尽管遇到困难，还是能够比较顺利地渡过。经济上发生过问题，但总的说还是有发展。充分肯定成绩，同时也要讲到反右派斗争、“大跃进”、庐山会议的错误。总的说来，我们还是经验不够，自然也有胜利之后不谨慎。当然，毛泽东同志要负主要责任。这一点，他曾经作了自我批评，承担了责任。这些事情写清楚了，再写“左”的思想的发展，以至于导致“文化大革命”的爆发。

关于“文化大革命”这一部分，要写得概括。胡乔木〔132〕同志的意见，我是赞成的。“文化大革命”同以前十七年中的错误相比，是严重的、全局性的错误。它的后果极其严重，直到现在还在发生影响。说“文化大革命”耽误了一代人，其实还不止一代。它使无政府主义、极端个人主义泛滥，严重地败坏了社会风气。但是，这十年中间，也还有健康的方面。所谓“二月逆流”〔133〕，不是逆流，是正流嘛，是同林彪、“四人帮”的反复斗争嘛。

胡耀邦〔96〕同志主张决议稿写出后多听听老干部、政治家，包括黄克诚〔134〕、李维汉〔135〕等同志的意见，这很对，我赞成。

（一九八一年三月十八日同《历史决议》起草小组负责同志的谈话）

六

前天我去看陈云同志。陈云同志对修改决议稿又提了两条意见。一是专门加一篇话，讲讲解放前党的历史，写党的六十年。六十年一写，毛泽东同志的功绩、贡献就会概括得更全面，确立毛泽东同志的历史地位，坚持和发展毛泽东思想，也就有了全面的根据。这个意见很好，请转告起草小组。二是建议中央提倡学习，主要是学习马克思主义哲学，重点是学习毛泽东同志的哲学著作。陈云同志说，他学习毛泽东同志的哲学著作，受益很大。毛泽东同志亲自给他讲过三次要学哲学。他在延安的时候，把毛泽东同志的著作认真读了一遍，这对他后来的工作关系极大。现在我们的干部中很多人不懂哲学，很需要从思想方法、工作方法上提高一步。《实践论》、《矛盾论》、《论持久战》、《战争和战略问题》、《论联合政府》等著作，选编一下。还要选一些马恩列斯的著作。总之,很需要学习马克思主义哲学就是了。也要学点历史。青年人不知道我们的历史,特别是中国革命、中国共产党的历史。这些意见,请你报告胡耀邦同志。历史决议中关于毛泽东同志对马克思主义哲学的贡献,要写得更丰富,更充实。结束语中也要加上提倡学习的意思。

（一九八一年三月二十六日同《历史决议》起草小组负责同志的谈话）

七

决议稿已经经过几轮的讨论。讨论中间有许多好意见,要接受。也有些意见不能接受,比如,说八届十二中全会、九大〔106〕是非法的。如果否定八届十二中全会、九大的合法性,那我们说"文化大革命"期间党还存在,国务院和人民解放军还能进行许多必要的工作,就站不住了。八届十二中全会时周恩来同志有个说明,说十位中央委员去世,从候补中央委员中补上十位,这样,中央委员出席的就是五十位,过半数了。这就是讲的合法性。不管八届十二中全会也好,九大也好,按照毛泽东同志在延安时对一九三一年上海临时中央和以后由临时中央召开的六届五中全会是否合法这个问题的决策〔136〕(那个决策是英明的),说它们是非法的不好。有的同志说,"文化大革命"中党不存在了。不能这样说。党的组织生活停止过一段时间,但是党实际上存在着。否则,怎么能不费一枪一弹,不流一滴血,就粉碎了"四人帮"呢?"文化大革命"中间,我们还是有个党存在。如果现在否定了八届十二中全会和九大的合法性，就等于说我们有一段时间党都没有了。这不符合实际。

“文化大革命”期间，外事工作取得很大成绩。尽管国内动乱，但是中国作为大国的地位，是受到国际上的承认的。中国的国际地位有提高。一九七一年七月基辛格〔137〕访华。同年十月，联合国三分之二以上的国家投票赞成恢复中华人民共和国在联合国的合法席位，使美国很难堪。一九七二年二月尼克松〔138〕访华，上海公报签字。九月恢复中日外交关系。一九七四年四月，我去出席联大第六届特别会议，代表我国政府发表讲话〔56〕，受到热烈欢迎，讲完以后，许多国家的代表前来热情握手。这都是事实。

（一九八一年四月七日同《历史决议》起草小组负责同志的谈话）

八

这个文件差不多起草了一年多了，经过不晓得多少稿。一九八〇年十月四千人讨论，提了很多好的重要的意见；在四千人讨论和最近四十多位同志讨论的基础上，又进行修改，反复多次。起草的有二十几位同志，下了苦功夫，现在拿出这么一个稿子来。

这个决议，过去也有同志提出，是不是不急于搞？不行，都在等。从国内来说，党内党外都在等，你不拿出一个东西来，重大的问题就没有一个统一的看法。国际上也在等。人们看中国，怀疑我们安定团结的局面，其中也包括这个文件拿得出来拿不出来，早拿出来晚拿出来。所以，不能再晚了，晚了不利。当然，需要一个好的稿子。现在这个稿子，在我看来，起码是有一个好的基础。这个稿子是根据一开始就提出的三项基本要求写的。现在的稿子，是合乎三项基本要求的。

为了要早一点拿出去，再搞四千人讨论不行了，也不需要，因为四千人的意见已经充分发表出来了，而且现在的修改稿子也充分吸收了他们的意见。现在的方法，就是开政治局扩大会议，七十几个人，花点时间，花点精力，把稿子推敲得更细致一些，改得更好一些，把它定下来；定了以后，提到六中全会。设想就在党的六十周年发表。纪念党的六十周年，不需要另外做什么更多的文章了。也还需要有些纪念性质的东西，但主要是公布这个文件。

要说有缺点，就是长了一点。我们总是想把它缩短到两万字以内，最后要求两万五千字，现在是两万八千字。现在看来，多三五千字没有关系，勉强缩短也不必要。当然，如果大家讨论当中能够在一些地方压缩点篇幅，那更好了。

这个文件是在四千人讨论和最近四十多位同志讨论的基础上修改的，好多好的意见这里面吸收了。比如陈云同志提出，前面要加建国以前的二十八年。这是一个很重要的意见，现在前言有了。还有其他许多重要的意见，大家一看就晓得哪些是根据大家提的意见修改的。当然，也有些意见没有接受。

总之，中心是两个问题，一个是毛泽东同志的功绩是第一位，还是错误是第一位？第二，我们三十二年，特别是“文化大革命”前十年，成绩是主要的，还是错误是主要的？是漆黑一团，还是光明是主要的？还有第三个问题，就是这些错误是毛泽东同志一个人的，还是别人也有点份？这个决议稿中多处提到我们党中央要承担责任，别的同志要承担点责任，恐怕这比较合乎实际。第四，毛泽东同志犯了错误，这是一个伟大的革命家犯错误，是一个伟大的马克思主义者犯错误。

（一九八一年五月十九日在中央政治局扩大会议上的讲话）

九

总的来说，这个决议是个好决议，现在这个稿子是个好稿子。我们原来设想，这个决议要举毛泽东思想的伟大旗帜，实事求是地、恰如其分地评价"文化大革命"，评价毛泽东同志的功过是非，使这个决议起到像一九四五年那次历史决议所起的作用，就是总结经验，统一思想，团结一致向前看。我想，现在这个稿子能够实现这样的要求。

这个决议写了一年多了。中间经过四千人的讨论，以后是几十人的讨论，政治局扩大会议的讨论，这次六中全会预备会的讨论是第四轮了。我看是相当认真、严肃，也相当仔细了。

核心问题是对毛泽东同志的评价，稿子的分寸是掌握得好的。比如提不提毛泽东同志的错误是路线错误，就有个分寸问题。我们不提路线错误，是考虑到路线斗争、路线错误这个提法过去我们用得并不准确，用得很多很乱。过去我们讲党的历史上多少次路线斗争，现在看，明显地不能成立，应该根本推翻的，就有刘少奇、彭、罗、陆、杨〔139〕这一次和彭、黄、张、周〔140〕这一次，一共两次。高饶事件的基本结论是维持了，但也不好说是什么路线斗争。说罗章龙是路线错误，老实说也没有说中。罗章龙是搞派别斗争，是分裂党，另立中央。高饶事件也是类似那么一个性质，当然还不是另立中央。瞿秋白的错误不到半年，李立三只三个月。过去评价历史上的路线斗争并不准确，这是我们不主张提路线斗争的一个理由。还有一个理由，过去党内长期是这样，一说到不同意见，就提到路线高度，批判路线错误。所以，我们要很郑重地来对待这个问题，这是改变我们的党风的问题。对十一大〔52〕，不要说什么路线错误。对"文化大革命"，我们也不说是路线错误，按它的实质分析就是了，是什么就是什么。实际上，现在这次决议对"文化大革命"错误性质的分析，超过了过去所谓路线错误的概念。当然，不提路线斗争并不是说路线两个字就一概不能用了。比如三中全会确立了正确的思想路线、政治路线、组织路线，这样的提法以后还可以用。不但路线，总路线也可以用，现在我们就讲实现四个现代化是新时期的总路线。这次决议也用了路线这两个字，不是没有用。有些场合拿路线两个字来表达比较顺当，比较自然，而且一讲就明白。但是，党内斗争是什么性质就说是什么性质，犯了什么错误就说是什么错误，讲它的内容，原则上不再用路线斗争的提法。这次决议开个先例，以后也这么办。这是第一点。

第二点，为什么我们这次要强调恰如其分？就是在前一段时间里，对毛泽东同志有些问题的议论讲得太重了，应该改过来。这样比较合乎实际，对我们整个国家、整个党的形象也比较有利。过去有些问题的责任要由集体承担一些，当然，毛泽东同志要负主要责任。我们说，制度是决定因素，那个时候的制度就是那样。那时大家把什么都归功于一个人。有些问题我们确实也没有反对过，因此也应当承担一些责任。当然，在那个条件下，真实情况是难于反对。但是，不能回避“我们”，我们承担一下责任没有坏处，还有好处，就是取得教训。这是从中央领导角度上说的，地方上没有责任。我和陈云同志那时是政治局常委，起码我们两个负有责任。其他的中央领导同志也要承担一些责任。合不合乎实际？也合乎实际。这样站得住脚，益处大。对毛泽东同志的评价，原来讲要实事求是，以后加一个要恰如其分，就是这个意思。

第三点，讨论当中提到粉碎“四人帮”以后头两年的问题，曾经有同志提出，是不是提华国锋〔23〕同志的名字？后来我们大家斟酌，认为不提名字还是不行。这次决议应该同去年十一月政治局会议的通报〔141〕相衔接。现在这个决议稿子里面的许多措辞比通报要温和得多，更柔和一些，分量也减轻一些，我看这样比较好。为什么？因为这是叫若干历史问题决议，那个是政治局会议的决议。若干历史问题决议，这是要放到历史里面去的一个文件。当然，政治局的文件也要放到历史里面去的，但是这个历史决议是更庄重的一个文件，我想，分量更恰当一些，没有坏处。但是，华国锋同志的名字在这里需要点，因为合乎实际。如果不点名，就没有理由变动华国锋同志的工作。首先是这个问题。政治局决议正确不正确，华国锋同志的工作应该不应该变动？要回答这个问题。同时，按现在的政治动态来说，也有必要。大家都知道，现在“四人帮”的残余和一些别有用心的人，打谁的旗帜？过去是打“四人帮”的旗帜，现在打谁的旗帜？就是打华国锋的旗帜，就是拥护华国锋。所以，这种动态很值得注意。当然,我们应该说,我跟好多同志也说过,这些事华国锋同志本人没有责任,他自己并没有搞什么活动。但是,这种社会动态值得注意。所以,我们这个决议里面写上华国锋同志的名字,指出他的错误,对于全党、对于人民有益,有好处,对华国锋同志本人也有极大的好处。

另外有些问题,比如"文化大革命"原因中提不提小资产阶级思想影响,决议中不涉及没有坏处。如果有必要反对小资产阶级思想影响,将来搞其他文件再说,来得及。这里不涉及这个问题。这里要批判的是另一个问题,就是对列宁关于小生产每日每时地大批地产生资本主义和资产阶级这一段话的误解或教条化,搬错了。我们这次讲"文化大革命"的原因,不涉及小资产阶级,也不必照样搬用过去的提法,说每一个错误的根源就一定是三个,一定都有社会根源、思想根源、历史根源。我们这次有个新的讲法,也好。

(一九八一年六月二十二日在十一届六中全会预备会期间的讲话)

社会主义首先要发展生产力*

（一九八〇年四月——五月）

一

革命是要搞阶级斗争，但革命不只是搞阶级斗争。生产力方面的革命也是革命，而且是很重要的革命，从历史的发展来讲是最根本的革命。

（一九八〇年四月一日同中央负责同志的谈话）

二

中国建国三十年来，不论农业方面、工业方面，还是其他方面，都建立了社会主义的初步基础。但一个根本的问题是，我们耽误了时间，生产力的发展太慢。任何革命都是扫除生产力发展的障碍。社会主义总要比资本主义优越。社会主义国家应该使经济发展得比较快，人民生活逐渐好起来，国家也就相应地更加强盛一些。在这一方面我们经过了几次曲折。

我们现在讲的四个现代化，实际上是毛主席提出来的，是

* 这是邓小平同志一九八〇年四月至五月四次谈话的节录。

周总理在他的政府工作报告中讲出来的。而“四人帮”怎么说呢?宁肯要穷的社会主义,不要富的资本主义。其本质就是说,社会主义就是穷的。马克思主义历来认为,社会主义要优于资本主义,它的生产发展速度应该高于资本主义。所以,林彪、“四人帮”完全背离了马列主义、毛泽东思想的根本原则。

中国是一个大国,它应该起更多的作用,但现在力量有限,名不副实。归根到底是要使我们发展起来。现在说我们穷还不够,是太穷,同自己的地位完全不相称。所以,从去年起,我们就把工作着重点转到了建设上。我们要把这条路线一直贯彻下去,决不动摇。经济发展对我们来说是一个新的问题,要付学费。现在我们正在摸索比较快的发展道路,我们相信这方面是有希望的。不解放思想不行,甚至于包括什么叫社会主义这个问题也要解放思想。经济长期处于停滞状态总不能叫社会主义。人民生活长期停止在很低的水平总不能叫社会主义。

（一九八〇年四月十二日会见赞比亚总统卡翁达时的谈话）

三

要充分研究如何搞社会主义建设的问题。现在我们正在总结建国三十年的经验。总起来说,第一,不要离开现实和超越阶段采取一些“左”的办法,这样是搞不成社会主义的。我们过去就是吃“左”的亏。第二,不管你搞什么,一定要有利于发展生产力。发展生产力要讲究经济效果。只有在发展生产力的基础上才能随之逐步增加人民的收入。我们在这一方面吃的亏太大了，特别是文化大革命这十年。要研究一下，为什么好多非洲国家搞社会主义越搞越穷。不能因为有社会主义的名字就光荣，就好。

（一九八〇年四月二十一日会见阿尔及利亚民族解放阵线代表团时的谈话）

四

社会主义是一个很好的名词，但是如果搞不好，不能正确理解，不能采取正确的政策，那就体现不出社会主义的本质。我们认为社会主义道路是正确的。我们现在进行一系列改革，仍然坚持四项基本原则，其中有一条就是坚持社会主义道路。各个国家应该根据自己的特点来实行社会主义的政策。像中国这样的大国，也要考虑到国内各个不同地区的特点才行。例如我们遇到了这样一个问题，有些地区过去粮食能够自给，后来却不行了。当然，城市人口增加是一个因素，但不是主要的，主要是脱离了当地的客观经济现实，超越了经济发展水平，没有按经济规律办事。这样制订出来的政策就不能调动积极性。最近一二年来，我们强调因地制宜，在农村加强了生产组的与家庭的生产责任制，取得明显效果，生产成倍增加。

在搞社会主义方面，毛泽东主席的最大功劳是将马克思列宁主义的普遍真理同中国革命的具体实践结合起来。我们最成功的是社会主义改造。那时，在改造农业方面我们提倡建立互助组和小型合作社，规模比较小，分配也合理，所以粮食生产得到增长,农民积极性高。对资本主义工商业,我们采取赎买政策,一方面把它们改造成公有制,另一方面也没有损害国民经济的发展。我们长期允许手工业的个体经济存在,根据自愿的原则,其中大部分组织成合作社,实行集体所有制。由于我们是根据中国自己的特点采用这些方式的,所以几乎没有发生曲折,生产没有下降还不断上升,没有失业,社会产品是丰富的。后来,在一九五八年,我们犯了错误,搞大跃进[77],开始不尊重经济规律了,这就使生产下降了。以后经过三年的调整,发生了变化,又较好地发展起来。但接着又搞文化大革命,这是一场灾难,经济方面完全乱了。所以我们现在搞四个现代化,不得不进行几年的调整。总之,我们现在强调要按经济规律办事。

根据我们自己的经验,讲社会主义,首先就要使生产力发展,这是主要的。只有这样,才能表明社会主义的优越性。社会主义经济政策对不对,归根到底要看生产力是否发展,人民收入是否增加。这是压倒一切的标准。空讲社会主义不行,人民不相信。

(一九八〇年五月五日会见几内亚总统杜尔时的谈话)

关于农村政策问题*

(一九八〇年五月三十一日)

农村政策放宽以后,一些适宜搞包产到户的地方搞了包产到户,效果很好,变化很快。安徽肥西县绝大多数生产队搞了包产到户,增产幅度很大。“凤阳花鼓”中唱的那个凤阳县,绝大多数生产队搞了大包干,也是一年翻身,改变面貌。有的同志担心,这样搞会不会影响集体经济。我看这种担心是不必要的。我们总的方向是发展集体经济。实行包产到户的地方,经济的主体现在也还是生产队。这些地方将来会怎么样呢?可以肯定,只要生产发展了,农村的社会分工和商品经济发展了,低水平的集体化就会发展到高水平的集体化,集体经济不巩固的也会巩固起来。关键是发展生产力,要在这方面为集体化的进一步发展创造条件。具体说来,要实现以下四个条件:第一,机械化水平提高了(这是说广义的机械化,不限于耕种收割的机械化),在一定程度上实现了适合当地自然条件和经济情况的、受到人们欢迎的机械化。第二,管理水平提高了,积累了经验,有了一批具备相当管理能力的干部。第三,多种经营发展了,并随之而来成立了各种专业组或专业队,从而使农

---

* 这是邓小平同志同中央负责工作人员谈话的一部分。

村的商品经济大大发展起来。第四，集体收入增加而且在整个收入中的比重提高了。具备了这四个条件，目前搞包产到户的地方，形式就会有发展变化。这种转变不是自上而下的，不是行政命令的，而是生产发展本身必然提出的要求。

有人说，过去搞社会主义改造，速度太快了。我看这个意见不能说一点道理也没有。比如农业合作化，一两年一个高潮，一种组织形式还没有来得及巩固，很快又变了。从初级合作化到普遍办高级社就是如此。如果稳步前进，巩固一段时间再发展，就可能搞得更好一些。一九五八年大跃进〔77〕时，高级社还不巩固，又普遍搞人民公社，结果六十年代初期不得不退回去，退到以生产队为基本核算单位。在农村社会主义教育运动中，有些地方把原来规模比较合适的生产队，硬分成几个规模很小的生产队。而另一些地方搞并队，又把生产队的规模搞得过大。实践证明这样并不好。

总的说来，现在农村工作中的主要问题还是思想不够解放。除表现在集体化的组织形式这方面外，还有因地制宜发展生产的问题。所谓因地制宜，就是说那里适宜发展什么就发展什么，不适宜发展的就不要去硬搞。像西北的不少地方，应该下决心以种牧草为主，发展畜牧业。现在有些干部，对于怎样适合本地情况，多搞一些经济收益大、群众得实惠的东西，还是考虑不多，仍然是按老框框办事，思想很不解放。所以，政策放宽以后，还有很多工作要做。

从当地具体条件和群众意愿出发，这一点很重要。我们在宣传上不要只讲一种办法，要求各地都照着去做。宣传好的典型时，一定要讲清楚他们是在什么条件下，怎样根据自己的情况搞起来的，不能把他们说得什么都好，什么问题都解决了，更不能要求别的地方不顾自己的条件生搬硬套。

处理兄弟党关系的一条重要原则*

（一九八〇年五月三十一日）

一个党评论外国兄弟党的是非，往往根据的是已有的公式或者某些定型的方案，事实证明这是行不通的。各国的情况千差万别，人民的觉悟有高有低，国内阶级关系的状况、阶级力量的对比又很不一样，用固定的公式去硬套怎么行呢？就算你用的公式是马克思主义的，不同各国的实际相结合，也难免犯错误。中国革命就没有按照俄国十月革命的模式去进行，而是从中国的实际情况出发，农村包围城市，武装夺取政权。既然中国革命胜利靠的是马列主义普遍原理同本国具体实践相结合，我们就不应该要求其他发展中国家都按照中国的模式去进行革命，更不应该要求发达的资本主义国家也采取中国的模式。当然，也不能要求这些国家都采取俄国的模式。

各国党的国内方针、路线是对还是错，应该由本国党和本国人民去判断。最了解那个国家情况的，毕竟还是本国的同志。但是，一个党和由它领导的国家的对外政策，如果是干涉别国内政，侵略、颠覆别的国家，那末，任何党都可以发表意

---

* 这是邓小平同志同中央负责工作人员谈话的一部分。

见，进行指责。我们一直反对苏共搞老子党和大国沙文主义那一套。他们在对外关系上奉行的是霸权主义的路线和政策。

欧洲共产主义是对还是错，也不应该由别人来判断，不应该由别人写文章来肯定或者否定，而只能由那里的党、那里的人民，归根到底由他们的实践做出回答。人家根据自己的情况去进行探索，这不能指责。即使错了，也要由他们自己总结经验，重新探索嘛！

我们在处理党与党之间的关系时，总的来说是清醒的。但是回过头看看，我们过去也并不都是对的。不久前我同意大利共产党总书记贝林格同志谈话时说，过去我们对意共发表过一些不正确的意见。他也说，正确的并不都在他们方面。我说，我们两党之间过去的争论一风吹了。

总之，各国的事情，一定要尊重各国的党、各国的人民，由他们自己去寻找道路，去探索，去解决问题，不能由别的党充当老子党，去发号施令。我们反对人家对我们发号施令，我们也决不能对人家发号施令。这应该成为一条重要的原则。

党和国家领导制度的改革*

（一九八〇年八月十八日）

同志们：

这次扩大会议，主要是讨论党和国家领导制度的改革以及一些有关问题。

一

国务院领导成员的变动，将是五届人大三次会议的主要议题之一。这次变动，包括华国锋〔23〕同志不兼任总理，由赵紫阳〔142〕同志接替；李先念〔84〕、陈云〔83〕、徐向前〔108〕、王震〔143〕同志和我不兼任副总理，由精力较强的同志担任；王任重〔144〕同志因任党内重要职务，也不再兼任副总理。陈永贵〔145〕同志请求解除他的副总理职务，中央决定同意。人大常委会副委员长和政协副主席的人选，经过与有关各方协商，也准备建议做一些变动。以上这些变动，是中央政治局常委反复研究过的。这次作为中央的正式建议，提交人大会议和政协会

* 这是邓小平同志在中共中央政治局扩大会议上的讲话，一九八〇年八月三十一日政治局讨论通过。

议讨论、决定。

关于国务院负责人人选的调整，中央做这样的考虑，原因是什么呢？

一是权力不宜过分集中。权力过分集中，妨碍社会主义民主制度和党的民主集中制的实行，妨碍社会主义建设的发展，妨碍集体智慧的发挥，容易造成个人专断，破坏集体领导，也是在新的条件下产生官僚主义的一个重要原因。

二是兼职、副职不宜过多。一个人的知识、经验、精力有限，左右上下兼职过多，工作难以深入，特别是妨碍选拔更多更适当的同志来担任领导工作。副职过多，效率难以提高，容易助长官僚主义和形式主义。

三是着手解决党政不分、以党代政的问题。中央一部分主要领导同志不兼任政府职务，可以集中精力管党，管路线、方针、政策。这样做，有利于加强和改善中央的统一领导，有利于建立各级政府自上而下的强有力的工作系统，管好政府职权范围的工作。

四是从长远着想，解决好交接班的问题。老同志是党和国家的宝贵财富，责任重大，而他们现在第一位的任务，是帮助党组织正确地选择接班人。这是一个庄严的职责。让比较年轻的同志走上第一线，老同志当好他们的参谋，支持他们的工作，这是保持党和政府正确领导的连续性、稳定性的重大战略措施。

中央的这些考虑，是为了对党和国家的领导制度进行必要的改革。五中全会决定成立书记处，中央已经迈出第一步。书记处成立以来，工作很有成效。这次国务院领导成员的变动，是改善政府领导制度的第一步。为了适应社会主义现代化建设的需要，为了适应党和国家政治生活民主化的需要，为了兴利除弊，党和国家的领导制度以及其他制度，需要改革的很多。我们要不断总结历史经验，深入调查研究，集中正确意见，从中央到地方，积极地、有步骤地继续进行改革。

二

改革党和国家领导制度及其他制度，是为了充分发挥社会主义制度的优越性，加速现代化建设事业的发展。

我们要充分发挥社会主义制度的优越性，当前和今后一个时期，主要应当努力实现以下三个方面的要求：（一）经济上，迅速发展社会生产力，逐步改善人民的物质文化生活；（二）政治上，充分发扬人民民主，保证全体人民真正享有通过各种有效形式管理国家、特别是管理基层地方政权和各项企业事业的权力，享有各项公民权利，健全革命法制，正确处理人民内部矛盾，打击一切敌对力量和犯罪活动，调动人民群众的积极性，巩固和发展安定团结、生动活泼的政治局面；（三）为了实现以上两方面的要求，组织上，迫切需要大量培养、发现、提拔、使用坚持四项基本原则的、比较年轻的、有专业知识的社会主义现代化建设人才。

我们进行社会主义现代化建设，是要在经济上赶上发达的资本主义国家，在政治上创造比资本主义国家的民主更高更切实的民主，并且造就比这些国家更多更优秀的人才。达到上述三个要求，时间有的可以短些，有的要长些，但是作为一个社会主义大国，我们能够也必须达到。所以，党和国家的各种制度究竟好不好，完善不完善，必须用是否有利于实现这三条来检验。

这里着重讲一下从组织上发挥社会主义的优越性，自觉地更新各级党政领导机关，逐步实现领导人员年轻化、专业化的问题。

多年来，我们没有在坚持四项基本原则的前提下，大胆提拔和放手使用比较年轻的有专业知识又有实际经验的人才。在“文化大革命”期间，我们的大批干部遭到林彪、“四人帮”的迫害，干部工作遭到严重破坏。这就造成了现在各级领导人员普遍老化的状况。人才问题，主要是个组织路线问题。很多新的人才需要培养，但是目前的主要任务，是善于发现、提拔以至大胆破格提拔中青年优秀干部。这是国家现代化建设事业客观存在的迫切需要，并不是一些老同志心血来潮提出的问题。

有些同志担心，在提拔中青年干部的时候，也许会把一些帮派分子甚至打砸抢分子选上来。这种担心有一定道理。因为至今还有一些地区、一些部门的领导班子没有整顿好，一些帮派分子可能利用提拔中青年干部的名义，把他们的党羽提拔上来。我在今年一月十六日的讲话中说过，对“四人帮”的组织上、思想上的残余不可低估。我们在这点上一定要头脑清醒。跟随林彪、江青一伙造反起家的人，帮派思想严重的人，打砸抢分子，绝对不能提上来，一个也不能提上来，已经在领导岗位上的，必须坚决撤下去。如果不提高警惕，让他们占据领导岗位，重新耍两面派，扎根串连，隐蔽下来，即使是少数人，也可能给我们带来无法预料的祸害。

有些同志说，干部还是一个台阶、一个台阶地上好。一九七五年，针对“文化大革命”期间的错误做法，我说过这个话。用坐火箭、坐直升飞机的办法提拔干部，我们再也不能这么干了。干部要顺着台阶上，一般的意义是说，干部要有深入群众、熟悉专业、积累经验和经受考验锻炼的过程。但是我们不能老守着关于台阶的旧观念。干部的提升，不能只限于现行党政干部中区、县、地、省一类台阶，各行各业应当有不同的台阶，不同的职务和职称。随着建设事业的发展，还要制定各个行业提升干部和使用人才的新要求、新方法。将来很多职务、职称，只要考试合格，就应当录用或者授予。打破那些关于台阶的过时的观念，创造一些适合新形势新任务的台阶，这才能大胆破格提拔。而且不管新式老式的台阶，总不能老是停留在嘴巴上说。一定要真正把优秀的中青年干部提拔上来，快点提拔上来。提拔干部不能太急，但是太慢了也要误现代化建设的大事。现在就已经误了不少啊！特别优秀的，要给他们搭个比较轻便的梯子，使他们越级上来。这次我们提出减少兼职过多、权力过分集中的现象，目的之一，也是为了给中青年同志腾出台阶。台阶挤得满满的，他们怎么上来？台阶有了空位又不给他们，他们怎么上来？

有些同志担心，年轻人经验不够，不能胜任。我看，这种担心是不必要的。经验够不够，只是比较而言。老实说，老干部对于现代化建设中的新问题，不是也没有什么经验，也要犯一些错误吗？一般说来，年轻人经验少一些，这是事实。但是，同志们回想一下，我们中间许多人当大干部、做大事，开始的时候还不是二三十岁？应该承认，现在一些中青年同志的知识，比我们那个时候并不少。经过的斗争考验少一点，领导经验少一点，这是客观条件造成的。不在其位，不谋其政嘛。放在那个位置上，他们就会逐步得到提高。解放后大专、中专毕业的学生七八百万，其中大多数出身于工农家庭，经过了十年以上的锻炼。没有受过大专、中专教育的中青年干部有实践经验，缺点是文化知识水平低一点，只要有计划地训练和培养，很多人一定可以成为又红又专的干部。此外还有一大批刻苦自学的中青年优秀人才。上山下乡的青年中，也有不少深入群众、用功学习、很有才干的人。实际上，现在大批中青年干部已经成为各条战线上的骨干，同那些高高在上、不深入下层的干部来比，他们更了解群众，更了解实际。很多工作主要是依靠他们，只是因为没有提拔，他们没有决定问题的权力，遇事只好不住地请示报告。这就成为我们的官僚主义现象的一大来源。总之，我们绝不要低估这一大批中青年干部。很多中青年干部政治本质很好，不是帮派分子，思想路子对，又有一定的专业知识，为什么不去选拔和破格使用？有些企业和单位，群众自己选举出的干部，一些毛遂自荐、自告奋勇担任负责工作的干部，很快就作出了成绩，比单是从上面指定的干部合适得多。这样的事实，难道还不能使我们猛省吗？好的中青年干部到处都有。“文化大革命”中长期对林彪、江青一伙的做法不满，进行积极或消极抵制，政治表现好，又肯干，有专业知识的中青年干部，各行各业、各地区、各单位都有，问题是我们没有发现和提拔他们。就是一度受过林彪、江青一伙的欺骗，犯过一些错误，后来确已觉悟转变而又确有真才实学的人，我们也不能抛开不用。不少同志只是看到周围熟悉的一点人，总在原来的一些人中打圈子，不会深入到群众中去选拔人才，这也是一种官僚主义。

我们一定要吸取“文化大革命”的教训，同时也一定要清醒地看到我们国家面临着现代化建设巨大任务的形势和现有大批干部不能适应现代化建设需要的实际，要坚决克服那种不从长远看问题的短视观点。我们有正确的思想路线、政治路线和组织路线，只要大胆而谨慎地工作，只要经过周密的调查研究，广泛听取群众意见，就完全有把握把大批优秀的中青年干部提拔起来，保证我们的事业后继有人，后来居上。

陈云同志提出，我们选干部，要注意德才兼备。所谓德，最主要的，就是坚持社会主义道路和党的领导。在这个前提下，干部队伍要年轻化、知识化、专业化，并且要把对于这种干部的提拔使用制度化。这些意见讲得好。许多同志除了不注意干部队伍的年轻化外，对干部队伍的知识化、专业化也很不重视。这也是过去在知识分子问题上长期存在的“左”倾思想的一种恶果。

目前的问题是，现行的组织制度和为数不少的干部的思想方法，不利于选拔和使用四个现代化所急需的人才。希望各级党委和组织部门在这个问题上来个大转变，坚决解放思想，克服重重障碍，打破老框框，勇于改革不合时宜的组织制度、人事制度，大力培养、发现和破格使用优秀人才，坚决同一切压制和摧残人才的现象作斗争。经过十多年的考验，中青年同志的政治面貌，领导和群众基本上都是清楚的。老同志还在，采取从上看和从下看互相结合的办法，是应当可以选好选准的。这项工作,当然要有步骤地进行,但是太慢了不行。错过时机,老同志都不在了,再来解决这个问题,就晚了,要比现在难得多,对于我们这些老同志来说,就是犯了历史性的大错误。

三

党和国家现行的一些具体制度中,还存在不少的弊端,妨碍甚至严重妨碍社会主义优越性的发挥。如不认真改革,就很难适应现代化建设的迫切需要,我们就要严重地脱离广大群众。

从党和国家的领导制度、干部制度方面来说,主要的弊端就是官僚主义现象,权力过分集中的现象,家长制现象,干部领导职务终身制现象和形形色色的特权现象。

官僚主义现象是我们党和国家政治生活中广泛存在的一个大问题。它的主要表现和危害是:高高在上,滥用权力,脱离实际,脱离群众,好摆门面,好说空话,思想僵化,墨守陈规,机构臃肿,人浮于事,办事拖拉,不讲效率,不负责任,不守信用,公文旅行,互相推诿,以至官气十足,动辄训人,打击报复,压制民主,欺上瞒下,专横跋扈,徇私行贿,贪赃枉法,等等。这无论在我们的内部事务中,或是在国际交往中,都已达到令人无法容忍的地步。

官僚主义是一种长期存在的、复杂的历史现象。我们现在的官僚主义现象,除了同历史上的官僚主义有共同点以外,还有自己的特点,既不同于旧中国的官僚主义,也不同于资本主义国家中的官僚主义。它同我们长期认为社会主义制度和计划管理制度必须对经济、政治、文化、社会都实行中央高度集权的管理体制有密切关系。我们的各级领导机关，都管了很多不该管、管不好、管不了的事，这些事只要有一定的规章，放在下面，放在企业、事业、社会单位，让他们真正按民主集中制自行处理，本来可以很好办，但是统统拿到党政领导机关、拿到中央部门来，就很难办。谁也没有这样的神通，能够办这么繁重而生疏的事情。这可以说是目前我们所特有的官僚主义的一个总病根。官僚主义的另一病根是，我们的党政机构以及各种企业、事业领导机构中，长期缺少严格的从上而下的行政法规和个人负责制，缺少对于每个机关乃至每个人的职责权限的严格明确的规定，以至事无大小，往往无章可循，绝大多数人往往不能独立负责地处理他所应当处理的问题，只好成天忙于请示报告，批转文件。有些本位主义严重的人，甚至遇到责任互相推诿，遇到权利互相争夺，扯不完的皮。还有，干部缺少正常的录用、奖惩、退休、退职、淘汰办法，反正工作好坏都是铁饭碗，能进不能出，能上不能下。这些情况，必然造成机构臃肿，层次多，副职多，闲职多，而机构臃肿又必然促成官僚主义的发展。因此，必须从根本上改变这些制度。当然，官僚主义还有思想作风问题的一面，但是制度问题不解决，思想作风问题也解决不了。所以，过去我们虽也多次反过官僚主义，但是收效甚微。解决以上所说的制度问题，要进行大量的工作，包括进行教育和思想斗争，但是非做不可，否则，我们的经济事业和各项工作都不可能有效地前进。

权力过分集中的现象，就是在加强党的一元化领导的口号下，不适当地、不加分析地把一切权力集中于党委，党委的权力又往往集中于几个书记，特别是集中于第一书记，什么事都要第一书记挂帅、拍板。党的一元化领导，往往因此而变成了个人领导。全国各级都不同程度地存在这个问题。权力过分集中于个人或少数人手里，多数办事的人无权决定，少数有权的人负担过重，必然造成官僚主义，必然要犯各种错误，必然要损害各级党和政府的民主生活、集体领导、民主集中制、个人分工负责制等等。这种现象，同我国历史上封建专制主义的影响有关，也同共产国际时期实行的各国党的工作中领导者个人高度集权的传统有关。我们历史上多次过分强调党的集中统一，过分强调反对分散主义、闹独立性，很少强调必要的分权和自主权，很少反对个人过分集权。过去在中央和地方之间，分过几次权，但每次都没有涉及到党同政府、经济组织、群众团体等等之间如何划分职权范围的问题。我不是说不要强调党的集中统一，不是说任何情况下强调集中统一都不对，也不是说不要反对分散主义、闹独立性，问题都在于“过分”，而且对什么是分散主义、闹独立性也没有搞得很清楚。党成为全国的执政党，特别是生产资料私有制的社会主义改造基本完成以后，党的中心任务已经不同于过去，社会主义建设的任务极为繁重复杂，权力过分集中，越来越不能适应社会主义事业的发展。对这个问题长期没有足够的认识，成为发生“文化大革命”的一个重要原因，使我们付出了沉重的代价。现在再也不能不解决了。

革命队伍内的家长制作风，除了使个人高度集权以外，还使个人凌驾于组织之上，组织成为个人的工具。家长制是历史非常悠久的一种陈旧社会现象，它的影响在党的历史上产生过很大危害。陈独秀〔112〕、王明〔146〕、张国焘〔115〕等人都是搞家长制的。从遵义会议到社会主义改造时期，党中央和毛泽东同志一直比较注意实行集体领导，实行民主集中制，党内民主生活比较正常。可惜，这些好的传统没有坚持下来，也没有形成严格的完善的制度。例如，党内讨论重大问题，不少时候发扬民主、充分酝酿不够，由个人或少数人匆忙做出决定，很少按照少数服从多数的原则实行投票表决，这表明民主集中制还没有成为严格的制度。从一九五八年批评反冒进〔147〕、一九五九年"反右倾"〔110〕以来，党和国家的民主生活逐渐不正常，一言堂、个人决定重大问题、个人崇拜、个人凌驾于组织之上一类家长制现象，不断滋长。林彪〔1〕鼓吹"顶峰"论，说毛主席的话是最高指示，这种说法在全党全军全国广为流传。粉碎"四人帮"后，还把个人崇拜的一套搬了一段时间。对其他领导人的纪念，有时也带有个人崇拜的成分。最近，中央发出了关于坚持"少宣传个人"的几个问题的指示，指出这些不适当的纪念方法不但造成铺张浪费，脱离群众，而且本身就带有个人创造历史的色彩，不利于在党内外进行马克思主义教育，不利于扫除封建思想和资产阶级思想的影响。这个指示还为纠正这一类缺点，作出了若干规定。这是一个很重要的文件。还要说到，一九五八年以后，到处给毛泽东同志和其他中央同志盖房子，"四人帮"垮台后，还搞中南海地面工程，都造成很坏的影响，很大的浪费。此外，至今还有一些高级干部，所到之处，或则迎送吃喝，或则封锁交通，或则大肆宣扬，很不妥当。以上种种严重脱离群众的事情，从中央到各级不许再做了。

不少地方和单位，都有家长式的人物，他们的权力不受限制，别人都要唯命是从，甚至形成对他们的人身依附关系。我们的组织原则中有一条，就是下级服从上级，说的是对于上级的决定、指示，下级必须执行，但是不能因此否定党内同志之间的平等关系。不论是担负领导工作的党员，或者是普通党员，都应以平等态度互相对待，都平等地享有一切应当享有的权利，履行一切应当履行的义务。上级对下级不能颐指气使，尤其不能让下级办违反党章国法的事情；下级也不应当对上级阿谀奉承，无原则地服从，“尽忠”。不应当把上下级之间的关系搞成毛泽东同志多次批评过的猫鼠关系，搞成旧社会那种君臣父子关系或帮派关系。一些同志犯严重错误，同这种家长制作风有关，就是林彪、江青这两个反革命集团所以能够形成，也同残存在党内的这种家长制作风分不开。总之，不彻底消灭这种家长制作风，就根本谈不上什么党内民主，什么社会主义民主。

干部领导职务终身制现象的形成，同封建主义的影响有一定关系，同我们党一直没有妥善的退休解职办法也有关系。革命战争时期大家年纪都还轻，五十年代正值年富力强，不存在退休问题，但是后来没有及时解决，是一个失策。应当承认，在当时的具体历史条件下，这个问题也无法解决或无法完全解决。五中全会讨论的党章草案，提出废除干部领导职务终身制，现在看来，还需要进一步修改、补充。关键是要健全干部的选举、招考、任免、考核、弹劾、轮换制度，对各级各类领导干部(包括选举产生、委任和聘用的)职务的任期，以及离休、退休，要按照不同情况，作出适当的、明确的规定。任何领导干部的任职都不能是无限期的。

“文化大革命”中，林彪、“四人帮”大搞特权，给群众造成很大灾难。当前，也还有一些干部，不把自己看作是人民的公仆，而把自己看作是人民的主人，搞特权，特殊化，引起群众的强烈不满，损害党的威信，如不坚决改正，势必使我们的干部队伍发生腐化。我们今天所反对的特权，就是政治上经济上在法律和制度之外的权利。搞特权，这是封建主义残余影响尚未肃清的表现。旧中国留给我们的，封建专制传统比较多，民主法制传统很少。解放以后，我们也没有自觉地、系统地建立保障人民民主权利的各项制度，法制很不完备，也很不受重视，特权现象有时受到限制、批评和打击，有时又重新滋长。克服特权现象，要解决思想问题，也要解决制度问题。公民在法律和制度面前人人平等，党员在党章和党纪面前人人平等。人人有依法规定的平等权利和义务，谁也不能占便宜，谁也不能犯法。不管谁犯了法，都要由公安机关依法侦查，司法机关依法办理，任何人都不许干扰法律的实施，任何犯了法的人都不能逍遥法外。谁也不能违反党章党纪，不管谁违反，都要受到纪律处分，也不许任何人干扰党纪的执行，不许任何违反党纪的人逍遥于纪律制裁之外。只有真正坚决地做到了这些，才能彻底解决搞特权和违法乱纪的问题。要有群众监督制度，让群众和党员监督干部，特别是领导干部。凡是搞特权、特殊化，经过批评教育而又不改的，人民就有权依法进行检举、控告、弹劾、撤换、罢免，要求他们在经济上退赔，并使他们受到法律、纪律处分。对各级干部的职权范围和政治、生活待遇，要制定各种条例，最重要的是要有专门的机构进行铁面无私的监督检查。

我们过去发生的各种错误，固然与某些领导人的思想、作风有关，但是组织制度、工作制度方面的问题更重要。这些方面的制度好可以使坏人无法任意横行，制度不好可以使好人无法充分做好事，甚至会走向反面。即使像毛泽东同志这样伟大的人物，也受到一些不好的制度的严重影响，以至对党对国家对他个人都造成了很大的不幸。我们今天再不健全社会主义制度，人们就会说，为什么资本主义制度所能解决的一些问题，社会主义制度反而不能解决呢？这种比较方法虽然不全面，但是我们不能因此而不加以重视。斯大林严重破坏社会主义法制，毛泽东同志就说过，这样的事件在英、法、美这样的西方国家不可能发生。他虽然认识到这一点，但是由于没有在实际上解决领导制度问题以及其他一些原因，仍然导致了“文化大革命”的十年浩劫。这个教训是极其深刻的。不是说个人没有责任，而是说领导制度、组织制度问题更带有根本性、全局性、稳定性和长期性。这种制度问题，关系到党和国家是否改变颜色，必须引起全党的高度重视。

如果不坚决改革现行制度中的弊端，过去出现过的一些严重问题今后就有可能重新出现。只有对这些弊端进行有计划、有步骤而又坚决彻底的改革，人民才会信任我们的领导，才会信任党和社会主义，我们的事业才有无限的希望。

我们在讲到党和国家领导制度方面的弊端的时候，不能不涉及到毛泽东同志晚年所犯的错误。正在起草的关于建国以来党的若干历史问题的决议，将对毛泽东思想进行系统的阐述，也将对毛泽东同志的功过进行比较全面的评价，其中包括批评他在“文化大革命”中的错误。我们共产党人是彻底的唯物主义者，只能实事求是地肯定应当肯定的东西，否定应当否定的东西。毛泽东同志在他的一生中，为我们的党、国家和人民建立了不朽的功勋。他的功绩是第一位的，他的错误是第二位的。因为他的功绩而讳言他的错误，这不是唯物主义的态度。因为他的错误而否定他的功绩，同样不是唯物主义的态度。"文化大革命"所以错误和失败，正因为它完全违反了毛泽东思想的科学原理。经过长期实践检验证明是正确的毛泽东思想的科学原理，不但在历史上曾经引导我们取得胜利，而且在今后长期的斗争中，仍将是我们的指导思想。对于党的这样一个重大原则表示任何怀疑和动摇，都是不正确的，都是同中国人民的根本利益相违背的。

四

现在说一下肃清封建主义和资产阶级思想影响的问题。

上面讲到的种种弊端，多少都带有封建主义色彩。封建主义的残余影响当然不止这些。还有，如社会关系中残存的宗法观念、等级观念；上下级关系和干群关系中在身份上的某些不平等现象；公民权利义务观念薄弱；经济领域中的某些"官工"、"官商"、"官农"式的体制和作风；片面强调经济工作中的地区、部门的行政划分和管辖，以至画地为牢，以邻为壑，有时两个社会主义企业、社会主义地区办起交涉来会发生完全不应有的困难；文化领域中的专制主义作风；不承认科学和教育对于社会主义的极大重要性，不承认没有科学和教育就不可能建设社会主义；对外关系中的闭关锁国、夜郎自大；等等。拿宗法观念来说，“文化大革命”中，一人当官，鸡犬升天，一人倒霉，株连九族，这类情况曾发展到很严重的程度。甚至现在，任人唯亲、任人唯派的恶劣作风，在有些地区、有些部门、有些单位，还没有得到纠正。一些干部利用职权，非法安排家属亲友进城、就业、提干等现象还很不少。可见宗法观念的余毒决不能轻视。要彻底解决上述这些问题，还需要我们付出很大的努力。

我们进行了二十八年的新民主主义革命，推翻封建主义的反动统治和封建土地所有制，是成功的，彻底的。但是，肃清思想政治方面的封建主义残余影响这个任务，因为我们对它的重要性估计不足，以后很快转入社会主义革命，所以没有能够完成。现在应该明确提出继续肃清思想政治方面的封建主义残余影响的任务，并在制度上做一系列切实的改革，否则国家和人民还要遭受损失。

对待这一任务，要有实事求是的科学态度。要运用马克思列宁主义、毛泽东思想，对于封建主义遗毒的表现，进行具体的准确的如实的分析。首先，要划清社会主义同封建主义的界限，决不允许借反封建主义之名来反社会主义，也决不允许用“四人帮”所宣扬的那套假社会主义来搞封建主义。其次，也要划清文化遗产中民主性精华同封建性糟粕的界限。还要划清封建主义遗毒同我们工作中由于缺乏经验而产生的某些不科学的办法、不健全的制度的界限。不要又是一阵风，不加分析地把什么都说成是封建主义。

肃清封建主义残余影响，对广大干部和群众说来，是一种自我教育和自我改造，是为了从封建主义遗毒中摆脱出来，解放思想，提高觉悟，适应现代化建设的需要，努力为人民作贡献，为社会作贡献，为人类作贡献。肃清封建主义残余影响，重点是切实改革并完善党和国家的制度，从制度上保证党和国家政治生活的民主化、经济管理的民主化、整个社会生活的民主化，促进现代化建设事业的顺利发展。这需要认真调查研究，比较各国的经验，集思广益，提出切实可行的方案和措施。不能认为只要破字当头，立就在其中了。必须明确，不要搞什么反封建主义的政治运动和宣传运动，不要对什么人搞过去那种政治批判，更不能把斗争矛头对着干部和群众。历史经验证明，用大搞群众运动的办法，而不是用透彻说理、从容讨论的办法，去解决群众性的思想教育问题，而不是用扎扎实实、稳步前进的办法，去解决现行制度的改革和新制度的建立问题，从来都是不成功的。因为在社会主义社会中解决群众思想问题和具体的组织制度、工作制度问题，同革命时期对反革命分子的打击和对反动制度的破坏，本来是原则上根本不同的两回事。

在思想政治方面肃清封建主义残余影响的同时，决不能丝毫放松和忽视对资产阶级思想和小资产阶级思想的批判，对极端个人主义和无政府主义的批判。是封建主义残余比较严重，还是资产阶级影响比较严重，在不同的地区和部门，在不同问题上，在不同年龄、经历和教养的人身上，情况可以很不同，千万不可一概而论。此外，我国经历百余年的半封建、半殖民地社会，封建主义思想有时也同资本主义思想、殖民地奴化思想互相渗透结合在一起。由于近年国际交往增多，受到外国资产阶级腐朽思想作风、生活方式影响而产生的崇洋媚外的现象，现在已经出现，今后还会增多。这是必须认真解决的一个重大问题。

中国在经济上文化上落后，并不是一切都落后。一些外国在技术上管理上先进，并不是一切都先进。我们的党和人民浴血奋斗多年，建立了社会主义制度。尽管这个制度还不完善，又遭受了破坏，但是无论如何，社会主义制度总比弱肉强食、损人利己的资本主义制度好得多。我们的制度将一天天完善起来，它将吸收我们可以从世界各国吸收的进步因素，成为世界上最好的制度。这是资本主义所绝对不可能做到的。由于我们在社会主义革命和社会主义建设的历史上犯过错误，就对社会主义丧失信心，认为社会主义不如资本主义，这种思想是完全错误的；由于要肃清封建主义残余影响，就认为可以去宣扬资本主义的思想，也是完全错误的。我们一定要彻底批判这些错误思想，绝对不能让它们流行。我们提倡按劳分配，承认物质利益，是要为全体人民的物质利益奋斗。每个人都应该有他一定的物质利益，但是这决不是提倡各人抛开国家、集体和别人，专门为自己的物质利益奋斗，决不是提倡各人都向“钱”看。要是那样，社会主义和资本主义还有什么区别？我们从来主张，在社会主义社会中，国家、集体和个人的利益在根本上是一致的，如果有矛盾，个人的利益要服从国家和集体的利益。为了国家和集体的利益，为了人民大众的利益，一切有革命觉悟的先进分子必要时都应当牺牲自己的利益。我们要向全体人民、全体青少年努力宣传这种高尚的道德。

现在有些青年，有些干部子女，甚至有些干部本人，为了出国，为了搞钱，违法乱纪，走私受贿，投机倒把，不惜丧失人格，丧失国格，丧失民族自尊心，这是非常可耻的。近一两年内，通过不同渠道运进了一些黄色、下流、淫秽、丑恶的照片、影片、书刊等，败坏我们社会的风气，腐蚀我们的一些青年和干部。如果听任这种瘟疫传布，将诱使许多意志不坚定的人道德败坏，精神堕落。各级组织都要严肃地注意这个问题，采取坚决有效的措施，予以查禁、销毁，坚决不允许继续流入。在国内经济工作中，歪曲现行经济政策，利用经济管理工作中的漏洞而进行各种违法活动的个人、小集团甚至企业、单位，也有所增加。对于这种反社会主义的违法活动和犯罪分子，也必须严重警惕，坚决斗争。

总之，必须把肃清封建主义残余影响的工作，同对于资产阶级损人利己、唯利是图思想和其他腐化思想的批判结合起来。

对于资本主义、资产阶级思想，当然也要采取科学的态度。前些时候有的地方为了进行革命思想的教育，重提“兴无灭资”的口号。有关文件我是看过的，当时没有感觉到有什么问题。现在看来，这个老口号不够全面，也不很准确。有些同志因为没有充分地调查和分析，把我们现行的一些有利于发展生产、发展社会主义事业的改革，也当作资本主义去批判，这就不对了。什么是资产阶级思想中需要坚决批判和防止蔓延的东西，什么是经济生活中需要坚决克服和抵制的资本主义倾向，如何正确地进行批判，还有必要继续进行研究并作出妥善的规定，以防重犯过去的错误。

五

对党和国家领导制度的改革，中央经过多次酝酿，有一些已经在五中全会以后开始实施，有一些即将在五届人大三次会议上提出，其他也将在条件成熟时陆续采取具体步骤。除了前面已经说过的以外，现在正在考虑逐步进行的还有如下重大改革：

第一，中央将向五届人大三次会议提出修改宪法的建议。要使我们的宪法更加完备、周密、准确，能够切实保证人民真正享有管理国家各级组织和各项企业事业的权力，享有充分的公民权利，要使各少数民族聚居的地方真正实行民族区域自治，要改善人民代表大会制度，等等。关于不允许权力过分集中的原则，也将在宪法上表现出来。

第二，中央已经设立了纪律检查委员会，正在考虑再设立一个顾问委员会(名称还可以再考虑)，连同中央委员会，都由党的全国代表大会选举产生，并明确规定各自的任务和权限。这样，就可以让一大批原来在中央和国务院工作的老同志，充分利用他们的经验，发挥他们的指导、监督和顾问的作用。同时，也便于使中央和国务院的日常工作班子更加精干，逐步实现年轻化。

第三，真正建立从国务院到地方各级政府从上到下的强有力的工作系统。今后凡属政府职权范围内的工作，都由国务院和地方各级政府讨论、决定和发布文件，不再由党中央和地方各级党委发指示、作决定。政府工作当然是在党的政治领导下进行的，政府工作加强了，党的领导也加强了。

第四，有准备有步骤地改变党委领导下的厂长负责制、经理负责制，经过试点，逐步推广、分别实行工厂管理委员会、公司董事会、经济联合体的联合委员会领导和监督下的厂长负责制、经理负责制。还有党委领导下的校长、院长、所长负责制等等，也考虑有准备有步骤地加以改革。过去的工厂管理制度，经过长期的实践证明，既不利于工厂管理的现代化，不利于工业管理体制的现代化，也不利于工厂里党的工作的健全。实行这些改革，是为了使党委摆脱日常事务，集中力量做好思想政治工作和组织监督工作。这不是削弱党的领导，而是更好地改善党的领导，加强党的领导。这些单位的行政负责人要努力学习各种有关管理和技术专业，再不能长期泡在各种会议里，老是当外行，那样我们就永远实现不了现代化。这些同志大多数是党员，管理制度改变了，他们除了要受上级行政部门的行政领导以外，还要受上级党组织的政治领导和同级党组织的监督。同级党组织的任务也没有减轻，而是真正加强了党的工作。工厂、公司、院、校、所的各级党组织，要管好所有的党员，做好群众工作，使党员在各自的岗位上发挥先锋模范作用，使党的组织真正成为各个企业事业的骨干，真正成为教育和监督所有党员的组织，保证党的政治路线的执行和各项工作任务的完成。考虑到这个改革对全国广大的基层组织影响很大，现在还要广泛征求意见，到时机成熟时再作决定。〔148〕

第五，各企业事业单位普遍成立职工代表大会或职工代表会议。这是早已决定了的，现在的问题是推广和完善化。职工代表大会或职工代表会议有权对本单位的重大问题进行讨论，作出决定，有权向上级建议罢免本单位的不称职的行政领导人员，并且逐步实行选举适当范围的领导人。

第六，各级党委要真正实行集体领导和个人分工负责相结合的制度。要明确哪些问题应当由集体讨论，哪些问题应当由个人负责。重大问题一定要由集体讨论和决定。决定时，要严格实行少数服从多数，一人一票，每个书记只有一票的权利，不能由第一书记说了算。集体决定了的事情，就要分头去办，各负其责，决不能互相推诿。失职者要追究责任。集体领导也要有个头，各级党委的第一书记，对日常工作要负起第一位的责任。在党委的其他成员中，都要强调个人分工负责。要提倡领导干部勇于负责，这同改变个人专断制度是两回事，不能混淆。

上述六条，都请同志们进行认真的讨论和研究，充分发表意见，包括发表不同的意见。有些问题，中央在原则上决定以后，还要经过试点，取得经验，集中集体智慧，成熟一个，解决一个，由中央分别作出正式决定，并制定周密的、切实可行的、能够在较长时期发挥作用的制度和条例，有步骤地实施。在中央制定并正式公布新的制度和条例以前，有关各方面的工作，仍照现行制度办事。

改革党和国家的领导制度，不是要削弱党的领导，涣散党的纪律，而正是为了坚持和加强党的领导，坚持和加强党的纪律。在中国这样的大国，要把几亿人口的思想和力量统一起来建设社会主义，没有一个由具有高度觉悟性、纪律性和自我牺牲精神的党员组成的能够真正代表和团结人民群众的党，没有这样一个党的统一领导，是不可能设想的，那就只会四分五裂，一事无成。这是全国各族人民在长期的奋斗实践中深刻认识到的真理。我们人民的团结，社会的安定，民主的发展，国家的统一，都要靠党的领导。坚持四项基本原则的核心，就是坚持党的领导。问题是党要善于领导；要不断地改善领导，才能加强领导。

社会主义现代化建设的极其艰巨复杂的任务摆在我们的面前。很多旧问题需要继续解决，新问题更是层出不穷。党只有紧紧地依靠群众，密切地联系群众，随时听取群众的呼声，了解群众的情绪，代表群众的利益，才能形成强大的力量，顺利地完成自己的各项任务。现在群众中需要解决的思想问题很多，党内需要解决的思想问题也很多。我们一定要把思想政治工作放在非常重要的地位，切实认真做好，不能放松。这项工作，各级党委要做，各级领导干部要做，每个党员都要做。要做得有针对性、细致深入和为群众所乐于接受。最重要的条件，就是凡是需要动员群众做的，每个党员，特别是担负领导职务的党员，必须首先从自己做起。因此，为了做好思想政治工作，也要求改善党的领导，改善党的领导制度。

同志们！改革并完善党和国家各方面的制度，是一项艰巨的长期的任务，改革并完善党和国家的领导制度，是实现这个任务的关键。对此，我们必须有足够的认识。毛泽东同志和其他已经去世的老一辈革命家，没有能够完成这个任务。这个担子已经落在我们的肩上。全党同志，特别是老同志，要为此付出自己的全部精力。党的三中全会以来，我们已经做了很多工作，解决了很多问题，取得了很多成绩。我们已经有了一个很好的前进阵地。现在提出改革并完善党和国家领导制度的任务,以适应现代化建设的需要,时机和条件都已成熟。这个任务,我们这一代人也许不能全部完成,但是,至少我们有责任为它的完成奠定巩固的基础,确立正确的方向。我相信,这一点是一定可以做到的。

答意大利记者奥琳埃娜·法拉奇问*

（一九八〇年八月二十一日、二十三日）

奥琳埃娜·法拉奇：天安门上的毛主席像，是否要永远保留下去？

邓小平：永远要保留下去。过去毛主席像挂得太多，到处都挂，并不是一件严肃的事情，也并不能表明对毛主席的尊重。尽管毛主席过去有段时间也犯了错误，但他终究是中国共产党、中华人民共和国的主要缔造者。拿他的功和过来说，错误毕竟是第二位的。他为中国人民做的事情是不能抹杀的。从我们中国人民的感情来说，我们永远把他作为我们党和国家的缔造者来纪念。

奥：对西方人来说，我们有很多问题不理解。中国人民在讲起"四人帮"时，把很多错误都归咎于"四人帮"，说的是"四人帮"，但他们伸出的却是五个手指。

邓：毛主席的错误和林彪、"四人帮"问题的性质是不同的。毛主席一生中大部分时间是做了非常好的事情的，他多次

* 这是邓小平同志会见意大利记者奥琳埃娜·法拉奇时两次谈话的国内问题部分。

从危机中把党和国家挽救过来。没有毛主席，至少我们中国人民还要在黑暗中摸索更长的时间。毛主席最伟大的功绩是把马列主义的原理同中国革命的实际结合起来，指出了中国夺取革命胜利的道路。应该说，在六十年代以前或五十年代后期以前，他的许多思想给我们带来了胜利，他提出的一些根本的原理是非常正确的。他创造性地把马列主义运用到中国革命的各个方面，包括哲学、政治、军事、文艺和其他领域，都有创造性的见解。但是很不幸，他在一生的后期，特别在“文化大革命”中是犯了错误的，而且错误不小，给我们党、国家和人民带来许多不幸。你知道，我们党在延安时期，把毛主席各方面的思想概括为毛泽东思想，把它作为我们党的指导思想。正是因为我们遵循毛泽东思想，才取得了革命的伟大胜利。当然，毛泽东思想不是毛泽东同志一个人的创造，包括老一辈革命家都参与了毛泽东思想的建立和发展。主要是毛泽东同志的思想。但是，由于胜利，他不够谨慎了，在他晚年有些不健康的因素、不健康的思想逐渐露头，主要是一些“左”的思想。有相当部分违背了他原来的思想，违背了他原来十分好的正确主张，包括他的工作作风。这时，他接触实际少了。他在生前没有把过去良好的作风，比如说民主集中制、群众路线，很好地贯彻下去，没有制定也没有形成良好的制度。这不仅是毛泽东同志本人的缺点，我们这些老一辈的革命家，包括我，也是有责任的。我们党的政治生活、国家的政治生活有些不正常了，家长制或家长作风发展起来了，颂扬个人的东西多了，整个政治生活不那么健康，以至最后导致了“文化大革命”。“文化大革命”是错误的。

奥：你说在后一段时期毛主席身体不好，但刘少奇被捕入狱以及死在狱中时，毛主席身体并不坏。过去还有其他错误，大跃进[77]难道不是错误？照搬苏联的模式难道不是错误？对过去这段错误要追溯至何时？毛主席发动“文化大革命”到底想干什么？

邓：错误是从五十年代后期开始的。比如说，大跃进是不正确的。这个责任不仅仅是毛主席一个人的，我们这些人脑子都发热了。完全违背客观规律，企图一下子把经济搞上去。主观愿望违背客观规律，肯定要受损失。但大跃进本身的主要责任还是毛主席的。当时，经过几个月的时间，毛主席首先很快地发觉了这些错误，提出改正这些错误。由于其他因素，这个改正没有贯彻下去。一九六二年，毛主席对这些问题进行了自我批评。但毕竟对这些教训总结不够，导致爆发了“文化大革命”。搞“文化大革命”，就毛主席本身的愿望来说，是出于避免资本主义复辟的考虑，但对中国本身的实际情况作了错误的估计。首先把革命的对象搞错了，导致了抓所谓“党内走资本主义道路的当权派”。这样打击了原来在革命中有建树的、有实际经验的各级领导干部，其中包括刘少奇同志在内。毛主席在去世前一两年讲过，文化大革命有两个错误，一个是“打倒一切”，一个是“全面内战”。只就这两点讲，就已经不能说“文化大革命”是正确的。毛主席犯的是政治错误，这个错误不算小。另一方面，错误被林彪、“四人帮”这两个反革命集团利用了。他们的目的就是阴谋夺权。所以要区别毛主席的错误同林彪、“四人帮”的罪行。

奥：但我们大家都知道，是毛主席选择了林彪[1]，就像西方的国王选择继承人那样，选择了林彪。

邓：这就是我刚才说的不正确的做法。一个领导人，自己选择自己的接班人，是沿用了一种封建主义的做法。刚才我说我们制度不健全，其中也包括这个在内。

奥：你们对“四人帮”进行审判的时候，以及你们开下一届党代会时，在何种程度上会牵涉到毛主席？

邓：我们要对毛主席一生的功过作客观的评价。我们将肯定毛主席的功绩是第一位的，他的错误是第二位的。我们要实事求是地讲毛主席后期的错误。我们还要继续坚持毛泽东思想。毛泽东思想是毛主席一生中正确的部分。毛泽东思想不仅过去引导我们取得革命的胜利，现在和将来还应该是中国党和国家的宝贵财富。所以，我们不但要把毛主席的像永远挂在天安门前，作为我们国家的象征，要把毛主席作为我们党和国家的缔造者来纪念，而且还要坚持毛泽东思想。我们不会像赫鲁晓夫对待斯大林那样〔149〕对待毛主席。

奥：这是否意味着在审判“四人帮”和开下一届党代会时，毛主席的名字不可避免地会提到？

邓：是会提到的。不光在党代会，在其他场合也要提到。但是审判“四人帮”不会影响毛主席。当然，用“四人帮”，毛主席是有责任的。但“四人帮”自己犯的罪行，怎么判他们都够了。

奥：据说，毛主席经常抱怨你不太听他的话，不喜欢你，这是否是真的？

邓：毛主席说我不听他的话是有过的。但也不是只指我一个人，对其他领导人也有这样的情况。这也反映毛主席后期有些不健康的思想，就是说，有家长制这些封建主义性质的东西。他不容易听进不同的意见。毛主席批评的事不能说都是不对的。但有不少正确的意见,不仅是我的,其他同志的在内,他不大听得进了。民主集中制被破坏了,集体领导被破坏了。否则,就不能理解为什么会爆发"文化大革命"。

奥:在中国有这么一个人,他在任何时候都没有被碰到过,这就是周恩来总理。这个情况如何解释?

邓:周总理是一生勤勤恳恳、任劳任怨工作的人。他一天的工作时间总超过十二小时,有时在十六小时以上,一生如此。我们认识很早,在法国勤工俭学时就住在一起。对我来说他始终是一个兄长。我们差不多同时期走上了革命的道路。他是同志们和人民很尊敬的人。"文化大革命"时,我们这些人都下去了,幸好保住了他。在"文化大革命"中,他所处的地位十分困难,也说了好多违心的话,做了好多违心的事。但人民原谅他。因为他不做这些事,不说这些话,他自己也保不住,也不能在其中起中和作用,起减少损失的作用。他保护了相当一批人。

奥:我看不出怎样才能避免或防止再发生诸如"文化大革命"这样可怕的事情。

邓:这要从制度方面解决问题。我们过去的一些制度,实际上受了封建主义的影响,包括个人迷信、家长制或家长作风,甚至包括干部职务终身制。我们现在正在研究避免重复这种现象,准备从改革制度着手。我们这个国家有几千年封建社会的历史,缺乏社会主义的民主和社会主义的法制。现在我们要认真建立社会主义的民主制度和社会主义法制。只有这样,才能解决问题。

奥：你是否能肯定，今后事情的发展更为顺利？你们是否能够达到你们的目的？因为我听说，所谓“毛主义分子”仍然存在。我说的“毛主义分子”是指“文化大革命”的支持者。

邓：不能低估“四人帮”的影响。但要看到，百分之九十七、九十八的广大人民对“四人帮”的罪行是痛恨的。这表现在“四人帮”横行、毛主席病重、周总理去世时，一九七六年四月五日天安门广场爆发的反抗“四人帮”的群众运动〔36〕。粉碎“四人帮”以后，特别是最近两年，我们党的三中全会、四中全会、五中全会体现了人民的意志和人民的要求。我们正在考虑从制度上解决问题。已经提出了许多问题，特别是强调要一心一意搞四化建设，这是得人心的。人民需要一个安定团结的政治局面，对大规模的运动厌烦了。凡是这样的运动都要伤害一批人，而且不是小量的。经常搞运动，实际上就安不下心来搞建设。所以我们可以确信，只要我们现在走的路子是对的，人民是拥护的，像“文化大革命”那样的情况就不会重复。

奥：很显然，只有在毛主席逝世以后才能逮捕“四人帮”，到底是谁组织的，是谁提出把“四人帮”抓起来的？

邓：这是集体的力量。我认为首先有四五运动的群众基础。“四人帮”这个词是毛主席在逝世前一两年提出来的。一九七四年、一九七五年，我们同“四人帮”进行了两年的斗争。“四人帮”的面貌，人们已看得很清楚。尽管毛主席指定了接班人，但“四人帮”是不服的。毛主席去世以后，“四人帮”利用这个时机拼命抢权，形势逼人。“四人帮”那时很厉害，要打倒新的领导。在这样的情况下，政治局大多数同志一致的意见是要对付“四人帮”。要干这件事，一个人、两个人的力量是办不到的。

粉碎“四人帮”后，建毛主席纪念堂，应该说，那是违反毛主席自己的意愿的。五十年代，毛主席提议所有的人身后都火化，只留骨灰，不留遗体，并且不建坟墓。毛主席是第一个签名的。我们都签了名。中央的高级干部、全国的高级干部差不多都签了名。现在签名册还在。粉碎“四人帮”以后做的这些事，都是从为了求得比较稳定这么一个思想考虑的。

奥：那末毛主席纪念堂不久是否将要拆掉？

邓：我不赞成把它改掉。已经有了的把它改变，就不见得妥当。建是不妥当的，如果改变，人们就要议论纷纷。现在世界上都在猜测我们要毁掉纪念堂。我们没有这个想法。

奥：为什么你想辞去副总理职务？

邓：不但我辞职，我们老一代的都不兼职了。华国锋〔23〕主席也不兼国务院总理的职务了，党中央委员会推荐赵紫阳〔142〕同志为候选人。我们这些老同志摆在那里，他们也不好工作。我们存在一个领导层需要逐渐年轻化的问题。我们需要带个头。

过去没有规定，但实际上存在领导职务终身制。这不利于领导层更新，不利于年轻人上来，这是我们制度上的缺陷。这个缺陷在六十年代还看不出来，那时我们还年轻。这不是一个人的问题，是整个制度的问题，更多地是关系到我们的方针、四个现代化能否实现的问题。所以我们说，老同志带个头，开明一点好。

奥：我看到中国有其他的画像。在天安门我看到有马、恩、列，特别还有斯大林的画像。这些像，你们是否还要保留？

邓:要保留。“文化大革命”以前,只在重要的节日才挂出来。“文化大革命”期间才改变了做法,经常挂起。现在我们恢复过去的做法。

奥:四个现代化将使外国资本进入中国,这样不可避免地引起私人投资问题。这是否会在中国形成小资本主义?

邓:归根到底,我们的建设方针还是毛主席过去制定的自力更生为主、争取外援为辅的方针。不管怎样开放,不管外资进来多少,它占的份额还是很小的,影响不了我们社会主义的公有制。吸收外国资金、外国技术,甚至包括外国在中国建厂,可以作为我们发展社会主义社会生产力的补充。当然,会带来一些资本主义的腐朽的东西。我们意识到了这个问题,但这不可怕。

奥:那末,你是否认为资本主义并不是都是坏的?

邓:要弄清什么是资本主义。资本主义要比封建主义优越。有些东西并不能说是资本主义的。比如说,技术问题是科学,生产管理是科学,在任何社会,对任何国家都是有用的。我们学习先进的技术、先进的科学、先进的管理来为社会主义服务,而这些东西本身并没有阶级性。

奥:我记得几年前,你谈到农村自留地时说过,人是需要一些个人利益来从事生产的,这是否意味着共产主义本身也要讨论呢?

邓:按照马克思说的,社会主义是共产主义第一阶段,这是一个很长的历史阶段,必须实行按劳分配,必须把国家、集体和个人利益结合起来,才能调动积极性,才能发展社会主义的生产。共产主义的高级阶段,生产力高度发达,实行各尽所能，按需分配，将更多地承认个人利益、满足个人需要。

奥：你谈到还有其他人对毛泽东思想作出了贡献，这些人是谁？

邓：老一辈的革命家。比如说，周恩来总理、刘少奇同志、朱德同志等等，还有其他许多人都作了贡献。很多老干部都有创造，有见解。

奥：你为什么不提自己的名字？

邓：我算不了什么。当然我总是做了点事情的，革命者还能不做事？

奥：你说"四人帮"是少数，全国很多人反对他们。他们这些少数人怎么可以控制中国，甚至整老一辈的革命家？是否他们当中有一个是毛主席的夫人，他们的关系太好，你们不敢动她？

邓：有这个因素。我说过，毛主席是犯了错误的，其中包括起用他们。但应该说，他们也是有一帮的，特别是利用一些年轻人没有知识，拉帮结派，有相当的基础。

奥：是否毛主席对江青〔44〕的错误视而不见？江青是否像慈禧〔150〕一样的人？

邓：江青本人是打着毛主席的旗帜干坏事的。但毛主席和江青已分居多年。

奥：我们不知道。

邓：江青打着毛主席的旗帜搞，毛主席干预不力，这点，毛主席是有责任的。江青坏透了。怎么给"四人帮"定罪都不过分。"四人帮"伤害了成千上万的人。

奥：对江青你觉得应该怎么评价，给她打多少分？

邓:零分以下。

奥:你对自己怎么评价?

邓:我自己能够对半开就不错了。但有一点可以讲,我一生问心无愧。你一定要记下我的话,我是犯了不少错误的,包括毛泽东同志犯的有些错误,我也有份,只是可以说,也是好心犯的错误。不犯错误的人没有。不能把过去的错误都算成是毛主席一个人的。所以我们对毛主席的评价要非常客观,第一他是有功的,第二才是过。毛主席的许多好的思想,我们要继承下来,他的错误也要讲清楚。

贯彻调整方针，保证安定团结*

（一九八〇年十二月二十五日）

一

我完全同意陈云〔83〕同志的讲话。这个讲话在一系列问题上正确地总结了我国三十一年来经济工作的经验教训，是我们今后长期的指导方针。

我也完全同意中央财经小组通过的关于一九八一年计划的安排。

一九七八年十二月党的十一届三中全会以后，陈云同志负责财经工作，提出了调整方针，去年四月中央工作会议对此作出了决定。但因全党认识很不一致，也很不深刻，所以执行得很不得力。直到现在，这种情况才有了变化。这次调整，就是进一步贯彻这一方针。

我们这次调整，正如陈云同志说的，是健康的、清醒的调整。这次调整，在某些方面要后退，而且要退够。其他方面，主要是农业、轻工业和有关人民生活的日用品的生产，能源、交通的建设，以及科学、教育、卫生、文化事业，还要尽可能地继

---

* 这是邓小平同志在中共中央工作会议上的讲话。

续发展。这些继续发展的企业、事业和建设单位，都要认真进行整顿，提高管理水平，提高职工的业务技术能力，提高劳动生产率和工作效率，发挥职工的积极性、创造性，尽力减少各种浪费。

为什么在实现四个现代化的过程中，会出现调整或部分后退的问题呢？这是因为，如果不调整，该退的不退或不退够，我们的经济就不能稳步前进。由于解放以前的历史状况，也由于第一个五年计划以后长期急于求成，我们的经济一直存在着比例严重失调的问题。加上“文化大革命”十年破坏，以及粉碎“四人帮”后的头两年对情况没有摸清，到三中全会前后，更发展成为财政不平衡、信贷不平衡、物资不平衡、外汇收支不平衡的局面。改变这种局面，是同三中全会纠正“左”倾错误、一切从实际出发的总方针完全一致的，是实现现代化的必要条件。由于过去两年执行调整方针不得力，这就造成财政大量赤字，货币发行过多，物价继续上涨。如果再不认真调整，我们就不可能顺利地进行现代化建设。只有某些方面退够，才能取得全局的稳定和主动，才能使整个经济转上健全发展的轨道。

所谓某些方面要退够，主要是说，基本建设要退够，一些生产条件不足的企业要关、停、并、转或减少生产，行政费用（包括国防开支和一切企业事业单位的行政管理费用）要紧缩，使财政收支、信贷收支达到平衡。生产建设、行政设施、人民生活的改善，都要量力而行，量入为出。这就是实事求是。下决心这样做，表明我们真正解放了思想，摆脱了多年来“左”的错误指导方针的束缚。

对于这个问题，我们党内的思想在过去两年内尚且不容易统一,要全国人民思想统一起来,显然要做大量的工作。我们要向人民说清楚,不进一步调整为什么不行,调整中可能出现什么问题,调整好了会带来什么效果。这样,人民才会理解进一步调整的必要,才会相信党和政府确实是为全体人民的根本利益着想,是为稳步实现现代化的利益着想,才会支持我们。做好这一步工作非常重要,决不能希望用三言两语的命令解决问题。

经济调整是件大事,它改变了今年全国人民代表大会通过的一九八一年的计划和预算,影响全国人民的工作和生活。所以,请国务院考虑最近向人大常委会作一次报告。报告发表了,可以作为向全国人民进行宣传解释的基础。

这次对经济作进一步调整,是为了站稳脚跟,稳步前进,更有把握地实现四个现代化,更有利于达到四个现代化的目标。至于走什么样的路子,采取什么样的步骤来实现现代化,这要继续摆脱一切老的和新的框框的束缚,真正摸准、摸清我们的国情和经济活动中各种因素的相互关系,据以正确决定我们的长远规划的原则,然后着手编制切实可行的第六个五年计划。只要全国上下团结一致地、有秩序有步骤地前进,我们就能够更有信心经过二十年的时间,使我国现代化经济建设的发展达到小康水平,然后继续前进,逐步达到更高程度的现代化。

建国三十一年来,我们确实犯过不少错误,包括严重的错误,其间几经折腾,使人民受到了不少损失,也延缓了社会主义建设的进程。但是,经过三十一年的努力,我们的全部工交企业单位已经发展到近四十万个,国营企业固定资产比解放初期增长近二十倍，培养了大批熟练工人和上千万专业人才，建立了比较完整的工业体系和国民经济体系。全国人民的生活比解放前好得多了。同一些比较大的发展中国家相比，我们所取得的成绩比它们大，建设的速度也比它们快。这几年来，特别是这次会议上，我们着重于检查过去的缺点、错误，正确地总结正反两方面的经验教训，使我们整个建设的部署，安排在切实可靠的基础上。依靠上述物质条件和经济工作方针，继续加强和改善党的领导，发挥社会主义制度的优越性，发挥全国各族人民的积极性和创造性，更合理地利用我们的丰富资源，不断地使我们的工作更加切合实际情况，并经常总结新的经验，努力避免和随时检查新的缺点、错误，我国的社会主义现代化建设事业就一定能够稳步地达到目的，我们的前途是无限光明的。在这个意义上，我们今天的调整不是后退，而是前进。

二

党的三中全会要求全党解放思想，开动脑筋，实事求是，团结一致向前看，研究新情况，解决新问题。两年来，我们按照这个指导思想，确定了一系列的政策，进行了一系列的改革，取得了显著的成绩。去年四月提出了调整，同时也提出了改革、整顿、提高。广大群众和干部一方面衷心拥护党的这些正确的决策，另一方面也担心政策什么时候会变。他们这种怕反复、怕折腾的心情是完全可以理解的。

那末，这次调整，是不是要改变三中全会以来的方针、政策呢？决不是。前面已经说了，这次调整是三中全会以来的各项正确方针、政策的继续和发展，是三中全会实事求是、纠正“左”倾错误的指导思想的进一步贯彻。如果要说有什么改变的话，那就是改掉我们工作中还存在的不符合三中全会精神的毛病，那就是下决心去掉不切实际的设想，去掉主观主义的高指标，而这正是三中全会的路线要求我们必须做到的。

为了保证这次调整的顺利进行，我们必须坚定不移地继续执行三中全会以来的一切行之有效的方针、政策、措施。

社会主义道路，人民民主专政即无产阶级专政，党的领导，马列主义、毛泽东思想，对于这四项基本原则，必须坚持，绝不允许任何人加以动摇，并且要用适当的法律形式加以确定。

坚持四项基本原则的核心，是坚持党的领导。我们多次讲过，在中国这样一个大国，没有共产党的领导，必然四分五裂，一事无成。对于党内外任何企图削弱、摆脱、取消、反对党的领导的倾向，必须进行批评、教育以至必要的斗争。这是四个现代化能否实现的关键，也是决定这次调整成功或失败的关键。

要坚持党的领导，必须改善党的领导，改进党的作风。现在，我们党在群众中的工作，比“文化大革命”以前是有些减弱，工作方法也有一些粗糙的地方，这些都妨碍党与群众的联系。只有大力加强党与群众的联系，深入到群众中去做思想政治工作，经济调整中的许多困难才容易克服。极少数党员、干部的不正之风，非常不利于恢复党在群众中的威信。我赞成陈云同志讲的，执政党的党风问题是有关党的生死存亡的问题。要严格执行《关于党内政治生活的若干准则》，坚持不懈地纠正各种不正之风，特别要坚决反对对党中央的路线、方针、政策采取阳奉阴违、两面三刀的错误态度。

改革党和国家领导制度的方针必须坚持，但是，方法要细密，步骤要稳妥。总之，不能使一切确实还能为党做工作的同志不工作。基层单位领导制度的改革，要先在少数单位进行试点。在制定和颁布完善的条例以前，一切非试点的基层单位，一律执行原来的制度。中央原来提出的就是这个方针。各个基层企业和其他基层单位在经济调整中的思想、政治、经济、组织等方面的工作都很繁重，很艰苦。为了使国民经济各种比例关系逐步协调，使局部利益服从整体利益，某些建设项目要下马，某些企业要关、停、并、转，或者减少生产任务。对这三类单位所有人员需要有计划地进行培训，生活也要安排好。做好这些工作是非常不容易的。希望各级组织的同志，特别是在基层工作的同志，发扬光荣传统，同心同德，任劳任怨，为党和国家分忧，为群众分忧，不能有任何松劲的情绪。在困难面前，正是我们各级组织中的党员、干部，特别是老党员、老干部，忠心耿耿，坚守岗位，鞠躬尽瘁，又一次经受考验的时候。中央相信，各级组织的干部和党员，一定不会辜负党和人民的重托。

要继续发展社会主义民主，健全社会主义法制。这是三中全会以来中央坚定不移的基本方针，今后也决不允许有任何动摇。我们的民主制度还有不完善的地方，要制定一系列的法律、法令和条例，使民主制度化、法律化。社会主义民主和社会主义法制是不可分的。不要社会主义法制的民主，不要党的领导的民主，不要纪律和秩序的民主，决不是社会主义民主。相反，这只能使我们的国家再一次陷入无政府状态，使国家更难民主化，使国民经济更难发展，使人民生活更难改善。

在党内生活和国家政治生活中，要真正实行民主集中制和集体领导。一言堂、个人说了算，集体做了决定少数人不执行等等毛病，都要坚决纠正。在目前情况下，尤其需要重申和强调个人服从组织、少数服从多数、下级服从上级、全党服从中央的原则。在党内、军内和政府系统，要坚决反对一切不遵守党纪、军纪、政纪的现象。

在党政机关、军队、企业、学校和全体人民中，都必须加强纪律教育和法制教育。没有规定纪律或规定得不完善不合理的，要迅速规定和改善。大中小学的学生从入学起，工人从入厂起，战士从入伍起，工作人员从到职起，就要学习和服从各自所必须遵守的纪律。对一切无纪律、无政府、违反法制的现象，都必须坚决反对和纠正。否则我们就决不能建设社会主义，也决不能实现现代化。合理的纪律同社会主义民主不但不是互相对立的，而且是互相保证的。

要继续克服权力过分集中的弊端。要有步骤地和稳妥地实行干部离休、退休的制度，废除实际上存在的干部领导职务的终身制。退休、离休的干部，在政治待遇、生活待遇等各方面，都要逐个做出妥善安排。

中央在最近一年中多次强调，老干部要把选拔和培养中青年干部，作为第一位的、庄严的职责。别的工作做不好，固然要做自我批评，这项工作做不好，就要犯历史性的大错误。这项工作做好了，我们的事业完全有把握继续下去，我们的老干部就再一次为党、为人民做出了巨大的贡献。希望所有的老同志在这个问题上都有高度的自觉性。

要在坚持社会主义道路的前提下，使我们的干部队伍年轻化、知识化、专业化，并且要逐步制定完善的干部制度来加以保证。提出年轻化、知识化、专业化这三个条件，当然首先是要革命化，所以说要以坚持社会主义道路为前提。其次，这并不是说，不具备这三个条件或不合其中某一两个条件的德才兼备、善于学习、身体也好的同志就要调离。年龄的条件不能说得过死。如果离开了现在的干部队伍，我们的一切任务都不能完成，也就不可能实现干部队伍的年轻化等等。但是要看到，这是一个战略问题。我们的干部队伍总要变得比较年轻些，比较有知识，比较懂得业务。有些同志对这个问题的重要意义至今还认识不足，这有历史原因和实际原因，需要耐心细致地进行全面的准确的宣传解释工作。同时，在执行中还要定出妥善的步骤。

现在很多单位人浮于事。在这次经济调整中，有些企业或者会全部停工，或者会半停工。有关地方、有关部门对这些单位的干部和工人，除了安排他们轮流从事一些生产劳动，例如植树造林、修路、修水利、搞市政建设和卫生设施之外，主要应该有计划地、认真地对他们进行正规培训，提高所有受训干部、工人的政治觉悟和业务能力，并且经过考核，从中发现和选拔优秀人才。调整是实现现代化所必须采取的一项积极措施，培训就是这种积极措施的一个重要方面。大家常说要增加智力投资，利用这次机会，有计划地对大批干部、工人进行正规教育，提高他们的政治水平、文化水平、技术水平、经营管理水平，就是一种能够收到很好效果的智力投资。要使全体干部、工人充分理解这种培训的重大意义，逐步把这种培训变为适用于全体干部和工人的经常制度。

经济结构和经济体制的改革取得了很好的成绩。要巩固已有的成绩,总结已有的经验,分析和解决在改革中出现的新问题。我完全同意陈云同志的意见,今后一段时间内,重点是要抓调整,改革要服从于调整,有利于调整,不能妨碍调整。改革的步骤需要放慢一点,但不是在方向上有任何改变。

三中全会关于农业的决定和今年中央印发的关于进一步加强和完善农业生产责任制的几个问题的文件,已经充分证明行之有效,要继续贯彻执行,大力落实,并注意随时解决执行过程中出现的问题。我国农业现代化,不能照抄西方国家或苏联一类国家的办法,要走出一条在社会主义制度下合乎中国情况的道路。

今年扩大企业自主权的试点单位,已经达到六千多个。这些单位的产值占到全部工业总产值的百分之六十左右。怎样把国家利益、企业利益、职工利益比较好地结合起来,调动各方面的积极性,我们开始找到了门路。试点的面明年不再扩大,重点放在总结经验、巩固提高方面。

在调整中实行高度的集中统一,是完全必要的。但是,已经从各方面证明行之有效的改革措施要继续实行,不能走回头路。仍然要继续把经济搞活,发挥地方、企业、职工的积极性。当然要防止盲目性,特别要防止只顾本位利益、个人利益而损害国家利益、人民利益的破坏性的自发倾向。在这方面,要规定比较详细的法令,以防止对自主权的曲解和滥用。

继续广开门路,主要通过集体经济和个体劳动的多种形式,尽可能多地安排待业人员。要切实保障集体劳动者和个体劳动者的合理利益，同时加强工商业管理工作，防止非法活动。

在广东、福建两省设置几个特区的决定〔151〕，要继续实行下去。但步骤和办法要服从调整，步子可以走慢一点。

要继续在独立自主、自力更生的前提下，执行一系列已定的对外开放的经济政策，并总结经验，加以改进。在这方面由于多年闭关自守，没有经验，我们确实付出了重大的代价。责任主要在中央。我个人也要负责。

要继续执行反对霸权主义、保卫世界和平的对外政策。这个政策执行得好，我们就有可能争取较长时间的和平建设环境。

正是因为我们在三中全会以来制定和实施了上述一系列正确的方针、政策，才为这次经济调整创造了比较好的条件。只要把这些行之有效的方针、政策继续坚持下去，我们就一定可以在这次经济调整中达到预期的目的。

三

陈云同志说，经济工作搞得好不好，宣传工作搞得好不好，对经济形势和政治形势能否稳定发展，关系很大。他所以同时提出宣传工作的问题，一方面是要我们对宣传工作的成绩和缺点做出清醒的估计，另一方面是要我们今后的宣传工作能够适应经济形势和政治形势的要求，能够有助于而不是有碍于调整工作的顺利进行。

这里说的宣传工作，实际上包括党的整个思想政治工作。

经济调整是一个很艰巨、很复杂的任务。现在我们已经看到存在不少问题，我们还会遇到许多现在预料不到的问题。为了完成这个任务，为了保证全党思想上行动上的一致，必须有效地加强和改善我们党的思想政治工作。

真理标准问题的讨论，对于我们这几年来在政治、经济、组织等各方面进行一系列改革，对于我们在各条战线上取得显著成绩，起了极大的推动作用。理论工作者、宣传工作者、新闻工作者、教育工作者、文艺工作者同党的各级干部一起，在这几年的富有成效的工作中，共同做出了重要的贡献，应该给予充分的肯定。总的说来，思想战线上各方面的工作，成绩是主要的。

解放思想，就是使思想和实际相符合，使主观和客观相符合，就是实事求是。今后，在一切工作中要真正坚持实事求是，就必须继续解放思想。认为解放思想已经到头了，甚至过头了，显然是不对的。

但是也必须指出，我们的宣传工作还存在严重缺点，主要是没有积极主动、理直气壮而又有说服力地宣传四项基本原则，对一些反对四项基本原则的严重错误思想没有进行有力的斗争。在一些同志的思想中也确实存在着混乱，例如有人认为，坚持四项基本原则会妨碍解放思想，健全社会主义法制会妨碍社会主义民主，对错误意见进行正确的批评是违反“双百”方针〔74〕，等等。

当然，产生这类思想混乱有一定的社会历史原因，决不能用简单粗暴的方法来对待。但是这并不是说，对这种思想混乱状况可以听其自然，不需要切实有效地加以纠正。不能否认，这种混乱状况确实给一些唯恐天下不乱的人的活动，提供了一方面的有利条件。尤其严重的是，对于这些不正确的观点、错误的思潮，甚至对于一些明目张胆地反对党的领导、反对社会主义的观点，在报刊上以及党内生活中，都很少有人挺身而出进行严肃的思想斗争。最近一些与非法组织有关的人物特别活跃，他们假借种种名义放肆地发表反党反社会主义的言论。这种危险的信号，应该引起全党、全国人民和全国青年的足够警惕！

加强思想政治工作，改进宣传工作，已经作为保证这次调整的顺利实现、巩固安定团结的政治局面的一项极端重要的任务，摆在全党同志面前。

我们说改善党的领导，其中最主要的，就是加强思想政治工作。中央认为，从原则上说，各级党组织应该把大量日常行政工作、业务工作，尽可能交给政府、业务部门承担，党的领导机关除了掌握方针政策和决定重要干部的使用以外，要腾出主要的时间和精力来做思想政治工作，做人的工作，做群众工作。如果一时还不能完全做到这一点，至少也必须把思想政治工作放在重要地位上，否则党的领导既不可能改善，也不可能加强。

加强思想政治工作，要着重解决好以下几个问题：

关于建国以来党的工作的评价，一定要充分肯定三十一年来的巨大成绩；缺点、错误要进行严肃的批评，但决不能说得一团漆黑。就是“文化大革命”这样严重的错误，它的确被反革命集团所利用，但也决不能简单地把这整个历史事件说成是“反革命”。必须毫不动摇地坚持这种实事求是的立场。

同样，毛泽东同志的功劳是第一位的，错误是第二位的，这个估计是合乎实际的，决不能加以怀疑和否定。毛泽东同志的错误，决不能归结为个人品质问题。如果不是这样看问题，那就不是马克思主义的态度，不是历史唯物主义的态度。很明显，感情用事地把他的错误说过头，只能损害我们党和国家的形象，只能损害党和社会主义制度的威信，只能涣散全党、全军和全国各族人民的团结。

经过实践检验证明是正确的毛泽东思想，仍然是我们的指导思想，必须结合实际加以坚持和发展，并理直气壮地进行宣传，不允许怠工。应当把毛泽东思想和毛泽东同志晚年的错误区别开来，这样可以避免许多混乱。当然，这不是说毛泽东同志晚年没有发表过正确的意见。

党内确有不正之风，确有极少数领导干部搞特殊化。中央已经下定决心，并且已经在陆续解决这方面的问题。报纸上的正确批评的作用应该肯定，但是应当注意不要把个别的现象当作普遍的现象，不要把局部的东西夸大为整体。决不是所有党员或多数党员都有不正之风，决不是所有领导干部或多数领导干部都搞特殊化。根本没有也不可能有所谓的“官僚主义者阶级”。我们的宣传，要防止在群众中造成各种不符合实际的印象。

要通过思想政治工作，加强全党的组织性、纪律性。各级组织、每个党员都要按照党章的规定，一切行动服从上级组织的决定，尤其是必须同党中央保持政治上的一致。这一点在现在特别重要。谁要违反这一点，谁就要受到党的纪律的处分。党的纪律检查工作要把这一点作为当前的重点。

要教育全党同志发扬大公无私、服从大局、艰苦奋斗、廉洁奉公的精神，坚持共产主义思想和共产主义道德。我们要建设的社会主义国家，不但要有高度的物质文明，而且要有高度的精神文明。所谓精神文明，不但是指教育、科学、文化（这是完全必要的），而且是指共产主义的思想、理想、信念、道德、纪律，革命的立场和原则，人与人的同志式关系，等等。学习和培养这些革命精神，并不需要多么好的物质条件，也不需要多么高的教育程度。我们不是靠马克思主义的科学理论和上述的革命精神参加革命到现在吗？从延安到新中国，除了靠正确的政治方向以外，不是靠这些宝贵的革命精神吸引了全国人民和国外友好人士吗？没有这种精神文明，没有共产主义思想，没有共产主义道德，怎么能建设社会主义？党和政府愈是实行各项经济改革和对外开放的政策，党员尤其是党的高级负责干部，就愈要高度重视、愈要身体力行共产主义思想和共产主义道德。否则，我们自己在精神上解除了武装，还怎么能教育青年，还怎么能领导国家和人民建设社会主义！我们在新民主主义革命时期，就已经坚持用共产主义的思想体系指导整个工作；用共产主义道德约束共产党员和先进分子的言行；提倡和表彰“全心全意为人民服务”，“个人服从组织”，“大公无私”，“毫不利己、专门利人”，“一不怕苦、二不怕死”。现在已经进入社会主义时期，有人居然对这些庄严的革命口号进行“批判”，而这种荒唐的“批判”不仅没有受到应有的抵制，居然还得到我们队伍中一些人的同情和支持。每一个有党性、有革命性的共产党员，难道能够容忍这种状况继续下去吗？

毛泽东同志说过，人是要有一点精神的。在长期革命战争中，我们在正确的政治方向指导下，从分析实际情况出发，发扬革命和拚命精神，严守纪律和自我牺牲精神，大公无私和先人后己精神，压倒一切敌人、压倒一切困难的精神，坚持革命乐观主义、排除万难去争取胜利的精神，取得了伟大的胜利。搞社会主义建设，实现四个现代化，同样要在党中央的正确领导下，大大发扬这些精神。如果一个共产党员没有这些精神，就决不能算是一个合格的共产党员。不但如此，我们还要大声疾呼和以身作则地把这些精神推广到全体人民、全体青少年中间去，使之成为中华人民共和国的精神文明的主要支柱，为世界上一切要求革命、要求进步的人们所向往，也为世界上许多精神空虚、思想苦闷的人们所羡慕。

要大力加强党的组织、党员同群众的联系，要把国家的形势和困难、党的工作和政策经常真实地告诉群众。要坚决批评和纠正各种脱离群众、对群众疾苦不闻不问的错误。群众是我们力量的源泉，群众路线和群众观点是我们的传家宝。党的组织、党员和党的干部，必须同群众打成一片，绝对不能同群众相对立。如果哪个党组织严重脱离群众而不能坚决改正，那就丧失了力量的源泉，就一定要失败，就会被人民抛弃。全党同志，各级干部，特别是领导干部，必须经常记住这一点，经常用这个标准检查自己的一切言行。

一定要努力帮助群众解决一切能够解决的困难。暂时无法解决的困难，要耐心恳切地向群众解释清楚。

要继续批判和反对封建主义在党内外思想政治方面的种种残余影响，并继续制定和完善各种符合于社会主义原则的制度和法律来清除这些影响。同时，要批判和反对崇拜资本主义、主张资产阶级自由化的倾向,批判和反对资产阶级损人利己、唯利是图、“一切向钱看”的腐朽思想,批判和反对无政府主义、极端个人主义。我们继续坚持同对我们友好的西方国家交往,继续坚持学习资本主义国家一切对我们有用的东西,但是必须在思想政治领域把上述的斗争进行到底。必须发扬爱国主义精神,提高民族自尊心和民族自信心。否则我们就不可能建设社会主义,就会被种种资本主义势力所侵蚀腐化。

要加强各级学校的政治教育、形势教育、思想教育,包括人生观教育、道德教育。

要大力加强工会工作和妇联工作,大力加强共青团工作、少先队工作和学生会工作。要努力使我们的青少年成为有理想、有道德、有知识、有体力的人,使他们立志为人民作贡献,为祖国作贡献,为人类作贡献,从小养成守纪律、讲礼貌、维护公共利益的良好习惯。

要提高全党同志建设社会主义现代化强国的信心,通过各个岗位的党员的模范行动影响和吸引群众,振奋精神,团结一致,专心致志,稳步前进,实现我们的宏伟目标。我们一定要宣传、恢复和发扬延安精神,解放初期的精神,以及六十年代初期克服困难的精神。我们首先要自己坚定信心,然后才能教育和团结群众提高信心。

四

安定团结的政治局面是继续巩固还是遭到破坏,是这次调整成败的关键。安定团结的政治局面如果遭到破坏,调整工作就根本无法进行。

现在有些地方已经发现，一小撮唯恐天下不乱的人正在用“文化大革命”中的办法进行煽动和闹事，有些人甚至叫嚷什么要进行第二次“文化大革命”。个别地方在坏人煽动下少数支边青年的闹事，极少数坏头头操纵的非法组织、非法刊物的积极串连，反党反社会主义言论的公开发表，反动传单的散发，政治谣言的传播，“四人帮”残余势力的活动，杀人放火、制造爆炸、抢劫偷窃、强奸轮奸等各种恶性案件的发生，走私漏税、投机倒把、行贿受贿、贪赃枉法等犯罪活动的滋长泛滥，泄露和出卖国家机密、违反规定滥发奖金、抬高物价、扰乱市场等严重违法乱纪行为的不断出现，对这一切现象，我们决不能掉以轻心。这种种情况，有的属于反革命分子的活动，有的属于林彪、“四人帮”残余势力的反扑，有的属于唯恐天下不乱者的破坏，有的属于剥削阶级残余分子的故态复萌，有的是由于封建主义、资本主义思想作风的严重腐蚀。按性质来说，一种是敌我矛盾，一种是阶级斗争在人民内部的不同程度上的反映。这说明，阶级斗争虽然已经不是我们社会中的主要矛盾，但是它确实仍然存在，不可小看。如果不及时地、有区别地给以坚决处理，而听任上述各种不同性质的问题蔓延汇合起来，就会对安定团结的局面造成很大的危害。对于这种种活动的严重性，我们有些同志还没有足够的认识，因而打击不力，有时甚至放纵不管。

因此，必须加强人民民主专政的国家机器，坚决打击和分化瓦解上述各种破坏安定团结的势力，坚决打击和分化瓦解林彪、江青反革命集团的残余势力，坚决打击和防范制止各种刑事犯罪活动。

巩固和发展安定团结的政治局面，是全国人民的共同愿望。需要向广大人民群众做好思想政治工作，动员和组织他们自觉地、积极地行动起来，同各种破坏安定团结的势力进行有效的斗争。进行这种斗争，不能采取过去搞政治运动的办法，而要遵循社会主义法制的原则。为此，除党内要发布有关的指示以外，建议人大常委会、国务院发布有关的条例、法令。必要的法律设施，加上全党的思想政治工作、报刊宣传和学校教育的配合，就可以形成全党全军全民的共同行动准则。这样，当前的一些混乱状态一定可以逐步改变。

为了保证安定团结，建议国家机关通过适当的法律法令，规定罢工罢课事前要经过调处；游行示威事前要经过允许，指定时间地点；禁止不同单位之间、不同地区之间的串连；禁止非法组织的活动和非法刊物的印行。

这场斗争是政治斗争，但是一定要在法律范围内进行。要有声势，但准备必须充分，步骤必须稳妥，分寸必须适当。对于一些严重的破坏活动，不仅要打击一次，而且要打击多次。全党同志和全体干部都要按照宪法、法律、法令办事，学会使用法律武器（包括罚款、重税一类经济武器）同反党反社会主义的势力和各种刑事犯罪分子进行斗争。这是现在和今后发展社会主义民主、健全社会主义法制的过程中要求我们必须尽快学会处理的新课题。

要大力加强政法、公安部门的建设和工作，提高这些部门人员的政治素质和业务素质。

要从基本建设队伍和转业军人中挑选一批好的职工、干部和战士，经过训练，扩大和加强政法公安干警队伍。

有些地方闹事严重的，如果确有必要，经过慎重考虑和周密安排，可以按照一定的批准程序宣布戒严，调动经过训练的部队，恢复和维持正常的社会秩序、生产秩序和工作秩序。对全军指战员都要进行必要的法制教育。

各级党委要加强领导，组织有关部门做出统一部署，采取得力措施，实行各条战线的总动员，坚决而又稳妥地把保证安定团结政治局面的工作做好。

有人会说，我们这样做，是要“收”，不再“放”了，是只讲专政，不讲民主了，三中全会的方针变了。完全不对。中央早就讲过，对各种反革命分子、反党反社会主义分子、刑事犯罪分子的活动，从来都没有什么“放”的问题，从来主张不能放纵他们，不能听任他们胡作非为。从中华人民共和国成立，直到最近这几年来，除了十年动乱不算以外，我们一直坚持对各种敌对势力、反革命分子、严重危害社会秩序的刑事犯罪分子实行专政，决不对他们心慈手软。

这里涉及到如何理解和实行人民民主专政的问题。毛泽东同志说过，对人民内部的民主方面和对反动派的专政方面的互相结合，就是人民民主专政。这实质上也就是无产阶级专政，但是人民民主专政的提法更适合于我们的国情。人民的民主权利，在林彪、“四人帮”横行时期遭到践踏。粉碎“四人帮”以后，特别是三中全会以后，我们一直在努力发扬民主。现在这方面的工作做得还很不够，还要继续努力做。前面说过，我们各种政治制度和经济制度的改革，要坚定地、有步骤地继续进行。这些改革的总方向，都是为了发扬和保证党内民主，发扬和保证人民民主。

现在，我们在坚定不移地把发展社会主义民主的工作继续做下去的同时，要求全党同志、全国人民高度警惕和坚决打击各种反党反社会主义活动和刑事犯罪活动。这是因为，如果不对这类活动进行打击，不但经济调整很难进行，而且人民的民主权利甚至生存权利，都要遭到危害。如果放纵他们，让他们泛滥开来，到处制造混乱，有些地方、有些部门、有些单位中，大多数人民的民主权利，又会像在“文化大革命”中那样，重新受到践踏；全国安定团结、生动活泼的局面就不可能维持，更谈不上巩固和发展；我们现在已经形成的开国以来少有的很好的政治形势和经济形势，就又会受到挫折；人民生活已经得到的改善，又会重新丧失。全国绝大多数干部、绝大多数党员、绝大多数人民群众，对“文化大革命”期间的苦难，都是记忆犹新的。我们怎么能够容忍那些一直紧跟林彪、“四人帮”的“造反派”以及继承他们那一套的少数坏头头，再来搞第二次“文化大革命”呢？不用说全国，就是一个地方、一个部门、一个单位，也不能允许他们得逞。可是在个别单位、个别地方，他们已经在猖狂地捣乱了，那里的群众，已经对这种状况非常愤怒了。在这种情况下，我们还能不坚决地起来保卫人民的利益吗？

马克思主义理论和实际生活反复教育我们，只有绝大多数人民享有高度的民主，才能够对极少数敌人实行有效的专政；只有对极少数敌人实行专政，才能够充分保障绝大多数人民的民主权利。所以，在当前条件下，使用国家的镇压力量，来打击和瓦解各种反革命破坏分子、各种反党反社会主义分子、各种严重刑事犯罪分子，以便维护社会安定，是完全符合人民群众的要求的，是完全符合社会主义现代化建设的要求的。

总之，经济上实行进一步的调整，政治上实现进一步的安定，这都是为了贯彻三中全会以来的一贯方针。贯彻执行三中全会以来的一贯方针，我们的事业一定胜利。

发展中美关系的原则立场*

（一九八一年一月四日）

我们希望里根〔152〕先生就任总统后能为中美关系的发展作出新的贡献。中美关系打开新的一页是从共和党开始的，那是尼克松〔138〕先生、基辛格〔137〕先生执政的时候。我们总是记住，是尼克松先生在任总统期间下决心改善中美关系的。在卡特〔153〕总统任内，中美关系有了新的发展，但在他任期的后一阶段，有一个《与台湾关系法》〔154〕。就中国方面来说，我们希望中美关系继续发展。坦率地说，里根先生在竞选纲领中说的有些话确实使我们有所不安。布什〔155〕先生来的时候，我们说了，我们理解在你们国家竞选中的语言执政后不一定付诸实施，我们重视的是里根先生就任后将采取什么行动。一九七九年中美建交，主要是解决了台湾问题，美国承认台湾是中国的一部分。解决了这个问题，才取得了中美新关系的建立，并使之继续得到发展。台湾问题本来是过去了的问题，现在又重新提起来了。我们请布什先生向里根先生转达我们在这个问题上的很清楚的立场。

---

* 这是邓小平同志会见美国参议院共和党副领袖史蒂文斯和美国总统出口委员会副主席陈香梅时谈话的一部分。

我们注意到，现在美国报刊和一些人的言论大概有这么四种观点，这些观点如果不加澄清，很可能导致中美关系的后退。

第一种观点，认为中国很弱很穷，装备又落后，所以中国是无足轻重的，是一个不值得重视的国家。这个问题不是一个小问题，而是一个对世界力量对比的判断问题。至于说我们穷呀弱呀，我们历来不回避，我们向来这样讲。中国有它的长处，就是地方大、人多，但确实是穷，装备也确实是落后。可是我们对自己也有一个清醒的估计，我们有“块头大”这个好处，还有就是不信邪。中国人向来是根据自己的见解行事的。过去的事大家都很清楚，中华人民共和国就是依靠自力更生建立起来的。在非常困难的时候，我们也敢于正视现实，用弱小的力量去面对强大的力量。中国尽管穷和弱，但需要中国自己做的事情，中国是敢于面对现实的。所以，对中国在世界政治中的地位发生错误判断的人，起码不会有一个正确的国际战略。

第二种观点，说中国现在有求于美国，美国无求于中国。美国报刊中不止一次地出现过这样的议论。这两年我们也做了一些蠢事，引起了一些人的错觉。有不少这样的代表团和那样的代表团往美国跑，我们没有控制住，而一些代表团的言论行动又不谨慎。本来去访问不是坏事，是好事，但却引起了一些人的错觉，以为中国现在有求于人。不但在美国，在欧洲也可能有这样的反映。今后我们派代表团要控制一下，当然不是说正常的来往不需要发展。最近我们正在进行经济调整。我们敢于公布财政赤字，表明我们还有某种自信。通过调整，今年我们的财政收支可以基本达到平衡。日本朋友说，他们从来不相信用控制的方法能够达到财政收支平衡。我们可以办到，而且我们还进一步确定，中国进行现代化建设一定要坚持自力更生为主的原则。中国是很穷，但有一个长处，就是中国本身的生存能力比较强，还有就是穷日子过惯了。最典型的是我们的延安时期，吃饭穿衣都困难。包括那时我们的各个抗日根据地，在非常困难的条件下，我们都能够生存。现在如果一切国际通道都切断了，我们也能够生存。即使现在世界发生大的动乱和各种难测的变化，中国自己也能够活下去。以为中国有求于人的判断，会产生错误的决策。

第三种观点，认为如果美国政府对苏联采取强硬政策，像台湾这样的问题，中国可以吞下去。吞不下去，不会吞下去的。如果真的出现这样的情况，由于台湾问题迫使中美关系倒退的话，中国不会吞下去。中国肯定要做出相应的反应。我们说中美关系停滞不好，倒退更不好，但是一旦发生某种事情迫使我们的关系倒退的话，我们也只能正视现实。至于倒退到什么程度，那要看导致倒退的来势如何。这种话说多了并不好，但要明确一点，即在台湾问题上如果需要中美关系倒退的话，中国只能面对现实，不会像美国有些人所说的那样，中国出于反对苏联的战略会把台湾问题吞下去，这不可能。

最近荷兰发生了一件事，说是荷兰的公司搞的，准备同台湾签订合同，为台湾制造两艘潜艇。荷兰政府当然干预了这件事。其实荷兰政府搞这笔交易是得到某些人支持的。我们正在严肃地处理这个问题。如果荷兰不改变这个决定，中国同荷兰的关系肯定要倒退。当然，我们还做一点工作，希望荷兰改变它的立场，因为我们看到它的议会是以微弱多数通过这个决定的，因此，改变这笔交易不是完全不可能。如果做了工作以后不行，那我们将采取进一步的措施。希望在中美之间不要出现类似的事情。既然中美和中日关系正常化都是在解决了台湾是中国领土的一部分这个问题后实现的，那末，以后能否继续发展中美关系、中日关系以及中国和其他国家的关系，这个问题是焦点。

我们注意到，有的议论说，里根先生可能采取向台湾派总统私人代表的形式。今天我坦率地说，如果真的出现这样的情况，我们不认为这是什么私人代表，而是一种正式的政府与政府之间的关系。如果出现了这样或类似的事情，我们肯定会认为美国政府的决策已经改变了中美建交公报和上海公报的原则。它的性质不仅是使中美关系停顿，而且是使它倒退。

第四种观点，认为中国政府信奉的意识形态旨在摧毁类似美国这样的政府。这样的观点至少不是八十年代的观点，也不是七十年代的观点，而是恢复了六十年代以前的观点。

我重复说，我们真诚地希望中美关系不但不要停滞，而且要发展。我们对竞选期间和总统就任以前的言论是很注意的，但我们可以对这些言论作某种理解。我们重视的是美国新政府上任后采取的行动。我刚才说的都是中国政府的正式立场。我认为，使美国朋友们清楚地了解中国政府的正式立场，这是很重要和很必要的。

关于反对错误思想倾向问题*

（一九八一年三月二十七日）

第一，当前还是以贯彻一九八〇年十二月中央工作会议精神为中心，要以中央四位常委〔156〕在这次会议上的讲话、中央关于当前报刊新闻广播宣传方针的决定、中央关于处理非法刊物非法组织和有关问题的指示等文件为准进行工作。

第二，要加强坚持四项基本原则的宣传、教育，要多写这方面的文章。要批判“左”的错误思想，也要批判右的错误思想。

解放思想，也是既要反“左”，又要反右。三中全会提出解放思想，是针对“两个凡是”〔18〕的，重点是纠正“左”的错误。后来又出现右的倾向，那当然也要纠正。

这次中央工作会议，把这些都讲清楚了。现在的问题是，要更多地宣传坚持四项基本原则。对“左”的错误思想不能忽略，它的根子很深。重点是纠正指导思想上“左”的倾向，但只是这样还不能完全解决问题，同时也要纠正右的倾向。

黄克诚〔134〕同志讲，有“左”就反“左”，有右就反右。我赞成他的意见。对“左”对右，都要做具体分析。

---

* 这是邓小平同志同中国人民解放军总政治部负责同志的谈话要点。

《解放军报》办得比较好，要继续努力。要多写些从思想上、理论上论述坚持四项基本原则的文章。反对和否定四项基本原则，有来自“左”的，有来自右的，写文章要注意到这两个方面。

第三，我们总是讲，要坚持实事求是，理论和实际相结合，一切从实际出发。

我们写建国以来党的若干历史问题的决议，要实事求是，要很好地总结“左”的教训。一九五七年的反右派斗争〔101〕，我多次讲过，那个时候确实有人杀气腾腾，但是我们处理得过了，扩大化了。当然，不能把当时所有被批判的人都说成什么问题、什么错误都没有。我看对反右派斗争，还是两句话：一句是必要的，一句是扩大化了。大跃进〔77〕开始时，有哪个人反对过？后来有些同志发觉有问题，毛泽东同志也发觉有问题。他召集的两次郑州会议〔119〕，就是纠正大跃进中“左”的错误的。“文化大革命”前的十七年，基本上是做得对的，但是有曲折，有错误。责任不只是毛泽东同志个人的，我们这些人也有责任。我们要实事求是地总结历史的经验教训。

解决部队的思想问题，也要实事求是。要针对每个单位、每个人的不同情况去做思想工作。

第四，对军队中“左”的影响不能忽视。有些三四十岁左右的干部，受“左”的影响，从“左”的角度看问题的比较多。部队一些干部包括有的老干部，对三中全会以来的政策不理解，有的以为是搞资本主义，这主要是来自“左”的影响。但也不是没有资产阶级腐朽思想的影响，比如对靡靡之音和社会上一些坏风气，有些人就喜欢。

关于“三支两军”〔157〕问题，你们研究一下。只讲一句话不好，光戴高帽子不好，一定要讲两句话。第一句话：当时军队不出面不能维持局面，出面是正确的，“三支两军”是起了积极作用的。第二句话：“三支两军”给军队造成的危害是很大的，带来了许多坏的东西，对军队的威信损害很大。比如派性，还有一些“左”的东西，相当大的成分是从那里来的。

军队这几年做了许多工作，抓了路线、方针、政策的教育，干部的思想情况有了变化。我们的干部绝大多数是好的。只要做了教育工作，干部的思想情况就会起变化。所以，我们还是要多做工作，多进行教育。

第五，纠正“左”的倾向和右的倾向，都不要随意上“纲”，不要人人过关，不要搞运动。人人都去作检查，那就会变成运动。当然，不搞运动不等于政治工作没有方向，也不是不要声势。

在以后一个适当时间，还要进行整风。不搞整风，恐怕解决不了问题。

第六，陈云〔83〕同志建议，要提倡学习，主要是学哲学，学习毛泽东同志的哲学著作，例如《实践论》、《矛盾论》，还有《中国革命战争的战略问题》、《抗日游击战争的战略问题》、《论持久战》等等。这个意见很好。我看应当搞学习运动，认真学习马克思、列宁和毛泽东同志的著作。这个学习必须联系中国革命的历史，这样就能了解党是怎样领导革命的，了解毛泽东同志有哪些功绩，使大家知道中国革命是怎样成功的。《关于建国以来党的若干历史问题的决议》通过以后，要组织大家认真学习，然后要引导大家认真读点书。

陈云同志讲过，抗战初期他从莫斯科回到延安，毛泽东同志给他谈过三次要学哲学，特别是强调实事求是，陈云同志觉得受益很大。现在，有些人发议论，往往只看现象，原因是理论和实践都没有根底。只有打下根底，才能真正纠正错误，包括纠正“左”的和右的错误。延安整风，反对主观主义、宗派主义和党八股，就是从根本上而不是从枝节上解决问题。

第七，最近有一件事做得好，就是大讲精神文明。这方面已有成效，要继续抓好。总政治部提出的“四有、三讲、两不怕”[158]的口号很好，军队就这样办，要好好宣传。

第八，对电影文学剧本《苦恋》要批判，这是有关坚持四项基本原则的问题。当然，批判的时候要摆事实，讲道理，防止片面性。

在党的十一届六中全会闭幕会上的讲话

（一九八一年六月二十九日）

我确信，我们这次全会解决的两个问题，解决得非常好。

第一个，就是关于建国以来党的若干历史问题的决议，真正是达到了我们原来的要求。这对我们统一党内的思想，有很重要的作用。当然，胡耀邦〔96〕同志说，统一思想还要一年的工作。但是，今后作为一个共产党员来说，要在这个统一的口径下来讲话。思想不通，组织服从。相信这个决议能够经得住历史考验。

第二个，就是人事问题。我们这次把胡耀邦同志选作党的主席，刚才他作了一个简短的讲话，我想，这一段话也证明，我们这个选择是正确的。当然，赵紫阳〔142〕同志也提到比较更重要的地位。

我们这次全会对这么两个重大问题采取重大的决策，作出重大的选择，我们相信，这个重大的决策，重大的选择，是正确的。所以，我们这次全会的意义是非常大的。公报已经表明了这一点。我们这次会议真正是胜利地完成了自己的任务。

同志们还有什么话没有？如果没有，我们就宣布第六次中央全会胜利闭幕。

老干部第一位的任务是选拔中青年干部*

（一九八一年七月二日）

本来今天是来听会的，但是选拔培养中青年干部这个问题太大了，还是讲几句。我们历来讲，这是个战略问题，是决定我们命运的问题。现在，解决这个问题已经是十分迫切了，再过三五年，如果我们不解决这个问题，要来一次灾难。对我们这次六中全会，外国人反映说，是用和平方式解决交接班问题，解决中央人事的大问题，称赞我们很稳定、很顺利地解决了这样的问题。但是，全国范围的干部接替问题，如果再过三五年还不解决，那就可能造成一种混乱。老的不在了，或者根本不能工作了，新的又上不来，每一个新的上来，就有这个意见、那个意见。好像我们党里有一种风气，就是在老干部里头有相当一部分人认为谁拥护自己谁就是好干部。不客气地讲，任人唯贤还是任人唯亲这个问题并没有解决好。我不是说所有的人，但是有相当一部分老同志没有解决这个问题。今天讲到一个刘澜波〔159〕同志，我建议大家向他学习。他亲自出来讲话，推荐一位比较年轻的同志当部长。为什么全会之后又专门

---

* 这是邓小平同志在中共省、市、自治区委员会书记座谈会上的讲话。

把在座的诸位留下来开两天会，讨论陈云〔83〕同志关于提拔培养中青年干部和老干部离休退休这两条建议？就是因为这个问题十分迫切，十分重要。我们军队的同志可以回想得起来，一九六四年开政治工作会议，我就提出军队干部年轻化的问题〔160〕。从那个时候到现在相隔了十七八年。当时年轻化问题并不算很迫切，但是已经出现这个问题了。我在那次会议上讲，年龄大一岁，开明增一分。那是六十年代初期。现在的情况同那个时候完全不同了。总之，这个问题我们越来越感觉到十分迫切就是了。所以，在前一段时间，中央曾经设想，将来除了新的中央委员会以外，再设两个委员会，一个是顾问委员会，一个是纪律检查委员会，容纳一批老同志。中央委员会成员比较年轻一点，这是为后事着想。解决干部年轻化这样一个大问题，我们老同志要开明，要带头。不这样，解决不了问题。如果不是老同志带头，选人也不会积极，你就是勉强下命令选了，也不一定选得那么准，其中有一些同志还是考虑，看哪一些人是拥护自己的。我们可要谨慎，“四人帮”的骨干分子和打砸抢分子，他们的能耐之一就是吹呀，捧呀，实用主义呀，有利的事情就干哪，可相当灵活哩！老同志很容易上当。所以，问题的关键是老同志带头，真正要开明，真正要从大局着眼。

去年十二月中央工作会议以后，陈云同志更尖锐地提出这个问题。他提得非常好，我赞成。原来我们还是手脚小了一点，陈云同志提出，选拔中青年干部不是几十、几百，是成千上万。成千是个形容词，上万是实质，实际上是一万、两万、几万。现在我们选择的人中间，有些看得不准的，经过考验之后，还会淘汰下去的。比如说现在先定他五万。这五万，是准备三五年之后，七八年之后，到领导机构的，就是到省、市、部这一级（大的工矿企业也相当这一级）准备将来接替的，其中突出表现好的要到中央来。现在四十岁左右的，七八年之后四十七八岁了，也并不年轻了。如果现在五十岁左右，七八年之后就接近六十岁了。现在我们在座的，恐怕只有极少数人比较年轻，一般都是六十岁左右了，六十岁以上的占大多数。七八年之后，大家都接近七十岁或者七十多了，还行哪？所以这件事要认真地严肃地来议一下。

有没有人？我看找十万、二十万都有。问题是我们下不下这个决心，大家是不是好好地去做工作，去了解，去发现。有什么标准呢？就是六十年代的（主要是六十年代的）大学毕业生。"文化大革命"以前，从一九六一年到一九六六年，一年十万，就是六十万人。如果加上中专，近二百万。这些人是比较有专业知识的。很多材料反映，六十年代，"文化大革命"以前几年大学毕业的，绝大多数是表现比较好的。这些人大体上年龄四十岁左右。我到第二汽车制造厂发现的那个副厂长，是"文化大革命"前一两年毕业的，今年三十九岁。这样的人，在"文化大革命"中间表现不好的有，但大量是"逍遥派"。比如我刚才讲的那个同志，他是不赞成"文化大革命"的，他在"文化大革命"开始以后是受打击的。"文化大革命"时受打击，这是一个政治标准。像这样的人，是不是人才呢？他现在已到大厂副厂长这样的岗位，再加以培养，进进党校，或者放到另外的工作岗位再锻炼一下，为什么不可以？像这样的人，只要我们注意，就很容易发现。一般都觉得这样的人太嫩了，或者还有一个说法叫"骄傲"。"骄傲"两个字我有点怀疑。凡是有点干劲的，有点能力的，他总是相信自己，是有点主见的人。越有主见的人，越有自信。这个并不坏。真是有点骄傲，如果放到适当岗位，他自己就会谦虚起来的，要不然他就混不下去。我说有人才，不只是五万，甚至是十五万。有专业知识的，我刚才只说了大学、中专毕业生，还有自学的，也是大量的。对象是有，问题是我们去不去选。陈云同志讲的有一条，组织部要专门设一个管理中青年干部的机构。这是很重要的。

最重要的问题是，提出选拔中青年干部的任务以后，要着手去做。做，要有个目标。我建议，请同志们议一下，我们提出五年计划好不好？最好是四年，到一九八五年为期。干部问题，我建议订两个计划：一个五年计划，一个十年计划。头五年要选到比如五万人，把他们放到适当的工作岗位上锻炼。这五年，我们部的领导成员，司局一级的成员，省、市、自治区一级的成员，五十岁左右的，四十岁左右的，逐步做到各占多大的比重，提出一个要求。到第二个五年，我们又要做到哪一级领导成员（比如省、市、自治区级，部长级），除特殊情况以外，不超过多少年龄。大家研究一下，可不可能？这是讲具体化。军队曾经有这样的规定，现在也正在向这方面走，就是团级三十岁左右，师级四十岁左右，军级五十岁左右。现在有些单位执行得比较好，有些单位执行得差一些。将来地方的干部制度，比如退休制度，也应该有个年龄规定。世界各国都有自己的退休制度。比如军官，世界各国差不多都是到六十岁退休。不过他们退休后可以在民间就业。文官，比如日本的外交官员，就是六十五岁退休，有的年龄更小。看来，我们也需要有个年龄的限制。这个事情，在前五年我们可能办不到，是不是可以当作第二个五年计划的目标?不仅年龄有限制,干部的名额也有限制。比如一个部,三五个部长够不够?其他尽是业务机构,为什么要一桌两桌的领导干部呀?这是一大改革。我们的官僚主义与此有关,好多事情行不通与此有关。一个部,顶多四个副部长就够了嘛,更不要说司局了。司局为什么还要那么多副司长、副局长呀?顶多两个够了嘛。我们严重的官僚主义与现在机构的臃肿是分不开的。当然,前五年有个交替问题,有五年到十年的过渡时间。中心就是头五年真正能够选到五万左右五十岁以下的、四十岁左右的、四十岁以下的干部。这几种年龄的干部也应该有个比例。然后设想干部制度、机构怎样才比较合理,在后五年通盘解决这个问题。最重要是这个前五年。前五年,那就要在座的各位负责了,到后五年在座的有几个在呀?有几个还能顶着上班?很难讲。现在六十五岁的人,过五年就七十岁了。时间过得很快。所以,陈云同志这个建议我是双手拥护。现在就是要大家来讨论怎样具体化。不开明可不行呀!我和陈云同志交过心的,老实说,就我们自己来说,现在叫我们退,我们实在是心里非常愉快的。当然,现在还不行。我们最大的事情是什么?国家的政策,党的方针,我们当然要过问一下,但是最大的事情是选拔中青年干部。我们两个人的主要任务是要解决这个问题。我希望在座的同志,凡是超过六十岁的同志,都把这个问题当作第一位的任务来解决。这个事情太大了。我就讲这些。

关于思想战线上的问题的谈话*

（一九八一年七月十七日）

前些时候我同胡耀邦〔96〕同志说了，要找宣传部门谈谈思想战线上的问题，特别是文艺问题。党对思想战线和文艺战线的领导是有显著成绩的，这要肯定。工作中也存在着某些简单化和粗暴的倾向，这也不能否认和忽视。但是，当前更需要注意的问题，我认为是存在着涣散软弱的状态，对错误倾向不敢批评，而一批评有人就说是打棍子。现在我们开展批评很不容易，自我批评更不容易。党的三大作风〔66〕有一条讲的是自我批评，这是我们区别于其他政党的主要标志之一，但是，现在对不少人来说，这一条很难做到。

六中全会以前，总政提出了批评《苦恋》的问题。最近我看了一些材料，感到很吃惊。有个青年诗人在北京师范大学放肆地讲了一篇话。有的学生反映：党组织在学生中做了很多思想政治工作，一篇讲话就把它吹了。学校党委注意了这件事，但是没有采取措施。倒是一个女学生给校党委写了一封信，批评了我们思想战线上软弱无力的现象。还有新疆乌鲁木齐市有

---

* 这是邓小平同志同中共中央宣传部门负责同志的谈话要点。

个文联筹备组召集人，前些日子大鸣大放了一通，有许多话大大超过了一九五七年的一些反社会主义言论的错误程度。像这一类的事还有不少。一句话，就是要脱离社会主义的轨道，脱离党的领导，搞资产阶级自由化。回忆一下历史的经验：一九五七年反右派〔101〕是扩大化了，扩大化是错误的，但当时反右派的确有必要。大家都还记得当时有些右派分子那种杀气腾腾的气氛吧，现在有些人就是这样杀气腾腾的。我们今后不搞反右派运动，但是对于各种错误倾向决不能不进行严肃的批评。不仅文艺界，其他方面也有类似的问题。有些人思想路线不对头，同党唱反调，作风不正派，但是有人很欣赏他们，热心发表他们的文章，这是不正确的。有的党员就是不讲党性，坚持搞派性。对这种人，决不能扩散他们的影响，更不能让他们当领导。现在有的人，自以为是英雄。没受到批评时还没有什么，批评了一下，欢迎他的人反而更多了。这是一种很不正常的现象，一定要认真扭转。当然，这种现象有它的社会历史原因，主要是十年动乱的后遗症，同时也是由于外来资产阶级思想的侵蚀。对各种人的情况需要作具体分析。但是当前的主要问题不在于有这些现象，而在于我们对待这些现象处置无力，存在着涣散软弱的状态。当然，对待当前出现的问题，要接受过去的教训，不能搞运动。对于这些犯错误的人，每个人错误的性质如何，程度如何，如何认识，如何处理，都要有所区别，恰如其分。批评的方法要讲究，分寸要适当，不要搞围攻、搞运动。但是不做思想工作，不搞批评和自我批评一定不行。批评的武器一定不能丢。那个青年诗人在北京师范大学讲话以后，有一部分学生说，这样下去要亡国的。他和我们是站在对立的立场。《太阳和人》,就是根据剧本《苦恋》拍摄的电影,我看了一下。无论作者的动机如何,看过以后,只能使人得出这样的印象:共产党不好,社会主义制度不好。这样丑化社会主义制度,作者的党性到哪里去了呢?有人说这部电影艺术水平比较高,但是正因为这样,它的毒害也就会更大。这样的作品和那些所谓"民主派"的言论,实际上起了近似的作用。

坚持四项基本原则的核心,是坚持共产党的领导。没有共产党的领导,肯定会天下大乱,四分五裂。历史事实证明了这一点。蒋介石就从来没有统一过中国。资产阶级自由化的核心就是反对党的领导,而没有党的领导也就不会有社会主义制度。对待这些问题,我们不能再走老路,不能再搞什么政治运动,但一定要掌握好批评的武器。

关于《苦恋》,《解放军报》进行了批评,是应该的。首先要肯定应该批评。缺点是,评论文章说理不够完满,有些方法和提法考虑得不够周到。《文艺报》要组织几篇评论《苦恋》和其他有关问题的质量高的文章。不能因为批评的方法不够好,就说批评错了。

一部分青年人对社会的某些现状不满,这不奇怪也不可怕,但是一定要注意引导,不好好引导就会害了他们。近几年出现很多青年作家,他们写了不少好作品,这是好现象。但是应该承认,在一些青年作家和中年作家中间,确实存在着一种不好的倾向,这种倾向又在影响着一批青年读者、观众和听众。坚持社会主义立场的老作家有责任团结一致,带好新一代,否则就会带坏一代人。弄不好会使矛盾激化,会出大乱子。总之,必须坚持党的领导,必须坚持社会主义制度。党的领导和社会主义制度都需要改善，但是不能搞资产阶级自由化，搞无政府状态。试想一下，《太阳和人》要是公开放映，那会产生什么影响？有人说不爱社会主义不等于不爱国。难道祖国是抽象的吗？不爱共产党领导的社会主义的新中国，爱什么呢？港澳、台湾、海外的爱国同胞，不能要求他们都拥护社会主义，但是至少也不能反对社会主义的新中国，否则怎么叫爱祖国呢？至于对中华人民共和国领导下的每一个公民，每一个青年，我们的要求当然要更高一些。对我们党员中的作家、艺术家、思想理论工作者，那就首先要求他们必须遵守党的纪律，而现在的许多问题正出在我们党内。党如果对党员不执行纪律，还怎么能领导群众呢？我们坚持实行百花齐放、百家争鸣的方针，坚持正确处理人民内部矛盾，这是不会改变的。我们在思想文化的指导工作中还存在着“左”的倾向，这也必须坚决纠正和防止。但是，这丝毫不是说可以不进行批评和自我批评。从团结的愿望出发，经过批评和自我批评，达到新的团结，这就是正确处理人民内部矛盾的主要方法。坚持“双百”方针也离不开批评和自我批评。批评要采取民主的说理的态度，这是必要的，但是决不能把批评看成打棍子，这个问题一定要弄清楚，这关系到培养下一代人的问题。我刚才提出的需要进行批评的作品、观点，只是一些例子，还有一些其他类似的文章，理论界也有某些资产阶级自由化的倾向，不一一列举了。《苦恋》和那个青年诗人的讲话，为什么还有那么一些人支持？这值得我们思想战线上的同志深思。

提出坚持四项基本原则以后，我们的思想界比较清醒了一些，再加上对非法组织、非法刊物采取了坚决取缔的措施，所以情况有了好转。但是我们现在仍然要保持警惕。现在有些人打起拥护华国锋[23]同志的旗帜，要打倒谁和谁，要注意。这反映出当前斗争情况的复杂性，促使我们提高警惕。

关于对《苦恋》的批评，《解放军报》现在可以不必再批了，《文艺报》要写出质量高的好文章，对《苦恋》进行批评。你们写好了，在《文艺报》上发表，并且由《人民日报》转载。

总之，我们全党、全军和全国各族人民一定要在党中央的坚强领导下，在党的六中全会通过的《关于建国以来党的若干历史问题的决议》的基础上，团结一致，整齐步伐，努力工作，使我们的思想战线、文艺战线和其他战线都不断取得新的胜利。

建设强大的现代化正规化的革命军队*

（一九八一年九月十九日）

演习部队的全体指战员同志们：

你们胜利地完成了这次演习任务。我代表党中央、国务院、中央军委向同志们致以热烈的祝贺和亲切的慰问！

这次演习，检验了部队现代化、正规化建设的成果，较好地体现了现代战争的特点，摸索了现代条件下诸军兵种协同作战的经验，提高了部队军政素质和实战水平。这对全军的建设、战备和训练是一个有力的推动。演习达到了预期目的，是成功的。这充分表明，我们党缔造的、用毛泽东思想武装起来的人民军队，军政素质是好的，是有优良的战斗作风和严格的组织纪律的，是有战斗力的。我们完全相信，有这样一支好的军队，又有广大人民群众的支持，一定能够打败任何侵略者。

当前，我国正处在继往开来的重要历史时期。由于党的正确路线、方针、政策得到了有力贯彻，全党、全军和全国各族人

---

* 这是邓小平同志在华北某地检阅军事演习部队时的讲话。在一九八一年六月召开的中共十一届六中全会上，邓小平同志当选为中共中央军事委员会主席。

民在政治上更加安定团结，各条战线出现了越来越好的形势。国际上，反霸斗争更加发展，霸权主义更加孤立。但必须看到，超级大国的争夺日益加剧，苏联霸权主义加速推进全球战略部署，严重地威胁着世界的和平和我国的安全。对此，我们必须保持高度的警惕。

我军是人民民主专政的坚强柱石，肩负着保卫社会主义祖国、保卫四化建设的光荣使命。因此，必须把我军建设成为一支强大的现代化、正规化的革命军队。

我们一定要坚持四项基本原则，加强政治思想建设，努力使部队成为贯彻执行党的路线、方针、政策的模范。

我们一定要在国民经济不断发展的基础上，改善武器装备，加速国防现代化。

我们一定要进一步密切军政、军民关系，增强军队内部团结，加强民兵建设，继承和发扬人民军队的光荣传统。

我们一定要加强军政训练，进一步增强部队的军政素质，努力提高现代条件下诸军兵种协同作战的能力。

我们一定要谦虚谨慎，戒骄戒躁，进一步开展"四有、三讲、两不怕"[158]活动，加强作风培养，使部队具有严格的组织纪律。

我们一定要扎扎实实做好反侵略战争的准备，为保卫世界和平，为保卫祖国领土的安全，为争取台湾早日回归祖国，实现祖国统一的神圣大业作出新的贡献。

精简机构是一场革命*

（一九八二年一月十三日）

我讲几点意见。

第一点，精简机构是一场革命。精简这个事情可大啊！如果不搞这场革命，让党和国家的组织继续目前这样机构臃肿重叠、职责不清，许多人员不称职、不负责，工作缺乏精力、知识和效率的状况，这是不可能得到人民赞同的，包括我们自己和我们下面的干部。这确是难以为继的状态，确实到了不能容忍的地步，人民不能容忍，我们党也不能容忍。我们要坚持社会主义道路，要坚持实现四个现代化，能够容忍这种状况继续下去？所有老干部都要认识，实现干部队伍的革命化、年轻化、知识化、专业化，是革命和建设的战略需要，也是我们老干部的最光荣最神圣的职责；是我们对党的最后一次历史性贡献，也是对我们每个人党性的一次严重考验。所以，这件事情必须解决，而且早就应该解决。但是，早了没有条件。现在，我们经过粉碎“四人帮”，又经过十一届三中全会一直到六中全会，创造了这个条件。我们现在可以把这个问题提到议事日程上来

* 这是邓小平同志在中共中央政治局讨论中央机构精简问题会议上的讲话。

了。再晚些解决行不行呢？晚解决更困难，问题的本身会更严重，牵扯的问题也更多，牵扯的人肯定一年比一年多。还有一点，这个问题涉及很多老同志。现在确实也有个好的条件，因为许多觉悟比较高的老同志还在，能够带头，也能够克服阻力，只要大家取得一致意见，解决这个问题比较容易。所以，时间不能再拖了。总之，这是一场革命。当然，这不是对人的革命，而是对体制的革命。这场革命不搞，让老人、病人挡住比较年轻、有干劲、有能力的人的路，不只是四个现代化没有希望，甚至于要涉及到亡党亡国的问题，可能要亡党亡国。如果不进行这场革命，不论党和政府的整个方针、政策怎样正确，工作怎样有成绩，我们却只能眼睁睁地看着党和政府的机构这样地缺少朝气、缺少效率，正确的方针、政策不能充分贯彻，工作不能得到更大的成绩，我们怎么能得到人民的谅解，我们自己又怎样能安心？不要只看到我们的工作确实有成绩，天天暴露的问题不晓得有多少啊！

第二点，这个问题要涉及到几百万人。精简不是百万，是几百万。按中央这一级来说，要精简三分之一。就下面来说，我看不止三分之一。就是四分之一，也有五百万人。当然，不完全是干部，还有一般服务人员、工作人员，也可以减少。所谓精简，是说各部门各单位都要确定编制，一部分人在岗位上工作，其他的人抽出来轮训，学习考试合格以后，到岗位上工作，再让现在岗位上的人去接受轮训。总之，这是涉及几百万大、中、小干部的问题。如果企业、事业单位整顿起来，涉及的人就更多了。单单机关就涉及大约四五百万人的问题。所以，这个问题很大。正是因为大，工作就要做细。但是，第一条决心要大，第二条才是工作要细。再细，也难免有照顾不周到的地方，这个话要说到前面。特别是时间这么紧，我们说用两年来的时间完成这场革命，是很紧的。所以，决心要大。我们政治局确定之后，要坚定不移，不能受干扰。现在一些外国人也在议论，说我们搞这件事情看起来要失败。我们下面的干部都觉得困难得很。我还是那个话，困难确实困难，但是只要我们下了决心，坚定不移，我不相信搞不成。不是要抱必胜的信心吗？我看这样的事应该抱必胜的信心。因为没有别的选择，这件事不能犹豫，不能妥协，也不能半途而废。发生问题，其中包括示威，都要预料到。不要原则赞成，一涉及到本身的利害，问题就来了。在精简中如果发生什么游行示威呀，贴大字报呀，都不要怕。在处理精简问题的时候，又不可避免地要牵涉到一部分人中间的派性，处理的人牵扯着这派那派，是很复杂的问题。但是，不管怎样，对这场革命要坚定不移。下了决心，就要顽强，不动摇，出点乱子不要紧，吓不住我们。

第三点，我建议政治局原则上批准中央国家机关的精简方案。中央直属机关的方案不够具体，可能减的人还少了。我这里说一句不客气的话，可能革命精神不够。中央直属机关不是拆大庙，但小庙多得很嘛。还有每个庙的菩萨也太多，很有文章可作的，不要以为没有好多油水。比如群众团体，工青妇现在趁这个机会搞一个精简的方案，搞一个精简的机构，造成一个好传统。过去，工青妇的人也不多的，本来机构并不大，现在相当大。事业单位也不是没有油水。国务院系统精简百分之三十多一点，中央党群系统只精简百分之几恐怕太少了。对中央直属机关的方案也原则批准，但是，应该再去摸一摸，不要以为没有油水。总之，这个方案的革命性还不够。

军队正在考虑，坚决减少军队的人数。

精简方案批准以后就开始着手实行，首先找一两个部门研究编制、定额。如国务院，副总理究竟几个适当？这次会议有的同志提出两个，两个也可以考虑，可能不够一点，如果两个能够行得通，我也赞成。再加几个国务委员。这些国务委员相当于副总理，将来可以出访。国务委员的任务可以比较机动，总理可以分配他做这样那样的事。如果有国务委员，副总理少几个也可以，这个问题也研究一下。部委的精简现在就可以着手。最好先搞一两个部门，有些什么典型经验，有些什么反应，有些什么问题，跟大家见面，这样别的部门进行起来就心中有数，事情好办。总之，中央这一级的精简规定半年时间。要理个头绪出来，半年的时间应该够了。人员的处理是另一件事，但是机构要理出眉目。人员完全处理妥当可能要比较长的时间。把一个一个部门的编制搞出来，我看半年时间应该够了。如果实在不够，顶多三个季度，不能再迟了。当然，省、市、自治区待中央机关进行一段时间以后也可以着手，不必等到中央处理完毕再开始。我们的方案确定了，又有了几个典型经验，各地方就可以开始搞。中央一级先找一两个单位，比如说首先从外贸系统开始，试试看。还找一个什么单位？可否找合并简便一点的水利部、电力部？看看究竟有些什么问题。会有各种各样的反应，会从各种各样角度提出问题。精简方案不可能一下子很完备，大体上差不多就行了。原则上是从紧，要放宽很容易。这一次我们紧了之后，硬着头皮不放宽。比如规定定额，副部长是几个人，以后人员可以动，但是名额不能动，这样有利于进进出出。要不然不得了。要做到进一个人真不容易。这样做了,才能给我们起用比较年轻的干部创造一个条件。定了额,每个同志都要实实在在顶一个人做事,不能挂名和半挂名。有些同志说自己还行,到真正需要顶着干的时候,究竟行不行?那就要经得起考验了。要我做八小时工作,我就肯定不行。

总之,今天原则批准这两个方案,就着手干。经过个把月,抓一两个典型,制定编制,规定定额,规定各单位和各个人的职责界限,包括具体的人事安排,看有什么问题。

最后,第四点,这一次革命,不但要注意出的问题,还特别要注意进的问题。刚才说,有几百万人要出,应该注意解决好;但第一位应该着眼于进。部长也好,司局长也好,选什么人,什么人进,这最重要。包括军队也是这个问题最重要。进和出,进摆在第一位。选人要选好,要选贤任能。选贤任能这个话就有德才资的问题。贤就是德,能无非是专业化、知识化,有实际经验,身体能够顶得住。这次我们让多余的或者身体不好的老同志退休、离休,或者换到适当的位置(我说的适当位置就是荣誉职务了),什么人来接替?人一定要选好。还是老话,要坚决贯彻陈云同志讲的几条〔161〕,几种人不能放进去啊!人有的是。进,最关键的问题是选比较年轻的。当然,可能有个过渡,一两年内,部长还要岁数大一点的同志当,特别是刚精简以后。这是很明白的一个道理。国务院机构缩小,部委的权力就要加大,部委又要加大企业、事业单位的权力。这也是拨乱反正。副部长、司局长要选年轻的,尽量选年轻的。开国时的部长都是年轻的,那个时候差不多都是三四十岁嘛。现在我们好多骨干，就是五十年代、六十年代的大学毕业生，比那个时候我们部长的知识多得多。精简是革命，选贤任能也是革命。出要解决好，更重要的是解决进。这是一道手脚，不要以后再来搞运动解决这个事情。这次也算是一个小运动。我们说大运动不搞了，这次搞个小运动，但不是用过去搞运动的方法。

我就讲这么四点意见。

坚决打击经济犯罪活动*

（一九八二年四月十日）

这个文件，我看是一个重要的文件。这是讲打击经济犯罪活动，实际上我们要看得更深一点。

现在是什么形势呢？我们自从实行对外开放和对内搞活经济两个方面的政策以来，不过一两年时间，就有相当多的干部被腐蚀了。卷进经济犯罪活动的人不是小量的，而是大量的。犯罪的严重情况，不是过去“三反”〔162〕、“五反”〔163〕那个时候能比的。那个时候，贪污一千元以上的是“小老虎”，一万元以上的是“大老虎”，现在一抓就往往是很大的“老虎”。报上登的一个从宽处理的，贪污六千元；一个判十五年徒刑的，贪污五六万元。现在的大案子很多，性质都很恶劣，贪污的或者损害国家利益的，都不止是什么“万字号”。有些是个人犯罪，有些是集体犯罪。中央纪律检查委员会的材料说明，也是在这一两年白银黄金大量走私到香港，单单这一笔，就使国家损失大量外汇。好多钱落到了私人或者某些集体的腰包。如果把盗窃公家的财产等等都算在内，那就更要多得多。要足够估计

* 这是邓小平同志在中共中央政治局讨论《中共中央、国务院关于打击经济领域中严重犯罪活动的决定》的会议上的讲话。

到这样的形势。这股风来得很猛。如果我们党不严重注意，不坚决刹住这股风，那末，我们的党和国家确实要发生会不会“改变面貌”的问题。这不是危言耸听。

应该提得更高一点，看得更深一点，这样来认识同经济犯罪活动的斗争。现在对这个问题，我们的思想并没有完全统一。有一部分同志遇事手软，下不了手。为什么下不了手？思想上没有认识这个问题的严重性，只当作一般性质的问题来对待。这个问题不是今天才讲，至少讲了两年了，还是有些同志下不了手。现在我们不但要发这个文件，而且要坚决地去做。四月五月每一个省里要抓几个大案。这跟反右倾不同。反右倾容易混淆，容易搞错。哪样叫右倾，哪样叫“左”倾，往往搞不大清楚。盗窃国家财产，贪污受贿，这是现钱买卖，清清楚楚，不容易搞错。所以，现在刹这个风，一定要从快从严从重。现在看起来，太重也不行，但是对有一些情节特别严重的犯罪分子，必须给以最严厉的法律制裁。刹这股风，没有一点气势不行啊！这个问题要认真地搞，而且在近期要抓紧，处理要及时，一般地要严，不能松松垮垮，不能处理太轻了。

再讲一点，打击经济犯罪活动，我们说不搞运动，但是我们一定要说，这是一个长期的经常的斗争。我看，至少是伴随到实现四个现代化那一天。如果到本世纪末，还有十八年，每一天都会在斗争。我想，有四个方面的事情，四个方面的工作和斗争，要伴随着我们整个社会主义现代化建设的进程走。这四个方面的工作，或者叫坚持社会主义道路的四项必要保证，即：第一，体制改革；第二，建设社会主义精神文明；第三，打击经济犯罪活动；第四，整顿党的作风和党的组织，包括坚持党的领导，改善党的领导。前面三件事已经放到日程上了，后面一件事还没有放到日程上。但是，前面三件事也联系到党风问题。对有严重问题的党员，开除党籍，开除公职，不就是整党吗？贪污分子，贪污数量很大的，就是坦白从宽，再宽大，党籍总要开除吧；如果在军队，军籍总要开除吧。再宽，也不能宽到连党籍、军籍也保留，甚至于还升一级吧。这说不过去嘛！党籍、军籍、公职都应该开除。打击经济犯罪活动的斗争，是我们坚持社会主义道路和实现四个现代化的一个保证。这是一个经常的斗争，经常的工作。否则，社会主义道路怎么坚持呀？如果不搞这个斗争，四个现代化建设，对外开放和对内搞活经济的政策，就要失败。所以，我们要有两手，一手就是坚持对外开放和对内搞活经济的政策，一手就是坚决打击经济犯罪活动。没有打击经济犯罪活动这一手，不但对外开放政策肯定要失败，对内搞活经济的政策也肯定要失败。有了打击经济犯罪活动这一手，对外开放、对内搞活经济就可以沿着正确的方向走。当然，毛病还是会出的，其他方面也可能犯错误的，但是不会很大。打击经济犯罪活动，不仅是今年一年的事情，现在是开个头。开头要有点声势，这样至少可以挽救一些人，包括那些自首投案的人。如果我们没有点声势，拖拖拉拉，下不了手，还会有大批的人变坏，包括一些老干部。

顺便讲一讲整顿党的队伍。最近肥乡发生的事件〔164〕可要抓住。请书记处好好议一下，拿这作一种典型来整党。这个县的县委领导班子要解散，要重建。这类事情，我们好多地方都要注意。

我国经济建设的历史经验*

（一九八二年五月六日）

中国对第三世界朋友尽的力量还不多，这是因为中国地方虽大，但很穷，还有许多困难。建国以来，我们做了一些事情，基本上解决了吃饭穿衣问题，粮食达到自给。这是很了不起的事情，旧中国长期没有解决这个问题。在工业方面，我们已经建立了一个比较好的基础，尽管还很落后，但比过去好多了。我们现在正在一心一意地搞建设，力争经济有较快的发展。到那个时候，我们可以对第三世界的朋友们多尽点力量。现在我们的国民生产总值按人口平均只有二百五十到二百六十美元，你们也不高。但是我国人口多，如果国民生产总值按人口平均每人增加一百美元，国民生产总值就要增加一千亿美元。人多有人多的麻烦，很多问题不容易解决。国家小有小的好处，人少有少的好处。你们人口少、资源丰富，你们的事情比我们好办。

目前，我国实行经济开放政策，争取利用国际上的资金和先进技术，来帮助我们发展经济。这一政策已开始有些效果。但是，从发达国家取得资金和先进技术不是容易的事情。有那

* 这是邓小平同志会见利比里亚国家元首多伊时的谈话。

么一些人还是老殖民主义者的头脑，他们企图卡住我们穷国的脖子，不愿意我们得到发展。所以，我们一方面实行开放政策，另一方面仍坚持建国以来毛泽东主席一贯倡导的自力更生为主的方针。必须在自力更生的基础上争取外援，主要依靠自己的艰苦奋斗。

你们想了解中国的经验，中国的经验第一条就是自力更生为主。我们很多东西是靠自己搞出来的。苏联在斯大林时期对我们有些帮助，赫鲁晓夫〔165〕上台后，不仅不帮助我们，反而对我们采取敌视的态度，以后苏联又在中苏边境陈兵百万，威胁我们。在很长一个时期内，美国也敌视我们，直到一九七二年以后才有些变化。从五十年代中期到七十年代，即在建国三十二年多的时间里大体有二十几年，我们完全或基本上处于没有外援的状况，主要靠自力更生。没有外援也有好处，迫使我们奋发努力。在这种精神的激励下，我们在这个期间搞出了原子弹、氢弹、导弹，发射了人造卫星等等。所以，我们向第三世界朋友介绍的首要经验就是自力更生。当然，这并不是说不要争取外援，而是要以自力更生为主。这样，就可以振奋起整个国家奋发图强的精神，把人民团结起来，就比较容易克服面临的各种困难。

再就是重视发展农业。不管天下发生什么事，只要人民吃饱肚子，一切就好办了。

搞工业，规模也不要太大，可搞些中、小项目。贵国与我国情况不同。我国国家大、人口多，没有一点大的骨干工业是不行的。根据我们的经验，步子也不能迈得太快、太急。过去，我们搞得太急，发生了一些错误，我们叫"左"的错误，这样，经济发展的速度反而慢了。现在要发展经济,还是要靠自力更生、量力而行这个原则。我国正在制订第六个五年计划,第七个五年计划也有了个设想。今后十年经济发展不会太快,因为过去遗留下来的问题太多,各种比例失调。五年至十年以内,经济发展速度只能每年增长百分之四,达到百分之五就了不起了。我们希望下一个十年也就是本世纪最后一个十年的经济发展速度更高些。

以上就是我国过去三十年的建设经验,仅仅是一个简要介绍。

在军委座谈会上的讲话

（一九八二年七月四日）

军队的问题，这次会上谈得不错。这些问题的处理，我都赞成。虽然有些问题处理得并不是完全令人满意的，但是现在也只能这样。

体制改革的问题，杨尚昆〔166〕同志已经讲了，我不想多讲了。只讲一点，就是体制改革要提到怎样一个高度来看。最近我有两次讲话，讲了对坚持社会主义制度、搞好现代化建设的四个保证。第一是体制改革，目前进行机构改革。第二是搞社会主义精神文明，主要是使我们的各族人民都成为有理想、讲道德、有文化、守纪律的人民。当然还有“五讲四美”〔167〕，军队叫“四有、三讲、两不怕”〔158〕。精神都一样，都是对的。军队有军队的特点。我跟理论界同志谈了为什么要强调守纪律。他们赞成提这个要求。没有纪律可不行啦。同心同德，一心一意，没有纪律不行。我们过去革命，就是靠纪律，而且是自觉的纪律。中国共产党成立后，最好的风气就是这个。第三是坚决打击经济领域的犯罪活动，或者叫打击经济犯罪分子。第四是党的建设，党的组织和作风的整顿。所谓四个保证，就是指这四件事情。只要四个现代化没有完成，每走一步，这四个保证都是伴随着的。比如为什么要提打击经济犯罪活动？因为进行社会主义现代化建设必须实行对外开放、对内搞活经济的政策。对外开放,资本主义那一套腐朽的东西就会钻进来的;对内搞活经济,活到什么程度,也是有问题的。我们必须坚持对外开放、对内搞活经济这一手。但是为了保证这个政策在贯彻执行过程中能够真正有利于四化建设,能够不脱离社会主义方向,就必须同时还有另外一手,这就是打击经济犯罪活动。没有这一手,就没有制约。现在我们看到的问题就已经不少,经济犯罪很严重,好多案子又处理不下去。不仅在经济领域,而且在政治、文化领域,都有严重的犯罪活动和犯罪分子。总之,四个保证这四件事情都不能一次搞完,要长期搞下去。我们不搞运动,但是,随着四个现代化建设的进程,就要坚持四个保证,一天也不要丢掉,要把它变成一种经常性的工作和斗争。这四件事情当中反映出来的一些问题不都是阶级斗争,但有阶级斗争。

机构改革,我们走了第一步,开了个头。党政先行了一点,军队后了一点。总的来说,搞得比较顺利。军队经过这个会议,在座的同志思想认识一致了,大家都同意了,这就好办了。现在看,可能第一步目标的完成,军队还会快一些。因为军队的特点是,一行动起来就快。当前,所有党政军机构改革,都叫做第一步。按照体制改革的要求,包括要有完善的规章制度、工作方法、领导方法,那就不是一次能够完成的。要建立很多规章制度。比如讲责任制,什么责任,归哪个部,归哪个人承担,都要明确。国务院合并这么多部,如果照老的方法可不行啦!副总理减到两个,这就要随着机构改革,加强部委的工作,加强部委处理问题的责任和能力,部里要加强司局的责任和工作能力。相应地,也要加强厂矿企业、一些公司的责任。不改革,不行。

军队也有这个问题。将来军委和各个总部,不简化看来不行。怎么简化,现在还不成熟。军队目前的体制、领导方法、制度,不是那么好的,很繁琐。军委、常委、办公会议,然后几个总部。真正来说,就是加强总参谋部、总政治部、总后勤部三总部的工作责任,上面有一个小的协调机构就行了。领导太繁杂,不但下边不好办,就是我们处理问题画圈圈都难,都是些麻烦事情。过去打仗的时候,负领导责任的,一个野战军几个人,一个兵团几个人,一个军几个人,一个师几个人,有的师还是师长兼政委,有个把副政委,搞得蛮好。一野〔168〕、三野〔169〕的司令员和政委都是一个人,彭老总、陈老总,其他野战军都是两个,方便得很嘛!现在是一大堆人。机构改革,算第一步,以后还要继续做的。成熟一件做一件,不成熟宁肯慢一点。这次机构改革,军队是后了一步,但也有必要,酝酿得更成熟些,大家思想更一致,更容易解决问题。

尚昆同志讲了军队体制改革的四点内容。我今天着重讲两点。一是提高工作效率。军队就是提高战斗力,也有提高工作效率的问题。另外一点,体制改革有一个很重要的内容,就是有利于选拔人才。过去那样臃肿,根本无法培养人才、选拔人才。干部年轻化,军队提了多年,要求选拔比较优秀的、年轻的,台阶可以上快一点。但应该说这件事情这几年做得不理想。这个问题如果不解决,我们这些人就交不了帐。我看在座的,没有六十岁以下的人了吧?这个问题推一年,欠的债就更多。如果拖五年,怎么办?干部年轻化,要当作体制改革的一个中心目标，军队、地方一样，党政军一样。选拔一些政治上好又比较年轻的干部，把他们一步步地提升上来。发现人才，可不容易呀。我们一般老同志，脑筋里的框子还是局限在我们同等年龄的人，一谈干部问题，都还是这个圈圈里的。拿我们军队来说，“三八式”上来都不容易。军队确实有一个传统的习惯，还有“老上司”这些问题在里面。一大堆老红军压在上面，其中包括我在内。这个问题不解决不行。聂荣臻〔30〕同志提出步子要稳当，我赞成。他有一个好意见，就是要结合，老的一下丢手不行。老的要结合中、青。从全军来说，现在团以下干部还比较年轻，师以上就不年轻了。这次办公会议准备了一个《军官服役条例》，发给大家征求意见，大家要好好研究一下。这个必须搞，不搞不行。

人才是有的，问题是我们平常同下边接触太少，还有些习惯的想法，所以不容易发现。前年，我同陈丕显〔170〕同志到第二汽车制造厂，有个副厂长陪着我们参观，我发现这个人不错。我说他不错指什么？一个那么大的汽车厂，他是技术骨干，工作胜任，这是讲能力。他的年龄那个时候是三十八岁，现在四十岁。更重要的一点，他是“文化大革命”中受打击的，他是反对打砸抢的，以后一直是表现好的，包括对待所谓“反右倾翻案风”〔36〕这些问题在内。这样的人才特别可喜。这样的人有的是，而且容易鉴别。选拔人，第一个是政治条件。我们军队有这个问题。尚昆同志讲了，有的团的干部、有的营连干部，那种思想状态、政治观点是不好的，应该看得清楚。相应地，好的也应该鉴别出来。我曾经建议，军委、各总部领导同志，现在还请各路“诸侯”，每一位选十个人，搞出一个名单。光在座的六十几个人，就可以提出近千把人的名单。政治条件的标准，必须不是跟随林彪、江青一伙造反起家的人、帮派思想严重的人和打砸抢分子那“三种人”。应该说，“文化大革命”中的“逍遥派”大多数还是比较好的。这些人应该好好地培养。一步一步，一个台阶一个台阶，走快一点。

总之，体制改革，除了反对官僚主义，克服机构臃肿、人浮于事、工作效率低这些毛病外，重要的是选拔人才。要使好的比较年轻的干部早点上来，好接班。这件事要放在我们经常的日程中间。我们讲了几年了。大家一致认为是一件大事，但是做起来很不容易。不解决选拔人才的问题，我们交不了班，历史会给我们写下一笔。我们有好多事情就是做得比较晚，现在耽误不得。关于体制改革问题，我就讲这点意见。

设顾问委员会是废除领导职务终身制的过渡办法*

（一九八二年七月三十日）

我本来没有什么话讲了。现在准备把两个文件〔171〕提到全会审议。这两个文件是花了很大功夫的，我看都是比较成熟的。当然，其中有一些地方还要推敲，做不到的，不仅是胡乔木〔132〕同志刚才讲的党章第十八条中规定代表大会主要文件要提前一个月发到全党讨论，做不到，类似的还会找到一些，如开代表大会要在三个月之前通知代表。总之，办不到的事情就不要写，本来也不需要规定得那么细。总的来说，这两个文件是比较成熟的文件。

这次的党章有些问题没有完全解决，比如领导职务终身制的问题，已经接触到了，但没有完全解决，退休制度的问题也没有完全解决，设顾问委员会，是一种过渡性质的。鉴于我们党的状况，我们干部老化，但老同志是骨干，处理不能太急，太急了也行不通。还有，我们多年来对中青年干部的提拔就是少，就是没有注意这方面的工作嘛。而且还得承认，确实是障碍重重，这个障碍有些是有意识的，有些是无意识的，两种情

* 这是邓小平同志在中共中央政治局扩大会议上讲话的一部分。

况都有。所以，我们需要有一个顾问委员会来过渡。顾问委员会，应该说是我们干部领导职务从终身制走向退休制的一种过渡。我们有意识地采取这个办法，使得过渡比较顺利。也许经过三届代表大会以后，顾问委员会就可以取消了。如果两届能够实现，就要十年，那时我们在座的有几个还在？要是两届的话，现在六十岁的就是七十岁，七十岁的就是八十岁，八十岁的就是九十岁。所以，顾问委员会是个过渡，这个过渡是必要的，我们选择了史无前例的这种形式，切合我们党的实际。但是在这个过渡阶段，必须认真使干部队伍年轻化，为退休制度的建立和领导职务终身制的废除创造条件。中青年干部有的是，问题是过去我们老同志眼睛长期不是向着他们，不从他们中间去选拔接班人，总是在老的圈子里面转过去转过来，总解决不了这个问题。这个问题军队特别严重，解决起来难度更大，现在地方上还好一点。这个问题关系到军队建设的前途。体制调整，国务院、党中央机关都做得不错，军队就比较差。当着我们真正找人的时候，人还是可以找到的。当然，总要过渡一下，总要想办法。反正我们这一代不解决这个问题，我们是要欠帐的。最近组织了个小组，摸索将来新的中央委员会里边多吸收一些中青年干部参加，经过几次研究，现在大体上维持了上一届开始时的年龄。过去我们年轻，八大〔102〕的时候我和陈云〔83〕同志都是五十二岁，当时中央委员平均年龄并不算大。现在比九大、十大〔106〕、十一大〔52〕中央委员的平均年龄大。当然，“文化大革命”期间不正常，造反起家的人，那是年轻的。我们现在采取过渡形式是适当的，但是在过渡时期当中，比如说过渡时期是两届，十年，我们必须认真解决这个问题。

中国的对外政策*

（一九八二年八月二十一日）

中国是联合国安全理事会的常任理事国，中国理解自己的责任。有两条大家是信得过的，一条是坚持原则，一条是讲话算数。我们不搞政治游戏，不搞语言游戏。我个人爱好打桥牌，但中国在政治上不爱好打牌。不仅今天如此，建国以后，在毛泽东主席、周恩来总理领导我们国家的时候就是如此。所以，国际上许多朋友都信任我们。我们对许多国家特别是第三世界国家的境遇也是理解的。中国的对外政策是一贯的，有三句话，第一句话是反对霸权主义，第二句话是维护世界和平，第三句话是加强同第三世界的团结和合作，或者叫联合和合作。为什么现在我特别强调第三世界这一点，因为反对霸权主义、维护世界和平对第三世界有特殊的意义。霸权主义的受害者是谁？难道是美国、苏联？美国和苏联是搞霸权主义的，他们不是受害者。欧洲、日本、大洋洲、加拿大等发达国家也不是受害者。东欧有一点受害。如果世界和平被破坏，首先受害的是谁？第二次世界大战以后，实际上没有什么和平，大战没有打，但小战不断。小战在哪里打？在第三世界。根源还不是超

* 这是邓小平同志会见联合国秘书长德奎利亚尔时谈话的一部分。

级大国霸权主义在那里挑拨，在那里插手！长期以来，超级大国就是利用第三世界的冲突来达到他们的目的，所以，尽管第三世界本身也有这样或那样的问题，直接受害的还是第三世界的国家和人民。这就决定了有切身利益的第三世界是真正的维护世界和平、反对霸权主义的主力。这不是以人们的意志为转移的，是由第三世界所处的地位和切身利害关系决定的。

我们不是悲观主义者，我们只是提出战争的危险性。我们说，战争的因素在增长，但制止战争的因素也在增长。从联合国的角度可以看出，第二次世界大战以后，国际政治中积极的因素是第三世界的兴起。在联合国中，第三世界的成员增加了。对这个变化的价值要给予充分的估量。霸权主义还要继续横行下去。但是，他们像过去那样随意主宰世界人民命运的时代已经过去。第三世界国家尽管穷，但在国际政治中的分量已经大大增加，这是任何人不能忽视的。当然第三世界国家之间目前协调得不理想，这个问题复杂得很，在这方面要做工作。至于中国，我们的力量有限，作用也有限。人们说，中国在第三世界处于特殊的地位。我们说，中国只是第三世界的一员，作为第三世界的一员，要尽到我们自己的责任。很多朋友说，中国是第三世界的头头。我们说，头头可不能当，头头一当就坏了。搞霸权主义的名誉很坏，当第三世界的头头名誉也不好。这不是客气话，这是一种真实的政治考虑。

我们历来不大相信裁军谈判会有什么效果，但是我们是赞成谈判的。有人说中国好战，其实中国最希望和平。中国希望至少二十年不打仗。我们面临发展和摆脱落后的任务。我们摆在第一位的任务是在本世纪末实现现代化的一个初步目标，这就是达到小康的水平。如果能实现这个目标，我们的情况就比较好了。更重要的是我们取得了一个新起点，再花三十年到五十年时间，接近发达国家的水平。我们不是说赶上，更不是说超过，而是接近。所以我们希望有一个和平的国际环境。一打仗，这个计划就吹了，只好拖延。从现在到本世纪末是一个阶段，再加三十至五十年，就是说我们希望至少有五十年到七十年的和平时间。我们提出维护世界和平不是在讲空话，是基于我们自己的需要，当然也符合世界人民的需要，特别是第三世界人民的需要。因此，反对霸权主义、维护世界和平是我们真实的政策，是我们对外政策的纲领。世界上有人怀疑一旦现在中国这些领导人不在了，中国的政策是不是会变。我刚才回答了这个问题，不会变，变不了！如果中国想自己发展起来就需要这样做，谁也变不了。但这也不是一厢情愿的事情。如果国际上有人把战争强加于我们，我们也不害怕，无非拖延若干年，打完仗再搞建设。现在，我们国内的情况不错，一心一意搞经济、搞建设。我们的对外政策是符合我们这个宏伟目标的，尽管这个目标人家看起来微不足道，但我们自己仍然称之为宏伟目标。

注　释

1　林彪（一九〇七——一九七一），湖北黄冈人。中华人民共和国成立后，曾任中共中央中南局第一书记、中南军政委员会主席、国务院副总理等职。一九五八年五月在中共八届五中全会上被增选为中央委员会副主席、政治局常务委员。一九五九年任中央军事委员会副主席、国防部部长，主持中央军委工作。在“文化大革命”期间，他组织反革命集团阴谋夺取党和国家最高权力，策动反革命武装政变。阴谋败露后，于一九七一年九月十三日凌晨乘飞机外逃叛国，摔死在蒙古温都尔汗。一九七三年八月中共中央决定，开除他的党籍。——第1、39、42、121、190、293、330、346页。

2　“三要三不要”即“要搞马克思主义，不要搞修正主义；要团结，不要分裂；要光明正大，不要搞阴谋诡计”。这是毛泽东一九七一年八月中旬至九月十二日在南方巡视期间同沿途各地负责同志谈话中针对林彪等人的阴谋活动而提出的。——第13、124页。

3　一九五〇年六月二十五日朝鲜内战爆发后，美国随即出兵，打着联合国军的旗号进行干涉，同时派军队侵略中国领土台湾。九月十五日美军派兵在朝鲜西海岸仁川登陆，随后越过朝鲜南北方原来的分界线“三八线”大举北犯，并且轰炸、扫射中国东北边境城市和村庄，严重威胁中国的安全。中国人民为抗美援朝，保家卫国，组成中国人民志愿军，于十月二十五日抵达朝鲜前线，与朝鲜人民军并肩作战。在中朝人民军队的沉重打击下，美军连遭失败，被迫于一九五三年七月二十七日在朝鲜停战协定上签字。至此，朝鲜战争结束。——第15、61、217页。

4　珍宝岛自卫还击战是一九六九年三月中国边防部队击退苏联军队侵犯中国黑龙江省珍宝岛地区的战斗。西沙群岛自卫还击战是一九七四年一月中国人民解放军和民兵、渔民对入侵西沙群岛的南越西贡当局军队进行的自卫还击战。中印边界自卫还击战 是一九六二年十月中国边防部队为保卫祖国领土主权对印度入侵军进行的自卫还击战。——第15页。

5 参见本书注157。——第16、69页。

6 三大纪律八项注意 是毛泽东等在第二次国内革命战争时期为中国工农红军制订的纪律，其具体内容在不同时候和不同部队略有出入。一九四七年十月，中国人民解放军总部对其内容作了统一规定，并重行颁布。三大纪律是：(一)一切行动听指挥；(二)不拿群众一针一线；(三)一切缴获要归公。八项注意是：(一)说话和气；(二)买卖公平；(三)借东西要还；(四)损坏东西要赔；(五)不打人骂人；(六)不损坏庄稼；(七)不调戏妇女；(八)不虐待俘虏。——第18、119页。

7 五七指示 指一九六六年五月七日毛泽东审阅军委总后勤部《关于进一步搞好部队农副业生产的报告》后给林彪的信。信中讲到人民解放军应该是一个大学校，这个大学校，要学政治，学军事，学文化，又能从事农副业生产，又能办一些中小工厂，生产自己需要的若干产品和与国家等价交换的产品。——第19页。

8 这是毛泽东给老革命根据地人民的题词，见一九五一年八月十一日《人民日报》。——第24页。

9 三结合 这里指在企业管理和科学技术工作中实行的干部、工人、技术人员三结合。——第26页。

10 "文化大革命"期间，"四人帮"把知识分子排在地、富、反、坏、右、叛徒、特务、"走资派"之后，诬蔑为"臭老九"。一九七五年五月三日，毛泽东召集在北京的中共中央政治局委员谈话时借用了京剧《智取威虎山》中的一句台词"老九不能走"，以此批评"四人帮"对知识分子的诬蔑，说明革命和建设事业是需要知识分子的。——第27、43、51、244页。

11 三线 指三线地区。六十年代初期，中共中央和毛泽东提出从战备需要出发，根据战略位置的不同，将我国各地区分为一、二、三线。三线地区是全国的战略大后方。——第27、28页。

12 工业七十条 即一九六一年九月中共中央制定的《国营工业企业工作条例

(草案)》,全文共有七十条。一九五八年"大跃进"以来,由于许多企业没有实行严格的责任制,不讲究经济核算,工资、奖励制度上存在平均主义,以及党委包揽企业的日常行政事务等等,相当普遍地出现了生产秩序混乱,瞎指挥、乱操作,设备损坏严重,经济效果很差等问题。针对这些情况,条例草案明确规定了国营工业企业的性质和基本任务,重新肯定了党委领导下的厂长负责制,要求建立和健全必要的责任制和各项规章制度,强调计划管理、按劳分配、企业经济效果和职工物质利益等项原则。这个条例草案的讨论和试行,对于总结国营工业企业管理工作的经验,贯彻执行当时提出的调整、巩固、充实、提高的方针,促进我国工业的恢复和发展,起到了积极的作用。——第28、295页。

13 指一九七五年九月十五日至十月十九日国务院在山西省昔阳县召开的全国农业学大寨会议。邓小平在开幕式的讲话中着重强调了农业的重要性,他指出:实现四个现代化,关键是农业现代化,如果农业搞得不好,很可能拖国家建设的后腿。——第32页。

14 陈景润,一九三三年生,福建福州人。当时是中国科学院数学研究所研究人员。他对解析数论领域哥德巴赫猜想的研究居世界领先地位,研究结果被誉为"陈氏定理"。——第32页。

15 尤金(一八九九——一九六八),一九五三年至一九五九年任苏联驻中国大使。——第33页。

16 罗荣桓(一九〇二——一九六三),湖南衡山寒水乡南湾村(今属衡东县)人。当时任中共中央政治局委员、中国人民解放军总政治部主任。——第36、39页。

17 "老三篇"指毛泽东的《为人民服务》、《纪念白求恩》和《愚公移山》三篇文章,因为林彪等主张就学这三篇文章,要反复背诵,所以形成这个说法。后来又加上《关于纠正党内的错误思想》、《反对自由主义》两篇文章,称"老五篇"。——第36、42页。

18 "两个凡是"指一九七七年二月七日《人民日报》、《红旗》杂志、《解放军报》社论《学好文件抓住纲》中提出的"凡是毛主席作出的决策,我们都坚决维护,凡是毛主席的指示,我们都始终不渝地遵循"。——第38、126、190、

279、297、379页。

19 这是针对当时中共中央主席华国锋一九七七年三月在中央工作会议上的讲话中坚持"两个凡是"的错误而提出的批评。一九七五年,邓小平在毛泽东支持下主持中央工作,着手对许多方面的工作进行整顿,使国内形势有了明显好转。但是毛泽东不能容忍邓小平系统地纠正"文化大革命"的错误,在这一年年底发动了所谓"批邓、反击右倾翻案风"运动。一九七六年一月周恩来逝世,清明节(四月四日)前后,在北京和其他许多城市爆发了悼念周恩来、反对"四人帮"、不同意批判邓小平的群众运动。"四人帮"极力压制群众的革命活动。四月五日,北京天安门广场上广大群众采取了抗议行动。当时,中央政治局和毛泽东对天安门广场发生的事件作出了错误的判断,认为是反革命事件,并且撤销了邓小平党内外一切职务。粉碎"四人帮"以后,党内外广大群众强烈要求为邓小平平反,为天安门事件平反。一九七七年三月,华国锋在中央工作会议上的讲话中坚持"两个凡是"的方针,认为"批邓、反击右倾翻案风,是伟大领袖毛主席决定的,批是必要的",认为"确有极少数反革命分子","制造了天安门广场反革命事件"。但是,他又不得不说,要"在适当的时机让邓小平同志出来工作","群众在清明节到天安门去表示自己对周总理的悼念之情,是合乎情理的"。这里,邓小平指出了华国锋讲话中的矛盾,批评了"两个凡是"的错误。一九七七年七月,中共十届三中全会通过决议,恢复了邓小平党内外的一切职务。一九七八年十二月,中共十一届三中全会批判了"两个凡是"的错误,决定撤销中共中央发出的有关"反击右倾翻案风"运动和天安门事件的错误文件,郑重宣布为邓小平平反、为天安门事件平反。——第38页。

20 "三七开"在这里是指对一个人一生功过的总估计,七分是成绩,三分是缺点错误。——第38页。

21 这句话的意思是指马克思、恩格斯、列宁、斯大林、毛泽东都没有说过凡是他们说的做的都绝对正确、不能改变这一类的话。——第39页。

22 明治是日本天皇睦仁的年号。明治维新是从一八六八年起在日本明治年间发生的资产阶级性质的改革运动。这次改革废除了封建割据的幕藩体制,建立了统一的中央集权国家,并且通过一系列改革措施,使日本走上了发展资本主义的道路,逐步实现了资本主义的现代化。——第40页。

23 华国锋，一九二一年生，山西交城人。一九七六年四月任中共中央第一副主席、国务院总理。同年十月，中央政治局采取断然措施，粉碎“四人帮”，他和叶剑英、李先念等起了重要作用。后任中央委员会主席、中央军事委员会主席、国务院总理。一九八〇年九月辞去国务院总理职务。一九八一年六月，中共十一届六中全会鉴于华国锋在粉碎“四人帮”以后推行“两个凡是”的错误方针，继续肯定“文化大革命”的错误理论、政策和口号，一致同意他辞去中央委员会主席、中央军事委员会主席的职务。——第 42、247、309、320、350、393 页。

24 叶剑英（一八九七——一九八六），广东梅县人。一九七三年任中共中央政治局委员、常务委员，中央委员会副主席，中央军事委员会副主席。一九七五年任国防部部长。一九七八年当选为全国人民代表大会常务委员会委员长。——第 42、122、221、244 页。

25 张春桥，一九一七年生，山东巨野人。“文化大革命”期间，任中共中央政治局委员、常务委员，“中央文化革命小组”副组长等职，与江青组织、领导“四人帮”反革命集团，积极参与夺取党和国家最高权力的阴谋活动。一九七七年七月中共十届三中全会通过决议，开除他的党籍，撤销其党内外一切职务。一九八一年一月被中华人民共和国最高人民法院特别法庭判处死刑，缓期二年执行，剥夺政治权利终身。一九八三年一月被最高人民法院刑事审判庭依法减为无期徒刑，原判处剥夺政治权利终身不变。——第 43、66、85 页。

26 红军第四军第九次党代表大会 于一九二九年十二月在福建省上杭县古田举行。这次会议通过的决议又称古田会议决议，是毛泽东根据一九二九年九月二十八日中共中央给红军第四军前委的指示信的精神，结合红四军的实际情况，总结红军创建后的两年多时间里所积累的丰富经验写成的。它是中国共产党和红军建设的纲领性文献，对党和军队的建设发挥了重大作用。这个决议的第一部分编入《毛泽东选集》第一卷，题为《关于纠正党内的错误思想》。——第 44、115 页。

27 见毛泽东《一九五七年夏季的形势》（一九五七年七月）。——第 44 页。

28 科学十四条 即一九六一年六月国家科学技术委员会党组和中国科学院党

组提出、同年七月中共中央批准试行的《关于自然科学研究机构当前工作的十四条意见(草案)》。中央批准这个草案的批语中指出:"做好知识分子工作,很关紧要。""近几年来,有不少的同志,在对待知识、对待知识分子的问题上,有一些片面的认识,简单粗暴的现象也有所滋长,必须引起严重的注意,以端正方向,正确地贯彻执行党的政策。"草案就正确理解对自然科学工作者的红与专的要求,正确贯彻执行百花齐放、百家争鸣的方针和理论联系实际的原则,明确科学研究机构的根本任务(出成果,出人才),保持科学研究工作的相对稳定,保证科学研究工作的时间,改进研究机构中党的领导方法等问题,作出了一系列具体的政策规定。中央认为,这个文件的精神对于一切有知识分子工作的部门和单位都是适用的。——第 49 页。

29 高等学校六十条 指一九六一年九月中共中央原则批准的《中华人民共和国教育部直属高等学校暂行工作条例(草案)》,全文共六十条。条例草案总结了一九五八年后三年来高等教育工作的经验和教训,针对当时学校教学质量降低,忽视知识分子作用以及劳动过多等主要问题,规定了高等学校必须以教学为主,努力提高教学质量;积极参加科学研究;正确执行党的知识分子政策和百花齐放、百家争鸣的方针;实行党委领导下的以校长为首的校务委员会负责制;做好总务工作,保证教学和生活的物质条件;以及改进党的领导方法和领导作风,加强思想政治工作等。——第 49 页。

30 聂荣臻(一八九九——一九九二),四川江津人。一九五六年起任国务院副总理,一九五八年后兼任国防部国防科学技术委员会主任、国家科学技术委员会主任。一九五九年后任中共中央军事委员会副主席。长期主管科学技术和尖端武器的研制工作。——第 52、67、411 页。

31 关于高等院校应当是科学研究的一个重要方面军问题,邓小平曾多次指出过。一九七七年七月二十九日,他在对教育工作的一次谈话中说:"重点大学既是办教育的中心,又是办科研的中心。"同年九月十四日,他在审定《关于召开全国科学大会的通知》时,在《通知》中加写了一段话,指出:"小学、中学、大专学校是培养科学技术人才的重要基础,而大专学校又是科学研究一个重要的方面军。"——第 53 页。

32 这是针对当时中小学学制偏短的情况提出的建议。一九七七年普通中小学的学习年限,一般地小学为五年,中学为四年。——第 55 页。

33 一九七八年二月五日，教育部党组为尽快增强人民教育出版社的编辑出版力量，以适应编写教材的急切需要，报请中央批准从各省、市抽调一批编辑出版干部。二月十日邓小平在这份报告上批示："编好教材是提高教学的关键，要有足够的合格人力加以保障。所提要求拟同意。"——第 55 页。

34 姚文元，一九三二年生，浙江诸暨人。"文化大革命"期间，任中共中央政治局委员、"中央文化革命小组"成员，与江青、张春桥、王洪文结成"四人帮"反革命集团，积极参与夺取党和国家最高权力的阴谋活动。一九七七年七月中共十届三中全会通过决议，开除他的党籍，撤销其党内外一切职务。一九八一年一月被中华人民共和国最高人民法院特别法庭判处有期徒刑二十年，剥夺政治权利五年。——第 66、85 页。

35 "黑线专政"最先是林彪、江青一伙用来诬蔑建国后十七年文艺工作的用语。一九六六年二月，林彪委托江青召开部队文艺工作座谈会，作出了《部队文艺工作座谈会纪要》。纪要断言：文艺界在建国以来，"被一条与毛主席思想相对立的反党反社会主义的黑线专了我们的政，这条黑线就是资产阶级的文艺思想、现代修正主义的文艺思想和所谓三十年代文艺的结合"。后来，林彪、江青一伙又把"黑线专政"论扩展到教育、出版、体育、卫生、公安工作和党的组织、宣传、统一战线工作以及其他党政工作。这种颠倒是非的荒谬估计，是"文化大革命"的主要论点之一，给各条战线的工作带来了灾难性的后果。——第 66、207 页。

36 参见本书注 19。——第 66、144、170、243、349、411 页。

37 邓小平这次谈话以后，教育部即以大批判组名义，发表题为《教育战线的一场大论战》的文章，对"四人帮"炮制的"两个估计"进行批判。这篇文章载一九七七年第十二期《红旗》杂志、十一月十八日《人民日报》。——第 67 页。

38 七二一指示 指一九六八年七月二十一日毛泽东在《人民日报》关于《从上海机床厂看培养工程技术人员的道路（调查报告）》的编者按清样中加写的一段话，即："大学还是要办的，我这里主要说的是理工科大学还要办，但学制要缩短，教育要革命，要无产阶级政治挂帅，走上海机床厂从工人中培养技术人员的道路。要从有实践经验的工人农民中间选拔学生，到学校学几年以后，又回到生产实践中去。"——第 68 页。

39 工宣队 即工人毛泽东思想宣传队，是“文化大革命”期间被派往大中城市的大、中、小学领导学校工作的工作队。——第 69 页。

40 十项战斗任务 是：（一）把揭批“四人帮”的斗争进行到底；（二）贯彻毛主席的战略思想，做好作战准备；（三）整顿领导班子，加强干部队伍的建设；（四）加强党的建设，充分发挥政治工作的威力；（五）把教育训练提到战略地位，加强军事科学研究，提高我军军政素质；（六）大力抓好国防科学技术研究和军工生产，加速装备现代化；（七）继续搞好精减整编，改革兵役制度；（八）坚持勤俭建军的方针，加强后勤战备建设；（九）坚持野战军、地方军和民兵三结合的武装力量体制，加强民兵建设；（十）恢复和发扬我军的优良传统和作风。——第 72 页。

41 九个决定、条例 指《关于加强部队教育训练的决定》、《关于办好军队院校的决定》、《关于加强军队组织纪律性的决定》、《中国人民解放军保守国家军事机密条例》、《关于加速我军武器装备现代化的决定》、《关于军队编制体制的调整方案》、《关于兵役制问题的决定（草案）》、《关于加强军队工厂、马场、农副业生产管理的决定》、《关于整顿和加强军队财务工作的决定》。——第 72 页。

42 一九七四年二月二十二日，毛泽东会见赞比亚总统卡翁达时提出了划分三个世界的观点。按照这个观点，第一世界，指美国和苏联两个拥有最强的军事和经济力量，在世界范围推行霸权主义的超级大国；第三世界，指亚洲、非洲、拉丁美洲和其他地区的发展中国家；第二世界，指处于这两者之间的发达国家。——第 77、127、160 页。

43 王洪文（一九三四——一九九二），吉林长春人。“文化大革命”期间，任中共中央政治局委员、常务委员、中央委员会副主席，与江青、张春桥、姚文元结成“四人帮”反革命集团，积极参与夺取党和国家最高权力的阴谋活动。一九七七年七月中共十届三中全会通过决议，开除他的党籍，撤销其党内外一切职务。一九八一年一月被中华人民共和国最高人民法院特别法庭判处无期徒刑，剥夺政治权利终身。——第 85、192、225、280 页。

44 江青（一九一四——一九九一），山东诸城人。“文化大革命”期间，任中共中央政治局委员、“中央文化革命小组”副组长，为首组织、领导“四人帮”反革命集团，积极参与夺取党和国家最高权力的阴谋活动。一九七七年七月中共十届三中全会通过决议，开除她的党籍，撤销其党内外一切职务。一九八一年一月被中华人民共和国最高人民法院特别法庭判处死刑，缓期二年执行，剥夺政治权利终身。一九八三年一月被最高人民法院刑事审判庭依法减为无期徒刑，原判处剥夺政治权利终身不变。——第 85、296、352 页。

45 见马克思《政治经济学批判（1857—1858 年草稿）》（《马克思恩格斯全集》第 46 卷下册，人民出版社 1980 年版，第 211 页）。——第 87 页。

46 参见列宁《关于党纲的报告》（《列宁全集》第 36 卷，人民出版社 1985 年版，第 151—152 页）。——第 88 页。

47 参见马克思《剩余价值理论》（《马克思恩格斯全集》第 26 卷第 1 册，人民出版社 1972 年版，第 444 页）。——第 89 页。

48 毛泽东一九五七年在讲到知识分子问题时，曾多次引用“皮之不存，毛将焉附”（参见《左传・僖公十四年》）这个成语作比喻，来说明在生产资料所有制的社会主义改造基本完成以后，从旧社会过来的知识分子所依附的经济基础那几张旧“皮”已经不存在了，因此他们不能不依附在公有制这张新“皮”上，即站在无产阶级方面。——第 89 页。

49 见毛泽东《纪念孙中山先生》（《毛泽东著作选读》下册，人民出版社 1986 年版，第 755 页）。——第 90 页。

50 参见毛泽东《中国共产党在民族战争中的地位》（《毛泽东选集》第 2 卷，人民出版社 1991 年版，第 533 页）。——第 96 页。

51 毛泽东一九六四年十二月十二日在一个批示中曾指出，工厂管理人员“不学会技术，长期当外行，管理也搞不好。以其昏昏，使人昭昭，是不行的”。“以其昏昏，使人昭昭”一语，见《孟子・尽心下》。——第 99 页。

52 中国共产党第十一次全国代表大会　于一九七七年八月十二日至十八日在北京举行。这次大会在揭批江青反革命集团和动员全党建设社会主义现代化强国方面起了积极作用。由于当时历史条件的限制和华国锋的错误的影响，这次大会的政治报告仍然肯定“文化大革命”的错误理论、政策和口号，因而又起了阻挠拨乱反正的消极作用。邓小平作这篇讲话的时候，由于时机还不成熟，还没有可能对十一大的作用作这样两个方面的分析。——第100、135、183、275、308、414页。

53 “三老四严”是大庆油田职工在六十年代初提出的口号。“三老”指对待革命事业要当老实人，说老实话，做老实事。“四严”指对待工作要有严格的要求，严密的组织，严肃的态度，严明的纪律。——第104页。

54 见毛泽东《关于正确处理人民内部矛盾的问题》(《毛泽东著作选读》下册，人民出版社1986年版，第780页)。——第106页。

55 见列宁《民粹主义空想计划的典型》(《列宁全集》第2卷，人民出版社1984年版，第461页)。——第107页。

56 一九七四年四月六日，邓小平率中国代表团赴美国出席联合国大会第六届特别会议。十日，他在大会发言，全面阐述了毛泽东关于三个世界划分的理论并说明了中国的对外政策。这篇讲话载一九七四年四月十一日《人民日报》。——第112、305页。

57 王明“左”倾路线 指第二次国内革命战争时期以教条主义者王明为代表的“左”倾冒险主义。一九三一年一月，在中共六届四中全会上，王明等人在共产国际及其代表米夫的支持下，取得了在中共中央的领导地位。他们在政治上混淆民主革命和社会主义革命的界限，把反资产阶级和反帝反封建并列；否认九一八事变后国内阶级关系的明显变化，把中间势力当成“最危险的敌人”；继续推行“城市中心论”，主张红军夺取中心城市以实现一省数省首先胜利而形成全国的胜利。在军事上，先是推行冒险主义，后来又变为保守主义和逃跑主义。在组织上，实行宗派主义，对不同意他们错误主张的人，进行“残酷斗争，无情打击”。王明“左”倾冒险主义在党内统治达四年之久，给党和革命事业造成了重大的损失。一九三五年一月，中共中央政治局召开遵义会议，确立了以毛泽东为代表的新的中央的正确领导，从而结束了王明“左”倾冒险主义在中央的统治。——第115页。

58 见毛泽东《实践论》(《毛泽东选集》第1卷，人民出版社1991年版，第284页)。——第115页。

59 见毛泽东《矛盾论》(《毛泽东选集》第1卷，人民出版社1991年版，第310页)。——第116页。

60　见毛泽东《中国革命战争的战略问题》(《毛泽东选集》第1卷,人民出版社1991年版,第179页)。——第116页。

61　见毛泽东《改造我们的学习》(《毛泽东选集》第3卷,人民出版社1991年版,第801页)。——第116页。

62　见毛泽东《改造我们的学习》(《毛泽东选集》第3卷,人民出版社1991年版,第800页)。——第116页。

63　见毛泽东《整顿党的作风》(《毛泽东选集》第3卷,人民出版社1991年版,第820页)。——第117页。

64　见毛泽东《整顿党的作风》(《毛泽东选集》第3卷,人民出版社1991年版,第817页)。——第117页。

65　见毛泽东《整顿党的作风》(《毛泽东选集》第3卷,人民出版社1991年版,第817页)。——第117页。

66　党的三大作风　指一九四五年四月二十四日毛泽东在中国共产党第七次全国代表大会上作的《论联合政府》的政治报告中提出的理论和实践相结合的作风,和人民群众紧密地联系在一起的作风以及自我批评的作风。——第117、165、389页。

67　见毛泽东《反对党内的资产阶级思想》(一九五三年八月十二日)。——第117页。

68　见毛泽东《增强党的团结,继承党的传统》(一九五六年八月三十日)。——第117页。

69　引自毛泽东《工作方法六十条(草案)》(一九五八年一月三十一日)。——第117页。

70　韦国清(一九一三——一九八九),广西东兰人。当时任中共中央政治局委员、中国人民解放军总政治部主任。——第118页。

71　和平共处五项原则　是互相尊重主权和领土完整、互不侵犯、互不干涉内政、平等互利、和平共处。一九五三年十二月至一九五四年四月,中国政府代表团和印度政府代表团就两国在中国西藏地方的关系问题在北京举行谈判。

这五项原则是谈判开始时周恩来总理同印度政府代表团的谈话中提出的，后正式写入双方达成的《关于中国西藏地方和印度之间的通商和交通协定》的序言中。一九五四年六月周恩来总理和印度尼赫鲁总理的联合声明以及此后的许多国际性文件都采用了和平共处五项原则的提法。五项原则作为国与国之间关系的准则，已在世界上得到广泛的承认和使用。——第127页。

72　**全国第六次劳动大会** 于一九四八年八月一日至二十二日在哈尔滨举行。大会号召全国工人阶级紧密团结全国人民，积极支援人民解放军，迅速实现推翻国民党反动统治、建立新中国的历史任务。会议通过了《关于中国职工运动当前任务的决议》，并决定恢复中国工人阶级统一的全国组织中华全国总工会。以前的五次全国劳动大会，先后举行于一九二二年、一九二五年、一九二六年、一九二七年、一九二九年。一九五三年四月三十日，中华全国总工会第六届执行委员会第三次全体会议决定，把即将召开的"中国第七次全国劳动大会"改称"中国工会第七次全国代表大会"。——第134页。

73　**中国工会第七次全国代表大会** 于一九五三年五月二日至十一日在北京举行。这次大会总结了全国第六次劳动大会以后，特别是中华人民共和国成立以后国民经济恢复时期的全国工会工作的经验，确定了有计划的经济建设时期的工会的任务是团结全国人民，积极地完成国家经济建设计划，为逐步实现国家的工业化和过渡到社会主义社会而斗争。**中国工会第八次全国代表大会** 于一九五七年十二月二日至十二日在北京举行。这次大会根据中国共产党第八次全国代表大会的精神，总结了中国工会第七次全国代表大会以来的经验教训，确定了中国工人阶级和工会的任务是团结全国人民，勤劳节俭，为实现发展国民经济的第二个五年计划，把我国建设成一个具有现代工业、现代农业和现代科学文化的伟大的社会主义国家而奋斗。——第134页。

74　**"双百"方针** 即毛泽东提出的"百花齐放、百家争鸣"的方针。一九五六年四月二十八日，毛泽东在中共中央政治局扩大会议上说："'百花齐放、百家争鸣'，我看这应该成为我们的方针。艺术问题上百花齐放，学术问题上百家争鸣。"从此，它成为促进我国艺术发展和科学进步，繁荣社会主义文化的一项基本方针。——第145、244、364页。

75 见列宁《大家都去同邓尼金作斗争!》。新的译文是:“借口集体管理而无人负责,是最危险的祸害”,“应不顾一切尽快根除这一祸害”(《列宁全集》第37卷,人民出版社1986年版,第42、41页)。——第151页。

76 中日和平友好条约 于一九七八年八月十二日在北京签订。条约规定:缔约双方应在和平共处五项原则的基础上,发展两国间持久的和平友好关系;确定彼此用和平手段解决一切争端,而不诉诸武力或武力威胁;继续为开展经济和文化合作,促进两国人民的往来而努力;任何一方都不应在亚太地区或其他任何地区谋求霸权,并反对任何其他国家或国家集团建立这种霸权。双方确认本条约不影响缔约各方同第三国关系的立场。同年十月二十三日,邓小平副总理在日本东京出席中日和平友好条约批准书互换仪式,条约正式生效。——第155、247页。

77 指一九五八年的“大跃进”和人民公社化运动中的错误。这一年八月,中共中央政治局在北戴河举行扩大会议,提出一九五八年钢的产量要比一九五七年翻一番,达到一千零七十万吨;并决定在农村普遍建立人民公社。会后,在全国很快形成了全民炼钢和人民公社化运动的高潮,以高指标、瞎指挥、浮夸风和“共产风”为主要标志的“左”倾错误严重地泛滥开来,打乱了正常的经济建设秩序,浪费了巨大的人力和资源,造成了国民经济比例的严重失调。——第156、249、277、296、314、316、346、380页。

78 定息 是中国在资本主义工商业实行全行业公私合营后,对民族资本家的生产资料进行赎买的一种形式,即不论企业盈亏,统一由国家每年按照私股股额付给资本家固定的股息(一般是年息百分之五)。定息从一九五六年起支付,后来在一九六六年九月停止支付。——第157、186页。

79 荣毅仁,一九一六年生,江苏无锡人。中国人民政治协商会议全国委员会副主席,中华全国工商业联合会副主任委员。一九七九年十月出任中国国际信托投资公司董事长。——第157页。

80 指《中共中央关于加快农业发展若干问题的决定(草案)》和《农村人民公社工作条例(试行草案)》。这两个文件在一九七八年十二月中共十一届三中全会通过后发到各省、市、自治区讨论和试行。第一个文件在一九七九年九月中共十一届四中全会正式通过后公布实行。第二个文件由于考虑到人民公社制度可能需要改变，没有提交十一届四中全会通过和公布。——第160、246页。

81 **对越南自卫还击战** 是一九七九年二、三月中国边防部队在广西、云南边境地区对越南侵略者进行的自卫还击、保卫边疆的作战。——第160、247、284页。

82 **全国解放初期和六十年代初期两次调整** 指一九五〇年至一九五二年国民经济的调整工作和一九六一年至一九六五年的国民经济的调整、巩固、充实、提高工作。全国解放初期的调整，是为了恢复被长期战争和国民党反动统治破坏了的国民经济。一九五〇年上半年，通过统一全国财政收支、物资调度和现金管理，迅速实现了全国财政经济工作的统一管理和领导，使财政收支接近平衡，物价得到稳定。从一九五〇年六月起，开始调整私营工商业。通过国家计划领导，加工订货，发放贷款，调整税收、工资、价格等措施，调整了公私关系、劳资关系和产销关系。六十年代初期的调整，是在“大跃进”以后国民经济发生严重困难的情况下进行的。经过大力缩短基本建设战线、压缩重工业生产、增加日用工业品生产、精减职工和减少城镇人口、压缩城镇粮食销量等措施，初步调整了工业与农业、城市与乡村的关系。中共中央还陆续制定了农村人民公社工作条例草案和有关工业、商业等方面的工作条例草案，比较系统地总结了社会主义建设的经验，有力地推动了国民经济的调整工作。到一九六五年，基本完成了预定的调整国民经济的任务。——第161页。

83 **陈云**，一九〇五年生，江苏青浦（今属上海）人。中华人民共和国成立后，曾任中共中央书记处书记、政务院副总理兼中央财政经济委员会主任、国务院副总理等职。一九五六年在中共八届一中全会上当选为中央政治局委员、常务委员、中央委员会副主席。一九七八年十二月在中共十一届三中全会上当选为中央政治局常务委员、中央委员会副主席、中央纪律检查委员会第一书记。一九八七年任中央顾问委员会主任。——第162、198、293、320、354、381、385、414页。

84 **李先念**（一九〇九——一九九二），湖北黄安（今红安）人。中华人民共和国成立后，长期担任国务院副总理兼财政部部长。一九七七年八月在中共十一届一中全会上当选为中共中央政治局常务委员、中央委员会副主席。一九七九年任国务院副总理兼财政经济委员会副主任。一九八三年任中华人民共和国主席。一九八八年任中国人民政治协商会议全国委员会主席。——第162、225、247、280、320页。

85 见列宁《共产主义运动中的“左派”幼稚病》(《列宁全集》第39卷,人民出版社1986年版,第24页)。——第170页。

86 见毛泽东《整顿党的作风》(《毛泽东选集》第3卷,人民出版社1991年版,第812页)。——第178页。

87 一九七九年六月十八日至七月一日在北京举行的第五届全国人民代表大会第二次会议,审议通过了《中华人民共和国地方各级人民代表大会和地方各级人民政府组织法》,规定地方各级革命委员会改为地方各级人民政府,它修正了一九七八年三月五日在第五届全国人民代表大会第一次会议通过的《中华人民共和国宪法》中关于设立地方各级革命委员会的有关条文。——第189页。

88 指一九七八年五月十一日《光明日报》发表的特约评论员文章《实践是检验真理的唯一标准》。——第190页。

89 方毅,一九一六年生,福建厦门人。当时任国务院副总理。——第196页。

90 关于共产党领导的多党合作问题,邓小平于一九八九年一月二日在民主党派成员所提建议上批示:“可组织一个专门小组(成员要有民主党派的),专门拟定民主党派成员参政和履行监督职责的方案,并在一年内完成,明年开始实行。”根据邓小平的批示,中共中央制定了《关于坚持和完善中国共产党领导的多党合作和政治协商制度的意见》,于一九八九年十二月三十日下发。——第205页。

91 见列宁《党的组织和党的出版物》(《列宁全集》第12卷,人民出版社1987年版,第94页)。——第211页。

92 见毛泽东《中国人民站起来了》(《毛泽东著作选读》下册,人民出版社1986年版,第692页)。——第214页。

93 “西单墙”指当时北京西单街头人们贴大字报的地方。后来一些别有用心的人利用它来破坏社会秩序和社会治安并进行违法活动。一九七九年十二月六日，北京市革命委员会发出通知，宣布禁止在“西单墙”张贴大字报。——第217、233、252、279页。

94　指一九七九年九月十七日《人民日报》评论员文章《切实解决上访问题》和同年十月二十二日《人民日报》评论员文章《正确对待上访问题》。——第228页。

95　一九五八年“大跃进”后，我国国民经济发生了严重困难。一九六〇年冬，中共中央开始纠正农村工作中的“左”倾错误，随后提出对国民经济实行调整、巩固、充实、提高的八字方针。但是，农业减产、基本建设规模过大、通货膨胀以及城市人民生活下降等困难，在一九六二年初仍然很严重。同年二月，中共中央同意陈云在中央政治局常委扩大会议上对当时财政经济情况的分析和克服困难的意见，决定全面贯彻执行八字方针，对国民经济进行大幅度调整，采取果断措施坚决缩短基本建设战线，进一步大量精减职工和减少城镇人口。贯彻落实这些措施需要进行艰巨的思想、组织工作，这在当时也是一种很大的困难。五月二十一日、六月五日，中共中央分别发出向职工和农民进行宣传教育的宣传要点，要求各级主要领导干部亲自宣讲，动员群众克服困难，争取财政经济状况的基本好转。经过全党全国人民的努力，到一九六二年底，我国国民经济史上的这个最困难的时期已经过去。——第229页。

96　胡耀邦（一九一五——一九八九），湖南浏阳人。一九七八年十二月中共十一届三中全会后，任中共中央政治局委员、中央宣传部部长。一九八〇年二月在中共十一届五中全会上当选为中央政治局常务委员、中央委员会总书记。一九八一年六月在中共十一届六中全会上当选为中央委员会主席。——第239、303、383、389页。

97　阿富汗事件　指一九七九年十二月下旬开始的苏联军队对阿富汗的大规模入侵。——第240页。

98　伊朗问题　指一九七九年十月美国同意前伊朗国王巴列维去美，伊朗学生于同年十一月扣押美国驻伊朗使馆人员作人质，要求美国将巴列维送回伊朗受审和归还伊朗在美资产而引起的伊美关系危机。——第240页。

99　越南问题　指七十年代末期越南当局的反华、排华和对民主柬埔寨的大规模军事侵略。——第240页。

100　*中东问题* 指以色列在中东地区推行侵略扩张政策所引起的中东复杂的矛盾，以及苏美两个超级大国在中东这个战略要地的角逐。——第240页。

101　*一九五七年的反右* 指这一年开展的反对资产阶级右派分子的斗争。一九五七年四月，中共中央决定在全党进行一次反对官僚主义、宗派主义和主观主义的整风运动。极少数资产阶级右派分子乘机向共产党和新生的社会主义制度进攻，妄图取代共产党的领导。六月，中共中央发出指示，决定对右派进攻实行反击。当时对极少数资产阶级右派分子的进攻进行反击是必要的，但在斗争中犯了严重的扩大化的错误。一九七八年，中共中央决定对被划为右派分子的人进行复查，把错划的改正过来。——第243、277、294、380、390页。

102　*中国共产党第八次全国代表大会* 于一九五六年九月十五日至二十七日在北京举行。这次大会分析了生产资料私有制的社会主义改造基本完成以后的形势，提出了全面开展社会主义建设的任务。毛泽东致开幕词，刘少奇作政治报告，周恩来作《关于发展国民经济的第二个五年计划的建议的报告》，邓小平作《关于修改党的章程的报告》；朱德、陈云、董必武等作了重要发言。大会通过了《关于政治报告的决议》、《中国共产党章程》和《关于发展国民经济的第二个五年计划（一九五八年到一九六二年）的建议》，并选举了新的中央委员会。八大制定了正确的路线，为新时期社会主义事业的发展和党的建设指明了方向。——第244、414页。

103　*“三不主义”* 指不抓辫子，不扣帽子，不打棍子。参见本书《解放思想，实事求是，团结一致向前看》一文（第144页）。——第244页。

104　*“计划调节和市场调节相结合”* 一句，本书第一版为“在计划经济指导下发挥市场调节的辅助作用”。现根据人民出版社一九八〇年二月出版的《目前的形势和任务》单行本排印，恢复作者当时的提法。——第247页。

105　*党的四大* 即一九二五年一月十一日至二十二日在上海举行的中国共产党第四次全国代表大会。大会讨论的中心问题是党如何加强对日益高涨的革命运动的领导。大会分析了中国社会各阶级在民族革命运动中的地位，指出了无产阶级领导权和工农联盟的重要性，初步总结了国共合作一年来的经验教训，通过了关于民族革命运动、职工运动、农民运动、青年运动、妇女运动、组织问题、宣传工作等决议案，为群众斗争的新高涨作了组织上的准备。——第267页。

106 九大 即一九六九年四月一日至二十四日在北京举行的中国共产党第九次全国代表大会。这次大会使"文化大革命"的错误理论和实践合法化，加强了林彪、江青、康生等人在中共中央的地位。九大在思想上、政治上和组织上的指导方针都是错误的。十大 即一九七三年八月二十四日至二十八日在北京举行的中国共产党第十次全国代表大会。这次大会继续了九大的"左"倾错误。——第269、304、414页。

107 瞿秋白（一八九九——一九三五），江苏常州人。一九二二年加入中国共产党，是党的早期领导人之一。在一九二七年大革命失败后的紧要关头，同李维汉主持召开"八七会议"。会后任中共临时中央政治局常务委员，主持中央工作。一九二七年十一月至一九二八年四月犯过"左"倾盲动主义错误。一九三〇年九月主持召开中共六届三中全会，纠正李立三"左"倾冒险主义的错误。在一九三一年中共六届四中全会上，受到王明"左"倾教条主义宗派主义分子的打击，被排斥于党的中央领导机关之外。一九三五年二月从江西往福建转移途中被国民党逮捕，六月十八日在福建长汀就义。"文化大革命"中被诬为"叛徒"。一九八〇年十月，中共中央为瞿秋白恢复名誉。——第278、293页。

108 徐向前（一九〇一——一九九〇），山西五台人。当时任中共中央政治局委员、中央军事委员会副主席、国务院副总理兼国防部部长。——第289、320页。

109 三次"左"倾路线 指一九二七年十一月至一九二八年四月以瞿秋白为代表的"左"倾盲动主义错误，一九三〇年六月至九月以李立三为代表的"左"倾冒险主义错误和一九三一年一月至一九三五年一月遵义会议前以王明为代表的"左"倾冒险主义错误。——第292页。

110 指一九五九年对彭德怀的所谓右倾机会主义路线展开的斗争。参见《中国共产党中央委员会关于建国以来党的若干历史问题的决议》第(17)。——第293、330页。

111 指“文化大革命”中对刘少奇的所谓反革命修正主义路线展开的斗争。参见《中国共产党中央委员会关于建国以来党的若干历史问题的决议》第(20)。——第293页。

112 陈独秀(一八七九——一九四二),安徽怀宁(今安庆市)人。一九一五年九月起主编《青年》杂志(后改名《新青年》),一九一八年和李大钊创办《每周评论》,提倡新文化,是五四新文化运动的主要领导人之一。五四运动后,接受和宣传马克思主义,是中国共产党的主要创始人之一。在党成立后的最初六年中是党的主要领导人。在第一次国内革命战争后期,犯了严重的右倾投降主义错误。其后,对于革命前途悲观失望,接受托派观点,在党内成立小组织,进行反党活动,一九二九年十一月被开除出党。后公开进行托派组织活动。一九三二年十月被国民党逮捕,一九三七年八月出狱。一九四二年病故于四川江津。——第293、330页。

113 李立三(一八九九——一九六七),湖南醴陵人。一九二一年加入中国共产党,是中国工人运动的主要领导人之一。他在担负中共中央领导工作期间,于一九三〇年六月至九月犯了“左”倾冒险主义错误。后来他认识和改正了错误。在中共第七次、第八次全国代表大会上继续被选为中央委员。——第293页。

114 罗章龙,一八九六年生,湖南浏阳人。一九二一年加入中国共产党。曾被选为中共中央委员、中央候补委员。一九三一年一月中共六届四中全会后,组织“中央非常委员会”,进行分裂党的活动,被开除党籍。——第293页。

115 张国焘(一八九七——一九七九),江西萍乡人。一九二一年参加中国共产党第一次全国代表大会。曾被选为中共中央委员、政治局委员、政治局常务委员。一九三一年任中共鄂豫皖中央分局书记、中华苏维埃共和国临时中央政府副主席等职。一九三五年六月红军第一、第四方面军在四川懋功地区会师后任红军总政治委员。他反对中央关于红军北上的决定,进行分裂党和红军的活动,另立中央。一九三六年六月被迫取消第二中央,随后与红军第二、第四方面军一起北上,十二月到达陕北。一九三七年九月起,任陕甘宁边区政府副主席、代主席。一九三八年四月,他乘祭黄帝陵之机逃出陕甘宁边区,经西安到武汉,投入国民党特务集团,成为中国革命的叛徒,随即被开除出党。一九七九年死于加拿大。——第293、330页。

116 高岗(一九〇五——一九五四),陕西横山人。曾任中共中央政治局委员、中共中央东北局书记、中央人民政府副主席。一九五三年调中央任国家计划委员会主席后,积极进行分裂党、篡夺党和国家最高权力的活动。一九五四年被揭露。一九五五年三月中国共产党全国代表会议通过决议,开除他的党籍。——第293页。

117 饶漱石(一九〇三——一九七五),江西临川人。曾任中共中央华东局第一书记,华东行政委员会主席。一九五三年调任中共中央组织部部长后,与高岗一起,阴谋分裂党、篡夺党和国家最高权力。一九五五年三月中国共产党全国代表会议通过决议,开除他的党籍。——第293页。

118 三大改造 指一九五六年基本完成的国家对农业、对手工业和对资本主义工商业的社会主义改造。——第294页。

119 两次郑州会议 指一九五八年十一月二日至十日毛泽东在郑州召集的有部分中央领导人和部分地方领导人参加的会议和一九五九年二月二十七日至三月五日在郑州召开的中共中央政治局扩大会议。第一次郑州会议开始纠正人民公社化运动中已经觉察到的一些错误。毛泽东在会议上批评了急于想使人民公社由集体所有制过渡到全民所有制,由社会主义过渡到共产主义,以及废除商品生产等错误主张。第二次郑州会议的主题是解决人民公社的所有制和纠正“共产风”问题。会议根据毛泽东的意见,规定了整顿和建设人民公社的方针:人民公社实行权力下放,三级管理,三级核算,队(这里的队有些地方是生产大队,相当于原高级社的规模)为基础的体制;在公社内部承认队与队、人与人之间的差别,实行按劳分配、等价交换的原则等。会议起草了《关于人民公社管理体制的若干规定(草案)》。——第295、380页。

120 一九五九年七月二日至八月一日,在江西庐山召开中共中央政治局扩大会议,八月二日至十六日召开中共八届八中全会。这两次会议接连在庐山召开,通称庐山会议。——第295页。

121 农业十二条 指一九六〇年十一月三日中共中央发出的《关于农村人民公社当前政策问题的紧急指示信》,共十二条。指示信指出,一平二调的“共产风”严重地破坏农业生产力,必须坚决反对,彻底纠正。指示信规定:农村人民公社实行三级所有，队为基础（这里的队是指当时的生产队，一九六一年起改称生产大队，原来的生产小队改称生产队；一九六二年二月十三日中共中央发出指示，把农村人民公社基本核算单位由生产大队改为生产队）；允许社员经营少量的自留地和小规模的家庭副业；坚持按劳分配原则和认真执行劳逸结合等。指示信对纠正“共产风”，扭转农村局势，起了积极作用。——第 295 页。

122 人民公社六十条 指一九六一年三月中共中央制定的《农村人民公社工作条例（草案）》，全文共六十条。条例草案针对人民公社内部严重存在的队与队、社员与社员之间的平均主义，在纠正社、队规模偏大，公社对下级管得太多太死，民主制度和经营管理制度不健全等方面，作了比较系统的规定。同年五、六月间，中共中央又对这个草案作了修改，制定了供讨论和试行用的《农村人民公社工作条例（修正草案）》，进一步规定取消分配上的供给制部分，停办公共食堂。一九六二年九月二十七日，中共八届十中全会正式通过了《农村人民公社工作条例（修正草案）》。人民公社六十条的贯彻执行，对恢复农村经济起了重要的作用。——第 295 页。

123 七千人大会 即一九六二年一月十一日至二月七日中共中央在北京举行的扩大的工作会议。参加会议的有中央、各中央局、各省市自治区党委及地委、县委、重要厂矿企业党委和部队的负责干部共七千多人。会上刘少奇代表中共中央所作的报告，初步总结了一九五八年“大跃进”以来工作中的经验和教训，分析了几年来工作中的主要缺点错误，指出全党当前的主要任务是做好调整工作。毛泽东在会上作了重要讲话，着重指出要健全民主集中制，在党内、党外充分发扬民主；要在总结正反两方面的经验的基础上，加深对社会主义建设规律的认识。对前几年工作中的缺点和错误，毛泽东承担了责任，作了自我批评。——第 295 页。

124 北戴河会议 指一九六二年七月下旬至八月下旬中共中央在北戴河召开的工作会议。这次会议为八届十中全会的召开做了准备。会议期间，毛泽东着重讲了阶级、形势和矛盾问题，一再强调我们国家仍然存在阶级和阶级斗争，认为在整个社会主义历史阶段中资产阶级都将存在并企图复辟，把社会主义社会中一定范围内存在的阶级斗争作了扩大化和绝对化的论述。——第 295 页。

125 “四清” 即社会主义教育运动，是一九六三年至一九六六年五月先后在部分农村和少数城市工矿企业和学校等单位开展的一次清政治、清经济、清组织、清思想的运动。这次运动，虽然对于解决干部作风和经济管理等方面的问题起了一定作用，但由于把这些不同性质的问题都认为是阶级斗争或者是阶级斗争在党内的反映，在一九六四年下半年使不少基层干部受到不应有的打击。一九六五年一月，中共中央制定了《农村社会主义教育运动中目前提出的一些问题》，共二十三条。这个文件虽然对“四清”运动中某些“左”的偏向作了纠正，但又错误地提出了这次社会主义教育运动的重点是整所谓“党内走资本主义道路的当权派”。——第 295 页。

126 两个文艺批示 指毛泽东一九六三年十二月十二日关于艺术工作方面存在的问题给中共北京市委负责人彭真、刘仁的批示和一九六四年六月二十七日在中宣部《关于全国文联和各协会整风情况的报告(草稿)》上的批示。批示说：在戏剧、曲艺、音乐、美术、舞蹈、电影、诗和文学等各种艺术形式中问题不少；文艺界各协会和他们所掌握的刊物的大多数，十五年来基本上不执行党的政策，“最近几年，竟然跌到了修正主义的边缘”。中共十一届三中全会以后，中共中央正式宣布，这两个批示对文艺工作的指责不符合实际情况，并且被后来的《部队文艺工作座谈会纪要》所利用，产生了严重的后果。——第 296 页。

127 一九七六年九月九日毛泽东逝世后，江青反革命集团有计划、有预谋地编造了“按既定方针办”的所谓毛主席的临终嘱咐，写进九月十六日《人民日报》、《红旗》杂志、《解放军报》社论中，并广为宣扬。他们的按既定方针办，就是按毛泽东晚年的错误方针办。——第 298 页。

128 七大 即一九四五年四月二十三日至六月十一日在延安举行的中国共产党第七次全国代表大会。毛泽东作《论联合政府》的政治报告，朱德作《论解放区战场》的军事报告，刘少奇作《关于修改党章的报告》，周恩来作《论统一战线》的重要发言。大会决定了党的路线，这就是“放手发动群众，壮大人民力量，在我党的领导下，打败日本侵略者，解放全国人民，建立一个新民主主义的中国”。大会通过了新党章，选举了新的中央委员会。新党章规定以马克思列宁主义理论与中国革命的实践之统一的思想——毛泽东思想，作为中国共产党的一切工作的指针。这次大会是一次团结的大会、胜利的大会，为新民主主义革命在全国的胜利奠定了基础。——第300页。

129 AB团 是一九二六年底在江西南昌成立的以反共为目的的国民党右派组织。一九二七年四月初该组织被革命群众冲垮，存在时间不长。一九三〇年上半年，赣西南革命根据地在肃反工作中首先开展了所谓肃清AB团的斗争。一九三一年后，这一斗争扩展到鄂豫皖、湘鄂西等革命根据地。反AB团的斗争混淆了敌我矛盾，使肃反扩大化，造成了严重后果。——第301页。

130 这是毛泽东一九四三年十月九日针对当时审查干部工作中的错误在一份材料上的批语中提出的一项重要政策。——第301页。

131 贺龙（一八九六——一九六九），湖南桑植人。当时任中共中央政治局委员、中央军事委员会副主席、国务院副总理。“文化大革命”中被林彪、江青反革命集团迫害致死。一九七四年九月，中共中央决定为贺龙恢复名誉。一九八二年十月，中共中央给予彻底平反。——第301页。

132 胡乔木（一九一二——一九九二），江苏盐城人。一九八〇年任中共中央书记处书记、中央文献研究室主任、中央党史研究室主任、中国社会科学院院长。一九八〇年至一九八一年，他在邓小平主持下负责《中国共产党中央委员会关于建国以来党的若干历史问题的决议》起草工作。一九八二年九月在中共十二届一中全会上当选为中共中央政治局委员。——第302、413页。

133 一九六七年二月前后，在中共中央政治局碰头会（即“怀仁堂会议”）和军委会议上，谭震林、陈毅、叶剑英、李富春、李先念、徐向前、聂荣臻等，对“文化大革命”的错误作法提出了强烈的批评，但被诬为“二月逆流”而受到压制和打击。同时，林彪、江青反革命集团借机掀起所谓“反击全国自上而下的复辟逆流”的浪潮，更大规模地打击迫害党和国家的各级领导干部。一九七一年林彪叛逃事件发生后，毛泽东说过，再不要讲“二月逆流”了。粉碎江青反革命集团后，中共中央正式宣布为“二月逆流”问题平反。——第303页。

134 黄克诚（一九〇二——一九八六），湖南永兴人。当时任中共中央纪律检查委员会常务书记。——第303、379页。

135 李维汉（一八九六——一九八四），湖南长沙人。当时任中共中央统战部顾问。——第303页。

136 参见毛泽东《学习和时局》（《毛泽东选集》第3卷，人民出版社1991年版，第939页）。——第304页。

137 基辛格，一九二三年生，当时任美国总统尼克松的国家安全事务助理。一九七一年七月到北京与周恩来总理就两国关系正常化等问题举行会谈。——第305、375页。

138 尼克松（一九一三——一九九四），美国共和党人。当时任美国总统。——第305、375页。

139 彭 指彭真，当时任中共中央政治局委员、中央书记处书记、中共北京市委第一书记、全国人民代表大会常务委员会副委员长、北京市市长；罗 指罗瑞卿，当时任中共中央书记处书记、中央军委秘书长、中国人民解放军总参谋长、国务院副总理；陆 指陆定一，当时任中共中央政治局候补委员、中央书记处书记、中央宣传部部长、国务院副总理；杨 指杨尚昆，当时任中共中央书记处候补书记、中央办公厅主任。“文化大革命”初期，他们被错误地定为“彭真、罗瑞卿、陆定一、杨尚昆反党集团”。中共中央分别于一九七九年二月、一九八〇年五月、一九七九年六月、一九八〇年十月专门发出文件给他们彻底平反。——第307页。

140 彭 指彭德怀，当时任中共中央政治局委员、国务院副总理兼国防部长；黄 指黄克诚，当时任中共中央书记处书记、中国人民解放军总参谋长；张 指张闻天，当时任中共中央政治局候补委员、外交部副部长；周指周小舟，当时任中共中央候补委员、中共湖南省委第一书记。一九五九年八月，在中共八届八中全会上，他们被错误地定为“右倾机会主义反党集团”。一九八一年六月二十七日，中共十一届六中全会通过的《中国共产党中央委员会关于建国以来党的若干历史问题的决议》中宣布：八届八中全会关于所谓“彭德怀、黄克诚、张闻天、周小舟反党集团”的决议是完全错误的。——第307页。

141 一九八〇年十一月十日至十二月五日，中共中央政治局连续召开九次会议，一致通过《中央政治局会议通报》，向全党通报了华国锋在粉碎“四人帮”以后所犯的“左”的错误和其他错误，并决定向中共十一届六中全会建议：同意华国锋辞去中央委员会主席、中央军事委员会主席的职务，选举胡耀邦为中央委员会主席，邓小平为中央军事委员会主席。——第 309 页。

142 赵紫阳，一九一九年生，河南滑县人。一九八〇年任中共中央政治局常务委员、国务院总理。一九八一年六月在中共十一届六中全会上增选为中央委员会副主席。——第 320、350、383 页。

143 王震（一九〇八——一九九三），湖南浏阳人。当时任中共中央政治局委员、中央军事委员会常务委员、国务院副总理。——第 320 页。

144 王任重（一九一七——一九九二），河北景县人。当时任中共中央书记处书记兼中央宣传部部长、国务院副总理。——第 320 页。

145 陈永贵（一九一四——一九八六），山西昔阳人。曾任昔阳县大寨大队党支部书记。当时任中共中央政治局委员、国务院副总理。——第 320 页。

146 王明 即陈绍禹（一九〇四——一九七四），安徽六安金家寨（今属金寨县）人。一九二五年加入中国共产党。曾任中共中央委员、政治局委员、长江局书记。他是一九三一年一月至一九三五年一月遵义会议前中国共产党内“左”倾冒险主义错误的主要代表。抗日战争初期，又犯了右倾投降主义错误。他长期拒绝党的批评和帮助。一九五六年后一直滞留苏联。一九七四年去世。参见本书注 57。——第 330 页。

147 一九五六年六月二十日的《人民日报》，根据中共中央政治局的意见，发表题为《要反对保守主义，也要反对急躁情绪》的社论，指出在社会主义建设事业蓬勃发展的过程中出现了一些超过实际可能的急躁冒进现象。根据这个精神，各地着重纠正这方面的问题。到了一九五七年秋天举行的扩大的中共八届三中全会上，毛泽东讲话开始对一九五六年的反冒进提出批评。在一九五八年一月的南宁会议上和三月的成都会议上，毛泽东进一步对一九五六年的反冒进提出严厉的批评。一九五八年批评反冒进使党内的“左”倾思想迅速发展起来。——第 330 页。

148 这一段，在本书出第一版时未收入，一九八七年七月一日《人民日报》重新发表此文时，按照原记录补全。现根据《人民日报》重新发表的版本排印。——第 340 页。

149 指赫鲁晓夫在任苏共中央第一书记期间全盘否定和恶意诋毁斯大林。——第347页。

150 慈禧 即叶赫那拉氏(一八三五——一九〇八),清咸丰皇帝的妃子,其子载淳(同治皇帝)即位后,被尊为慈禧太后。她是同治、光绪两朝的实际统治者、清末顽固势力的总代表,对内实行残酷统治,对外妥协投降,与帝国主义国家签订了一系列丧权辱国的条约。——第352页。

151 一九七九年七月十五日《中共中央、国务院批转广东省委、福建省委关于对外经济活动实行特殊政策和灵活措施的两个报告》和一九八〇年五月十六日《中共中央、国务院关于〈广东、福建两省会议纪要〉的批示》,决定在广东省的深圳市、珠海市、汕头市和福建省的厦门市,各划出一定范围的区域,试办经济特区。在特区内,在维护我国主权、执行我国法律、法令等原则下,实行经济开放政策,吸引侨商、外商投资办厂,或同他们合办企业,引进先进技术,发展对外贸易。——第363页。

152 里根,一九一一年生,美国共和党人。一九八一年至一九八九年任美国总统。——第375页。

153 卡特,一九二四年生,美国民主党人。一九七七年至一九八一年任美国总统。——第375页。

154 《与台湾关系法》是美国总统卡特于一九七九年四月十日签署生效的一项立法。一九七九年一月一日中美两国正式建立外交关系,同时美国政府宣布与台湾断交、终止美台"共同防御条约"、从台湾撤出美国军队。一月二十六日卡特总统提出《与台湾关系法》议案,美国国会众、参两院分别于三月二十八日、二十九日予以通过。《与台湾关系法》声称:"美国作出同中国建立外交关系的决定是以台湾的前途将以和平方式决定这种期望为基础的;凡是企图以和平以外的方式来解决台湾问题的努力,都将会威胁西太平洋地区的和平与安全,引起美国的严重关注。"并提出要向台湾提供"防御性武器",使之"保持抵御会危及台湾人民的安全或社会、经济制度的任何诉诸武力的行为或其他强制形式的能力"。这个法案继续将台湾当作"国家"对待,违反了中美两国建交时双方同意的原则以及美方的承诺,是对中国内政的公然干涉。——第375页。

155 布什，一九二四年生，美国共和党人。一九七四年至一九七五年任美国驻中国联络处主任。一九八九年至一九九三年任美国总统。——第 375 页。

156 中央四位常委 指中共中央政治局常务委员邓小平、赵紫阳、李先念、陈云。——第 379 页。

157 “三支两军”指“文化大革命”期间军队支左（支持当时被称为左派群众的人们）、支工（支援工业）、支农（支援农业）、军管（对一些地区、部门和单位实行军事管制）、军训（对学生进行军事训练）。——第 381 页。

158 一九八一年二月，中国人民解放军总政治部根据中共中央关于建设社会主义精神文明的号召和军队的特点，在《关于加强部队青年工作的指示》中提出了“四有、三讲、两不怕”的口号，即“有理想、有道德、有知识、有体力，讲军容、讲礼貌、讲纪律，不怕艰难困苦、不怕流血牺牲”。一九八三年一月，又根据中共十二大文件中关于建设社会主义精神文明的有关提法，将“四有、三讲、两不怕”的内容调整为“有理想、有道德、有文化、有纪律，讲军容、讲礼貌、讲卫生，不怕艰难困苦、不怕流血牺牲。”——第 382、395、408 页。

159 刘澜波（一九〇四——一九八二），辽宁凤城人。当时任电力工业部部长、党组书记。——第 384 页。

160 一九六四年一月十一日邓小平在全军政治工作会议上作的《关于目前国际、国内形势的报告》中，提出了军队干部年轻化的问题。他指出，干部年轻化问题，是一个全国性的问题，带有方针性质的问题。干部中经常要有新的血液，要有新的接班人，要让比较年轻一点的、政治思想好的共产主义者来接班。——第 385 页。

161 这里指陈云在《提拔培养中青年干部是当务之急》（一九八一年五月八日）和《成千上万地提拔中青年干部》（一九八一年七月二日）两文中提出的关于选拔中青年干部的几条意见，其主要精神是：从现在起，必须成千上万地提拔培养中青年干部；他们的年龄应该在五十岁左右、四十岁左右，而且多数应该是四十岁左右的人、四十岁以内的人；他们必须德才兼备，闹派性的骨干分子、打砸抢的分子一个也不能提到领导岗位上来。——第 400 页。

162 “三反”指一九五一年底至一九五二年十月在国家机关、部队和国营企业等单位中开展的“反对贪污、反对浪费、反对官僚主义”的斗争。——第402页。

163 **“五反”** 指一九五二年在全国资本主义工商业中开展的“反对行贿、反对偷税漏税、反对盗骗国家财产、反对偷工减料和反对盗窃经济情报”的斗争。——第402页。

164 **肥乡发生的事件** 指一九八二年一月河北省肥乡县一些帮派思想严重和怀有个人野心的人纠合在一起，利用县党代会选举县委领导班子的时机，进行秘密串连活动，采用“文化大革命”中的一套手法，把坚持中央路线的县委书记搞下台，另选一个帮派班子担任领导的事件。后来中共河北省委根据中央的指示对这个事件作了严肃处理。——第404页。

165 **赫鲁晓夫**（一八九四——一九七一），一九五三年九月起任苏共中央第一书记，一九五八年三月起同时任苏联部长会议主席。一九六四年十月被解除领导职务。——第406页。

166 **杨尚昆**，一九〇七年生，四川潼南人。当时任全国人民代表大会常务委员会副委员长兼秘书长、中央军事委员会常务委员兼秘书长。——第408页。

167 一九八一年二月二十五日，全国总工会、共青团中央、全国妇联等九个单位，为响应中共中央关于加强社会主义精神文明建设的号召，在联合发出的《关于开展文明礼貌活动的倡议》中提出开展“**五讲四美**”活动。“五讲四美”，即讲文明、讲礼貌、讲卫生、讲秩序、讲道德和心灵美、语言美、行为美、环境美。——第408页。

168 **一野** 指中国人民解放军第一野战军，是解放战争时期人民解放军的主力部队之一，一九四九年二月由西北野战军整编而成，彭德怀任司令员兼政治委员。一九五〇年四月根据中共中央的决定，第一野战军所属部队划归西北军区建制。——第410页。

169 **三野** 指中国人民解放军第三野战军，是解放战争时期人民解放军的主力部队之一，一九四九年二月由华东野战军整编而成，陈毅任司令员兼政治委员。一九五〇年四月根据中共中央的决定，第三野战军所属部队划归华东军区建制。——第410页。

170 陈丕显，一九一六年生，福建上杭人。当时任中共湖北省委第一书记。——第411页。

171 指中国共产党第十一届中央委员会向党的第十二次全国代表大会的报告和《中国共产党章程(修改草案)》。——第413页。